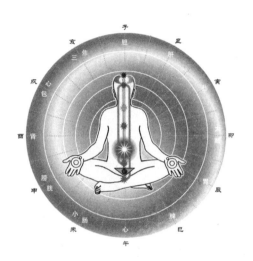

求医不如求己❸

穿越历史数千年　汲取天地大精华

中里巴人·著

凤凰出版传媒集团
江苏文艺出版社
JIANGSU LITERATURE AND ART
PUBLISHING HOUSE

图书在版编目（CIP）数据

求医不如求己3/中里巴人著．—南京：江苏文艺出版社，
2008.10

（国医健康绝学系列）

ISBN 978-7-5399-2988-0

Ⅰ．求… Ⅱ.中… Ⅲ.养生（中医）－基本知识 Ⅳ.
R212

中国版本图书馆 CIP 数据核字（2008）第 151724 号

求医不如求己3

著　　者：	中里巴人	
责任编辑：	于奎潮	
文字编辑：	马　松　李　佳	
封面设计：	何　月	
责任监制：	卞宁坚　江伟明	
出版发行：	凤凰出版传媒集团	
	江苏文艺出版社	
集团网址：	凤凰出版传媒网 http://www.ppm.cn	
经　　销：	江苏省新华发行集团有限公司	
印　　刷：	三河市南阳印刷有限公司	
开　　本：	787毫米×1092毫米　1/16	
字　　数：	260千字	
印　　张：	18.5	
印　　次：	2008年11月第1版，2008年11月第1次印刷	
书　　号：	ISBN 978-7-5399-2988-0	
定　　价：	32.00元	

（江苏文艺版图书凡印刷、装订错误可随时向承印厂调换）

出版说明

　　《国医健康绝学》是一套荟萃了中国各地保健名家多年来在防病养生方面实用经验的系列丛书。丛书全面、系统、深入浅出地阐述了人在不同年龄段的各类常见病和疑难杂症的预防之法，还告诉大家养生的根本在于要颐养人的"生长收藏"。

　　本套丛书的作者或是盛名在外、经年累月奋战在教学、科研、临床第一线的名师专家，或是得其家学和先师精髓并将其发扬光大的良医，或是久病成医后的中医大修之人，或是遍尝百草之后以颐养身心为乐的通达之士。虽然自古"道不轻传，医不扣门"，但是他们却毫不吝惜自己的养生防病绝学高技，以普度世人的心苦身病为己任，以惠泽众生的快乐健康为大荣。

　　《国医健康绝学》系列丛书的出版，是本着积极预防疾病、提早化解潜藏在人体的隐患、把疾病消灭在萌芽状态的宗旨，希望大家能更多地关注健康，关注养生，而不是只仅仅关注疾病。我们建议，如果自身的情况不是"未病"状态，而是急病、重病或迁延不愈的痼疾，那么这时候还需要大家及时去医院求诊问治，接受常规治疗。"急病上医院，未病自己防"，如此，才能及时并全方位地保证自己的健康，这正是本丛书一直提倡的科学、理性的生活态度。

　　我们衷心欢迎各界有志于振兴中华传统医学养生的仁人志士和广大读者积极为本丛书提出宝贵意见和建议，以期携手为中国老百姓的健康贡献绵薄之力。

《国医健康绝学》系列丛书编辑部

序 言 让身体的本能带给我们健康和好运

　　坐在桌边打字、写文章的感觉真好。好像是在写一封信，写给父母、妻子、儿子、朋友的一封信。说一说心里想说的话，也许不符合逻辑，也许不够严谨规范，也许不是被普遍认同的思想。但只是想聊聊天，想讲个故事，因为觉得亲切，觉得有话想说，就随意地说了。

　　有的朋友把我写的书当成了健康科普，或者是中医教材，我觉得这个使命太大，专业性太强，这不是我力所能及之事，起码不是我写作的初衷。

　　不知不觉地，自己竟成了畅销书作者和健康养生专家，这真是我始料未及的。也许大家对我的期望值太高，希望我能弘扬中医文化，倡导健康理念。但我只是想对大家说：每个人都是健康生活的实践者，都是自己的专家和权威。一个人只有对自己充满自信，才是真正健康的开始。

　　有个患病的朋友对我说：我百分之百地相信您，您说我该怎么做吧，我全听您的。我没有告诉他具体要怎么做，只告诉他首先要相信自己。因为，您只有相信自己了，才可能找到解决问题的根本办法，不然，永远都是在苟且偷生。我常对朋友们说的一句话就是：有病找医生，健康靠自己。生命是要靠我们自己来掌握的，人生之路，不管是坦途还是泥沼，都要您自己去走完它。

我的第一本书让大家觉得中医很神奇，并引起了大家的兴趣；第二本书主要告诉了大家操作的方法；第三本书则从壮大先天之本以保障人们生存质量的角度入手，让大家坚定自己的信念，教大家学会自己创造对身体的自信，并告诉大家只要从经络处用力并懂得如何用力，就可达到身心共同健康的目的。

其实，我们每个人都可以更多地凭借自身的力量，去探寻疾病和衰老的解决之道，从而真正奠定对身体的莫大自信，体验脱胎换骨的心路历程，展示生命的内涵与尊严。

生命需要被生命感召，因为每个人心里都有一盏渴望点亮的灯火。人生需要顺着自然的风向，这样我们总会觉得老天在帮助我们，我们自然也就有了好运。

人人都需要勇于体验世间的喜怒悲欢，包括疾病和青春的远逝，这样我们才活得有血有肉，才是一个真正的人。

我们需要一些来自身体的提醒，让我们能随时找回自我；我们需要一些关怀，才能感恩和享有温暖，除此之外，我们还有什么奢求呢？

写这本书，我并不想阐发什么惊世骇俗的秘密，并不想树立什么标新立异的理念，并不想去劝说别人改变什么观点，更不想贪天之功为己功。书中描述的一切方法，古来就有，不是我的创新，只是您忘记了，忽略了，所以我要提醒您。就像是在夜里，我们总是会帮着家里人把被子盖好，好似这种亲情、这种感觉，虽是无心，却也有意。

中里巴人

2008 年 9 月于北京

【目录】

第三章 心药不苦口，养生有智慧

第四章 求医不如求经络

第一章

每天健康一点点
日久方成金刚体

　　每天健康一点点，这就是健康的全部秘诀。如果您不敢拿眼睛正视别人，那您就先在镜子面前瞪大眼睛正视自己；如果您在别人面前不敢大声说话，那您就先在自己面前高声演说；如果您总是低眉折腰，那现在您就昂首挺胸；如果您常常步履缓慢，那您现在就健步如飞。

1. 趋吉避凶的大法——对自己的七情六欲既要管理，又要顺从

> 疾病并不可怕。它的到来，不过是提醒您，有些情志过度了，如果您能重新平衡一下，症状也就消除了。可通常大家把身体对我们善意的提醒当成了敌人，不去首先消除病因，却忙于破坏预警系统。就像醉汉打孩子，不找自己的原因，却看着孩子别扭。
>
> 疾病原来也只不过是一个假想敌，我们一直在用自己的右手打着自己的左脸。疾病不是勇气可以战胜的，不是刚强可以抵挡的。它是绳扣，只能解开；它是坚冰，只能融化。

很多网友通过博客给我留言，说自己浑身是病，让我帮忙找找病因。古有悬丝诊脉，尚可临帐听音，今朝网络断疾，全然隔山买牛。其实，自己的病本来自己最清楚，只是要多几分自信，加上知晓一些简单的祛病养生知识，就可以轻装上阵了。当然，复杂的病因，还是要去医院找有经验的医生来帮忙，才是明智之举。

《灵枢经》说："夫百病之所始生者，必起于燥湿、寒暑、风雨、阴阳、喜怒、饮食、居处，气合而有形，得脏而有名。""气合而有形"是指正气和邪气相会合后发生斗争，便会出现各种症状，也就是中医所讲的"百病从气生"。

"百病从气生"的"气"分为外气和内气。外气指"六淫"——风、寒、暑、湿、燥、火，内气指七情——喜、怒、忧、思、悲、恐、惊。同时，人的先天禀赋也是至关重要的。《灵枢经·五变》中说："人之有常病也，亦因其骨节、皮肤、腠理之不坚固者，邪之所舍也，故常为病。"

知道了病因，我们就有了应对疾病的办法。对于内气，也就是情志，我们要保持协调，不令偏激，该喜悦时喜悦，该愤怒时愤怒，该思虑时思虑，该恐惧时恐惧，该悲伤时悲伤，但是要有一个限度，不可过度而无节制，这样我们就不会被内气所伤。《黄帝内经》中说："恬淡虚无，真气从之，精神内守，病安从来？"能拥有如此心境当然最好，但这是古代圣人的准则，对

于世俗之人，恐怕难以在短时间内修成正果，我们还是随常人之情，不要过于刻意就是。

有朋友可能会说："您之前刚说过'人最大的疾病就是恐惧'，现在怎么又说'该恐惧时恐惧'呢，岂不是出尔反尔？"您问得好，恐惧本来是我们与生俱来的本能，是保护我们不受外界伤害的护身符。试想，如果我们碰到毒蛇却不知恐惧，而是毫不躲避地从它的头上踩过去；如果我们面临沼泽，却仍然大踏步前进而不知绕行，那后果会怎样呢？

本能的恐惧会令我们警醒，会赐给我们应急的力量，会让我们远离危险。但是如果面对的是一条假蛇，我们仍然大惊失色，明明是子虚乌有，却依然杞人忧天，那就是无谓的恐惧了。

忧虑和悲伤一样，都是人类美好的感情。如果我们看《红楼梦》时，没有这两种情怀，那么这本书怎么会成为不朽的名著呢？有许多经典的电影，会让人痛哭流涕，伤心不已，但大家仍然乐此不疲，百看不厌，百哭不倦。没有忧虑，就没有解脱；没有悲伤，就没有喜悦。禅经说得好："烦恼即菩提。"

中医讲"怒伤肝，喜伤心，忧悲伤肺，思伤脾，惊恐伤肾"，是说人的七情超过了限度就会伤及五脏。但如果七情自然而发，不但不伤，反而会增进脏腑的功能。比如，怒伤肝，但对于那些没有火气或抑郁太久的人，怒则可激发他的阳刚之气，宣散他的郁结之火；忧悲伤肺，但对于长期忍气吞声、忍辱负重的人，诱导其忧悲，可以一哭解千愁；恐伤肾，但当遇到危险时，您的肾上腺激素会迅速分泌，给您以平日数倍的能量。所以，没有绝对的伤与不伤，明白了这一点，便可知道所谓的疾病并不可怕。它的到来，不过是提醒您，有些情志过度了，如果能重新平衡一下，症状也就消除了。可通常大家把身体对我们善意的提醒当成了敌人，不去首先消除病因，却忙于破坏预警系统。就像醉汉打孩子，不找自己的原因，却看着孩子别扭。

再说说外气。风、寒、暑、湿、燥、火，本来是宇宙空间的自然产物，但如果与我们的身体"不投脾气"，就会成为我们的致病因素。举个简单的例子，虚寒体质的人怕冷，那么风寒就会成为他的致病因素，而暑热却不会伤害他,有许多人盛夏还要盖着被子睡觉呢!而阳气旺盛的人喜欢寒凉的环境,冰天雪地里才觉得神清气爽。所以,对于外气我们要"避之有时",冬天御寒保暖,夏天避暑降温,秋天滋阴润燥,春天宣热防风。

看来,无论是内气还是外气,都不是我们的敌人,我们也没有必要去消灭它、压制它,只要做到趋利避害、同气相求就好。就像您周围的人,有投缘的,也有犯相的,那就找您喜欢的在一起。

疾病原来也只不过是一个假想敌,我们一直在用自己的右手打着自己的左脸。疾病不是勇气可以战胜的,不是刚强可以抵挡的。它是绳扣,只能解开;它是坚冰,只能融化。

当然,疾病当中还有高温灼伤、刀枪创伤、跌撞磕碰、寄生虫、传染病等与情志和气候无关的外部伤害,尤其是传染病。《黄帝内经·刺法论》中告诉了我们许多预防之法。这些疾病虽然不是这里要讨论的,但同样的道理,只要您知道趋吉避凶之法,而不是拿着钢刀去寻找野兽作战,那您就不会被野兽咬伤了。

2. 好身体不仅是凭意志锻炼出来的,它更善借自然之力

要知道,大自然是我们的朋友,不是我们的敌人,我们没有必要去战胜它。有人说:"我不是想战胜大自然,只是想战胜自我,让自己无所畏惧,勇往直前,成为真正的强者。"我先为您的勇气鼓掌,再给您泼一盆冷水。因为,真正的强人是善借自然之力的人。荀子说得好:"登高而招,臂非加长也,而见者远;顺风而呼,声非加疾也,而闻者彰。"

前些天,看到报纸上有则消息:

美国的前长跑冠军,年仅28岁的谢伊在奥运会预选赛马拉松

比赛中，突然倒地猝死。这位冠军的父亲乔尔是一位田径教练，他透露说，谢伊在14岁时被医生查出心肺功能偏弱，于是他便开始训练儿子从事田径运动，以增强心肺功能。"我万万没想到，原本能够帮助他健康成长的模式，却将他引入了死亡。"这位伤心的父亲如是说。父亲本想去比赛现场为儿子助威，在临出门前却收到了儿子死亡的噩耗。

这则消息，令无数人为之叹息：谢伊正值多么美好的青春年华，而乔尔——这个对儿子倾注无限关爱的父亲，又是多么希望儿子能够平安健康地走完生命之旅啊！可世事难料，人生无常。而我们，除了报以一声叹息外，还能不能有一些警醒，总结出一些防患于未然的对策呢？

答案应该是肯定的。

有一个问题值得大家思考：如果我们的脏腑先天虚弱的话，那我们将如何使它强壮起来呢？是去锻炼它，让它增加工作强度；还是让它休息，减少它的工作压力呢？大家先不必急于寻找答案，先看看孔子面对这个问题是怎么处理的：

孔子有一次在白天四处巡视，看看弟子们都在做什么。看到子路在骑马，子贡在舞剑，颜回在弹琴，孔子很欣慰：弟子们没有死读书，懂得劳逸结合。可当他来到弟子宰予窗前的时候，看到宰予在打着呼噜睡大觉。其他弟子怕孔子生气，想把宰予叫醒，孔子连连摆手说："朽木不可雕也。"意即宰予先天体质虚弱，让他多休息吧，不要太强求他做事，否则身体会吃不消的，毕竟健康才是最重要的。

《道德经》上说："天之道，损有余而补不足。"大自然中无所不有，有免费的阳光，有充足的氧气，到处都孕育着巨大的能量，等待我们去获取。

我们每个人生来禀赋各异：有人健壮强悍，有人羸弱多病；有人聪明灵巧，有人愚钝笨拙。先天虽然已定，但是后天还可自行陶铸，甚至脱胎换骨，打造出全新的自我。但是要顺天而行，随时培补先天之不足才可成功。否则，光凭毅力，光凭勇气，强与自然较量抗争，终将樯倾楫摧，香消玉殒。

有人说："我就不信，我就要与自然抗争，让暴风雨来得更猛烈些吧！"比如，有的人是虚寒体质，总是手脚冰凉，但他坚持冬练三九，只穿一身单衣，屹立于寒风之中，每天还要用冷水洗澡，用顽强的意志与严寒斗争。这让人想起了与风车决战的唐·吉诃德。

要知道，大自然是我们的朋友，不是我们的敌人，我们没有必要去战胜它。有人说："我不是想战胜大自然，只是想战胜自我，让自己无所畏惧，勇往直前，成为真正的强者。"我先为您的勇气鼓掌，再给您泼一盆冷水。因为，真正的强人是善借自然之力的人。荀子说得好："登高而招，臂非加长也，而见者远；顺风而呼，声非加疾也，而闻者彰。"

有一位香港朋友，她女儿20岁，已经有1年没来月经了，她让我帮忙找找病因。这个女孩面色暗黄，毫无光泽，但目光刚硬闪亮。一摸她的脉象，浮大有力，看她的舌象，暗红青紫，显然是过度使用体力而损伤了脏腑和经脉。她父母自豪地说，女儿从小体弱多病，但经过多年的锻炼，现在已经是当地有名的铁人三项选手了。我用商量的口吻对女孩说："能不能先放弃一段时间的训练，好好休养一下身体？"这个女孩说."那怎么行，我还要拿冠军呢！我相信，没有我战胜不了的困难！"女孩的话铿锵有力，让我为之震撼。我说："那好吧，那就多揉一揉脾经的公孙穴和心包经的内关穴。还有，每天喝一碗山药薏米粥。"

3. 用您的新鲜血液杀死病魔

　　请记住，新鲜血液所到之处，有害细菌就无法生存。因为新鲜血液里免疫细胞和淋巴细胞极为充足。这些细胞都是人体的卫士，可以迅速地将有害细菌驱逐出境。

　　前些天，有网友在我的博客留言说："我不否认经络对身体的调节功效，但我就想不明白了，如果是细菌引起的疾病，按摩穴位怎么能杀死细菌呢？"这个网友的想法表达了很多人的困惑，而且无意中提出了一个如何看待细菌致病的大问题。

　　当我们的身体产生了炎症，如咽炎、肺炎、肠炎、阴道炎、盆腔炎，还有各种外部感染时，我们首先会考虑到是细菌在侵害，于是找来各种消炎药去消灭细菌。但消炎药有时管用，有时不管用；有时那种消炎药明明是专门针对那个细菌的，但病症仍然是时轻时重，反反复复。

　　细菌的生命力怎么那么强呢？于是我们加大药量，或找来杀伤力更强的消炎药，反复试用，却仍然不能彻底杀死细菌，真是"野火烧不尽，春风吹又生"。这句诗本是用来形容小草的生命力很强，意思是只要有土壤，小草就要生长，谁也消灭不了它。细菌也是这样，只要遇到合适的环境，它就会滋生。

　　废弃的园子通常会长满杂草，我们可以用除草剂，也可以亲手把它们拔掉或剪除。但如果我们不及时种上自己喜欢的瓜果蔬菜，那过不了多久，园子里还会杂草丛生。也就是说，不给细菌以生长的环境，细菌就无法生存。那时您不用去消灭它，它也会主动离您而去，寻找新的家园。

　　细菌是无辜的，就像个流浪汉，看到您的宅院衣食俱全，又无人居住，自然就把这里当成天堂而不愿离开了。您看到有人占了您的房子，于是就找来几个打手，去教训这些流浪汉，流浪汉被暂时赶走了。但这里丰衣足食，流浪汉不愿离开，打手一走，他们还会再来，而且还叫来了更多的流浪汉，您那几个打手哪还赶得走人家了呢？

其实，最好的方法就是让自己的亲人回家去居住。主人回家了，流浪汉自然就离开了。您在园子里种上蔬菜，野草也就无处生长了。

那么这园子的主人到底是谁呢？就是我们的新鲜血液。

请记住，新鲜血液所到之处，有害细菌就无法生存。因为新鲜血液里免疫细胞和淋巴细胞极为充足。这些细胞都是人体的卫士，可以迅速地将有害细菌驱逐出境。

其实，我们即使不驱逐它，它也不愿在这种清洁的环境居住。泥鳅爱钻泥坑，苍蝇爱叮臭蛋，不给有害细菌以生存空间，这些细菌便无法伤害我们。而一旦我们的血流淤滞，经脉阻塞，就会产生淤血，也就给细菌提供了生存的土壤，就像是泥沼必然会滋生蚊蝇。

细菌、病毒本与我们无冤无仇，它们只是在寻找适合自己的生存环境。我们常常希冀有更有力的消毒药、更强劲的抗菌素来杀死这些讨厌的细菌、病毒，但那些细菌、病毒们，为了自己的生存，也在斗争中百炼成钢，令许多昔日威力无穷的抗生素变成了今天博物馆里的巨炮，没有多少杀伤力了。

许多慢性病总是不好，有些甚至成了终身的疾病，如病毒性肝炎、前列腺炎、支气管炎、宫颈糜烂以及久不愈合的伤口感染。其难以痊愈的原因，就是我们把治疗的重点放在了杀菌或抑制病毒上，而不是引新鲜血液直达病所，使细菌失去生存环境。

或许西医也有把新鲜血液引入病灶的美好愿望，只是没有什么好的办法。而中医独有的经络学说，很好地解决了这个世界性的疑难问题。通过按摩疏通经络，我们可以任意地让新鲜血液流向身体需要的地方。可遗憾的是，虽然祖先为我们指明了祛病养生的捷径，但后人并没有善加利用这份每个人身上都拥有的天然法宝。

我们知道了细菌的底细，从此就不再害怕它们了。只要您及时打通经络，让新鲜血液畅流周身，那我们自然就会百病不侵。

4. 您的自愈潜能才是根本大药

> 您一定要清楚，病最终是自己痊愈的，不是医生治好的。俗话说："三分治，七分养。"治只是在消除一些不舒服的症状，治的结果也就是"没那么难受了"，而最终我们要得到的是"我很好"。

如果说疾病的原因是内气（喜、怒、忧、思、悲、恐、惊）和外气（风、寒、暑、湿、燥、火）共同作用所造成的，那么您可以看到，要想祛除这两个病因，找医生是帮不上忙的。医生不能帮您躲避寒气，也不能让您不忧虑恐惧，这一切还得您自己解决才行。

医生能帮您暂时缓解症状，却不能帮您长久保持健康。那么医生的职责是什么呢？"医生"的英文是"Doctor"，源于拉丁文"教师"，这一含义深刻提示了医者所应扮演的角色。

医生的职责是帮助患者找到病因，指点患者如何摆脱疾病的困扰，然后由患者自己来完成治疗过程。就像家里的老式挂钟，有时钟摆会停，这时就需要用手指来拨动一下，然后它才能继续走下去。医生就像这个手指，他只是一个外来的助力，拨动一下钟摆，如果手指反反复复地拨动钟摆，替代了挂钟自身的摆动节律，那么这个挂钟从此就别想再走时准确了，我们的疾病也就会迁延不愈。

再举一个例子来说明医生的身份，可能更为恰当。很多人都进行过拔河比赛，总需要一个喊号子的人来为大家鼓劲，这个喊号子的人虽然不是拔河的主角，但在双方势均力敌的情况下却常常是比赛输赢的关键。医生就是这个喊号子的人，在我们患病的时候，为我们鼓劲，帮我们找到战胜疾病的着力点，激发出我们自身无穷的自愈潜能。如果，我们得知这个喊号子的人是个高手，于是我们不再使劲，光让他来喊号子，那么他即使喊破了喉咙也帮不了您的忙，您必须与他同心协力，一起"加油"，这才是最为有效的医患关系。

有人总想借助名医的神力，觉得病能不能治好全在于医生，而患者是无能为力的。基于这种思想，他们终日奔波于各大医院，遍访名医专家，希望能碰到华佗、扁鹊，给他们些灵药仙丹，服下一丸，便周身通泰，百病俱消，这是电影、小说中的情节，却不是现实生活的写照。

您一定要清楚，病最终是自己痊愈的，不是医生治好的。俗话说："三分治，七分养。"治只是在消除一些不舒服的症状，治的结果也就是"没那么难受了"，而最终我们要得到的是"我很好"。

要想获得健康快乐的人生，而不是天天都在与疾病做斗争，那就一定要调动起我们的自愈潜能。

有人说："人体的自愈潜能有那么强大吗？它在哪里呢？"您问得好。知道了这个问题的答案，我们才会有战胜疾病的信心。

就拿普通的感冒来说，您不治它，它1周后也会自然好了。我有个在美国定居的朋友，他说每次感冒发烧，到医院去，医生都给他开同样的药，就是12瓶橙汁，让他补充维生素。

我们每个人都有天然的自愈机制，医生应该看到这一点。但有时这种自愈机制需要去激发一下，不然它会在那里打盹，耽误大事。

有个14岁的男孩，做了颅内良性肿瘤的摘除手术。据主刀医生说，手术本身很成功，但术后却出现了严重的后遗症：男孩的一只眼睛无法睁开了。父母焦急万分，他自己也整天哭着不敢再去上学，去眼科医院也说没有办法恢复了。我帮他点按了一下大脚趾上黄豆大的穴位，他连连呼痛。我告诉他父母，回家就按这个穴位，按3个月就会有效，他父母将信将疑。两个月后，他们给我寄来一张男孩的照片，眼睛已经恢复如初，明亮有神，真是个小帅哥呢。

人体的自愈潜能是无限巨大的，但您需要真正地相信它，然后再静下心来仔细去寻找它、挖掘它。科学的发达让我们的视野变得无限广阔，令我们的双脚可以登上月球，但我们自身对大自然的感觉却在不断退化，动物的许多本能也在渐渐丧失，其中就包括我们的自愈能力。我们越来越依赖机器的测定，而不是凭借自身的感觉。我们已经嗅不出四季的差异，感受不到酷热与寒冷，因为在空调房里四季如春。

现在，让我们重新找回那些我们本来就有的能力，您会发现这种能力无比强大，战无不胜。

5. 察言观色，洞悉身体的天象

一旦了解了人体内部和外部的对应关系，每个人都可以通过察言观色，当一回自己的医生。

现在，我们知道了病因只是外气、内气，细菌也不过是暂时寄居于人体的"流浪汉"，而且，还知道每个人都有强大的自愈潜能可以利用，似乎身体的康复将从此变得轻松愉快和容易，令人欢欣鼓舞。但现实总是略显残酷，因为如何寻找、挖掘自身的潜能，是需要花些心思和精力来慢慢实现的，并不像使用摆在厨房的刀具那样方便，可以随时拿来切割美食。

但我们一定要马上迈出第一步，因为这就是您难得的机会。知道了方法而不实施，有了感觉而不身体力行，一切就会错过，我们曾经让身体错过了太多的大好时机。这次我们既然找对了方向，就需要多些耐心，并一以贯之。

那么如何挖掘身体的潜能，如何调动身体的自愈机制呢？好，我们就先迈第一步，倾听身体的语言。身体会发出声音吗？当然会，而且是随时随地在与您说话。比如，现在屋子里很冷，身体就会打个冷战或打个喷嚏，这个冷颤或喷嚏就是身体的语言，告诉您要加件衣服了。如果您听它的话，赶快披上一件衣服或打开暖气，自然也就平安无事了；但如果您置之不理，忽视身体的语言，那您第二天可能就要患上感冒或引发鼻炎。

《黄帝内经》中说："诸病于内，必形于外。"是说如果人体的内部脏腑有病，必然会在外部表现出来。古人将这些人体的语言总结下来，替我们进行了细致的翻译，让我们可以一目了然。

古人说，肾开窍于耳，肾主骨；肝开窍于目，肝主筋；肺开窍于鼻，肺主皮毛；脾开窍于唇，脾主肉；舌为心之苗，心主血脉。

所以耳鸣了，或者容易骨折，就要想到是不是肾虚了；眼花了，或者总爱抽筋，就要考虑是不是肝弱了；鼻子不通，皮肤总起痘疹，通常与肺有关；嘴唇肿痛，体瘦无肉，多是脾经淤阻；而舌头的形态，可显出心脏和心脑血管的问题，如舌尖赤红为心火太旺，舌头歪向一侧是脑中风的先兆。

我有个朋友的儿子，常年下嘴唇红肿破裂，1.8米的个头，却只有50公斤，他吃得不少，可就是无法再胖一点儿，女孩子都嫌他太瘦，他很苦恼。但人在外地，我也无法当面诊断。然而通过以上的症状，我们就可以分析一下。刚才说过脾开窍于唇，脾主肉，所以我断定他的问题是脾经堵塞造成的。我让他每天喝两碗山药薏米粥，然后按摩小腿脾经上的穴位，尤其要多按脚上的公孙穴。1个月后，他父亲打来电话，说儿子长了3公斤，全家人都高兴极了。

一旦了解人体内部和外部的对应关系，每个人都可以通过察言观色，当一回自己的医生。

祖国的传统医学在阐发人体语言方面留下了太多的宝贵经验。比如，您的腰部最近总是酸痛，通过一句"肾为腰之府"，便可以发现是肾的问题；您的指甲变得又薄又脆，通过"爪为筋之余""肝主筋"，便可以考虑是不是肝脏虚弱了；通过"发为血之余气"，便可以知道头发脱落、须发早白与心血不足有关。

有人夜里1点到3点总是醒来，睡不着了，我便让他们睡前按摩肝经的太冲穴以祛肝火。因为1点到3点是丑时，是肝经所主。有的人总是晚上7点到9点胸部不舒服，或肚子痛，这往往是心血管的问题，因为晚上7点到9点是戌时，为心包经所主。

每个时辰都有它所主的经脉，古人为我们提供了多么丰富而便捷的诊断工具呀！这么好的东西，又有几个人当做宝贝呢？

如果暂时听不懂身体发出的声音，那也没有关系，我们仍然可以静下心来慢慢在等待中体会。毕竟那是我们曾经拥有的本能，只是被我们丢弃和遗忘了，现在我们就把它找回来。

有祖先留下的无限智慧，有上天赐予的生命潜能，加上我们的信心和勇气，我们将重新找回本能，找回健康的真我。

6. 宁可改变人生观念，不给细菌可乘之机

> 其实，细菌通常只是疾病的结果，而不是疾病的原因（传染病另当别论）。真正的原因，是我们为细菌创造了生存的环境，细菌才得以侵入，就像自己忘记了锁门，小偷就会溜进去一样。其实，只要您锁好结实的防盗门，小偷是不会光顾您家的。若是某天来了强盗（如各种烈性传染病），非要破门而入，您也不用怕，只要学会及时地躲避，别与他们硬拼，他们也伤害不了您。

人是生活在观念当中的，头脑中有什么样的固有观念，就会选择什么样的人生道路，而日常生活中的举手投足、待人接物、立场观点，都会基于这种观念而发展与强化，但如果您的固有观念与大自然的气息相悖，那么您的整个人生都将是逆风行船，步履维艰，费力而无功的。

那我们如何选择正确的人生道路呢？俗话说："人无远虑，必有近忧。"如果您没有一个明确的生活目标，那么您将随时都会被突然出现的问题所困扰，总是疲于应对，总是被动招架，这样的人生必然会拆东补西，这样的身体肯定要修残补漏，这样的人生毫无疑问是被人驱使的人生，没有丁点儿的主动权。

我上学时的一位老师总说一句话："你不能管理自己，那就会被人管理。"同样道理，您不能管理好身体上的疾病，那反过来一定会被疾病管理。

对于疾病的态度也是一样，如何看待疾病，是我们能否真正消除疾病的关键。人人都不喜欢疾病，大家都在说："有什么别有病。"碰到生病的人，

我们便会鼓励他说："您一定要战胜疾病。"于是，"战胜疾病"成了大众共有的观念。

既然受观念的驱使，那么，只要有能够战胜疾病的方法和武器，我们就会勇敢地去应用它，义无反顾地去与疾病拼搏，即使头破血流也在所不惜，因为我们认为这是唯一的选择。

但疾病真是我们的敌人吗？我们真的能够战胜疾病吗？

如果疾病是由病菌引起的，那么我们想办法杀死病菌就可以了。可我们的周围随时随地都有细菌出没，好像是杀不光的，但我们却一直认为，杀不光细菌是因为我们所用的武器威力还不够，也就是抗菌素的毒性还太小，还要加大它的毒性才行。可道高一尺，魔高一丈，细菌也在成长，它增强了装备，越来越不怕所谓的抗菌素了。

其实，细菌通常只是疾病的结果，而不是疾病的原因（传染病另当别论）。真正的原因，是我们为细菌创造了生存的环境，细菌才得以侵入，就像自己忘记了锁门，小偷就会溜进去一样。其实，只要您锁好结实的防盗门，小偷是不会光顾您家的。若是某天来了强盗（如各种烈性传染病），非要破门而入，您也不用怕，只要学会及时地躲避，别与他们硬拼，他们伤害不了您。

《黄帝内经》中说："虚邪贼风，避之有时。"这是告诉我们要善于躲避，而不是与它斗争，因为斗争是永远没有结局的。您在电脑上打游戏，目的是为了闯关，可每一关都有无数的坏蛋在纠缠您，如果您停下来，和它们打斗而不抓紧前进的话，它们会杀了一批又来一批，您一天也别想通关，但如果您忽略它们，避开它们，快速地向前走，那么您通关的目的就会很容易达到。所以您要知道，什么是自己的最终目的，而不要把精力耗费在半路上。

有些病症和细菌更是一点关系也没有，西医叫做无菌性炎症或者自身免疫病。是自家人在"窝里斗"，免疫细胞把正常细胞当做了敌人，在自相残杀。为什么会出现这样疯狂的局面呢？是人的情绪造成的。

一种不良情绪就会对应一种症状。生气了，就会两肋胀痛；恐惧了，就会眼睛酸涩；性格刚强常会膝盖受损；忧虑悲伤最易哮喘咳嗽。此外，还有头痛、胃溃疡、类风湿、红斑狼疮、牛皮癣，都可以找到相对应的情绪根源。

难道您要把这种本来需要放松心情就可以慢慢化解的情绪当做敌人来奋力拼杀吗？您的进攻越多，自身伤害就越大。因为您把墙上的影子当做了敌人，然后挥拳猛击，您打影子的时候，因为身体挡住了光源，所以影子似乎暂时被您打倒，但是当您直起身来想歇歇，影子却又在那里晃来晃去，您再去打，永无宁日。

重新认识疾病，您会发现，其实本来没有什么敌人，如果您要和它斗争，它就会变成敌人，与您决战到底。我们还是别把眼光总盯在它们身上吧，轻轻松松地过我们的快乐日子。

7. 别担心疾病在好转时出现的"坏现象"

> 古人云："一张一弛，文武之道。"实际上，一张一弛岂止是文武之道，更是养生之道。人就该像一个弹簧一样，不用时松软无力，应用时强劲勃发。观察一根破损的弹簧可以发现，让它松也松不了，让它紧也紧不了，处于半松半紧状态，这就是病态，就像有首歌所唱的那样："攥不紧的拳头，松不开的手。"

有人说敲打完胆经后，整天喷嚏不止，不敢再敲了；有人说按摩太冲穴，整天都想睡觉，害怕是揉坏了；还有人说推腹后腹泻、金鸡独立后腰痛、拔罐处皮肤奇痒、敲带脉后整日打嗝……各种症状不一而足，令众人恐惧害怕，犹疑不决，不知是不是还要坚持下去。

其实，这些症状都是身体在自我调节过程中的正常表现，不必担心，通常一两天不适症状就会消失。不过有些时候也需要稍微帮助一下身体，因为身体的原有机制突然被我们实施的健身方法激活，它还不太适应，就像一个常年躺在床上的患者突然下地行走，往往会脚步无力，步履蹒跚，需要旁边的人扶一把。

但有一点大家要充分认识到：身体的自我调节合理而完美，它会选择最符合您现在身体情况的步骤来进行，而且总是选择捷径。比如，当您按摩了几天"消气穴"——太冲穴，疏散了胸中的郁结，缓和了心理的紧张，全身一下子松弛下来，自然是想好好睡睡觉，以养足长期亏欠的气血，最好您就索性请两天假，足足地睡上一觉。

"推腹法"的目的是清除腹内"三浊"（浊气、浊水、宿便），所以推腹后，腹内血流增多，冲击力加强，以腹泻的形式将"三浊"全部排出，您高兴还来不及，何必忧虑呢？

有的朋友拔完罐后，拔罐的部位会奇痒难忍，这是新鲜气血流注此处的极好现象。此时，只要您用刮痧板刮一下痒的地方，会轻易出来很多黑紫痧，浑身顿时舒畅，痒是刮痧的最好时机。金鸡独立可调节全身的平衡，自然也可对侧弯受损的脊椎进行良性调节，但受损部位会有一些淤血堆积，一时难以被新鲜的气血冲开，冲击的过程就会在病灶点产生疼痛，一旦将淤血冲开，疼痛会马上消失。此时，您也可以在痛点处刮刮痧，帮助身体完成修复的过程。

有些朋友日常行事较为谨慎，对于身体突然出现的各种症状会感到恐惧和忧虑。那您还是先停一停，观察一下，等身体平和了再重新开始。记住，不要带着心理负担去按摩穴位和锻炼身体，那样身心不相协调，不会有好的效果。

其实，不论是按摩穴位还是形体锻炼，都只是在有意无意地做一件事，那就是让您的心能够静下来。静下来的标志是什么呢？就是精神集中。

人体有两个最舒服的状态：一个是高度紧张，一个是完全放松。这都是人体的健康状态。也就是说，我们要在该紧张的时候紧张，该放松的时候放松。

古人云："一张一弛，文武之道。"实际上，一张一弛岂止是文武之道，更是养生之道。人就该像一个弹簧一样，不用时松软无力，应用时强劲勃发。观察一根破损的弹簧可以发现，让它松也松不了，让它紧也紧不了，处于半松半紧状态，这就是病态，就像有首歌所唱的那样："攥不紧的拳头，松不开的手。"

大家可以选择让肌体紧张的健身法，也可以选择令身心放松的调节术，目的都是为了激发人体完美的自愈潜能。然后您就可以静下心来当个旁观者，看看身体怎么工作，都会出现哪些症状，想想这些症状的含义是什么。总之，您要相信自己，相信大自然的能力，因为心灵最懂得怎样修复您混乱的身心。

8. 回春之术："嗅玫瑰""抓蝴蝶""擦玻璃"

> 当心爱的人送给您一枝含着微笑、带着露珠的新鲜玫瑰，您会情不自禁地把它放在鼻子下面，闭上眼睛，慢慢地摇着头，深深地闻上一闻。这令人陶醉的一嗅，似乎能给您的身体带来无尽的喜悦和满足，似乎在瞬间便吸入了世间所有美好的事物。这么轻松的一嗅，为什么会有如此的魔力？因为，您无意之中使用了一种最养人的呼吸方法——腹式呼吸法。

心理调节方法的核心就是缓和内心的紧张和压力。现在，让我们暂时躺在一张舒适的床上，闭上眼睛，先来体会一下"放松"的感觉。

"放"是将一切思虑统统放下，让"喜、怒、忧、思、悲、恐、惊"这些人之常情归于淡然，心如止水；"松"就是让四肢关节、生理感觉完全松弛下来，毫不用力，或者说无法用力，肌肉骨骼似乎已经不受自己支配。然后细细地感受一下身体自然出现的反应，处于一种静静地观察之中，一会儿知觉在皮肤上游走，一会儿思想在呼吸间起伏，一会儿肚腹里自然涌动出几声肠鸣，一会儿头脑中无意间闪现着几个情景……各种状态，不一而足。

这时，您只是个旁观者，对自体发出的任何信号不做应答，不加评判，放弃思考，只是默默地观望。这就是放松的全过程，您学会了吗？

有人说："我心乱如麻，焦虑不安，瞬间也无法平静下来。您说的放松，我根本就做不到,有没有更为简单的放松入门之法?"您大可放心,这个世界就是不缺方法,而且无处不有,下面随便说个"嗅玫瑰法",您可以按照自己的喜好去练习。

当心爱的人送给您一枝含着微笑、带着露珠的新鲜玫瑰,您会情不自禁地把它放在鼻子下面,闭上眼睛,慢慢地摇着头,深深地闻上一闻。这令人陶醉的一嗅,似乎能给您的身体带来无尽的喜悦和满足,似乎在瞬间便吸入了世间所有美好的事物。这么轻松的一嗅,为什么会有如此的魔力?因为,您无意之中使用了一种最养人的呼吸方法——腹式呼吸法。

腹式呼吸法的要领,就是用肚子来呼吸。吸气时鼓肚子,肚子此时就变成了一个正在被吹起的气球,当气球被慢慢越吹越大,肚子已经鼓到最大限度了;稍停片刻,马上放气,放气可像叹气一般,瞬间从口中一叹而出。注意,您在整个呼吸过程当中,胸部不要用力,观察胸部不要起伏,否则就成了我们平常的呼吸法——胸式呼吸法。

胸式呼吸一次吸收的氧气仅仅是腹式呼吸的1/3。这样1年下来,平常人要少吸入多少氧气呀!大家都知道,氧气是制造新鲜血液的原料,所以要想健康,就要多做腹式呼吸。而且腹式呼吸最容易使人的心情平静下来,让人轻易地体会到放松的感觉。

有人说:"我这人好动不好静,您那种浪漫的感觉我体会不了,一做腹式呼吸我就着急,反而觉得憋闷,我想来点运动放松的方法,有没有呢?"当然有了,大自然是不会有半点匮乏的,要什么就会有什么。下面就再介绍给您一个有趣的放松之法——抓蝴蝶法。

还记得儿时在绿草地、花丛中奔跑嬉戏时的情景吗?抓蝴蝶似乎成了所有孩子的游戏,现在想起来仍是历历在目,就像昨天发生的事情。我们要想让自己年轻,充满活力,那就多些儿时的情怀,多做些孩子们的游戏吧。

现在想象您的眼前有许多蝴蝶在飞,飞上飞下,忽左忽右,您的头跟着蝴蝶的飞行轨迹左右摇摆,您的眼睛也随着它们上下转动,跟踪追赶。然后看准目标,伸出双手,快速出击,左抓一只,右抓一只,上抓一只,下抓一只,五彩蝴蝶被您随抓随放,随放随抓,好不有趣。这就是运动中的放松法。

您可以自己随意再创造出许多放松之法，就像街舞中模仿的"擦玻璃""太空步"，都是将现实生活的真实情景放置于虚拟的想象之中。

放松是养生健身的法宝，是留住青春的灵丹。这里面的关键是要学会"意象"。《太极拳经》中有五个字"用意不用力"，揭示了放松的全部心法。

9. 每天健康一点点，日久方成金刚体

> 没有自信的人，一辈子都无法真正获得健康。因为他总是在犹豫不决中徘徊，总是在因循观望中退却。脑子里天天在打仗，心里时时在冲突，仅有的一点气血全都消耗在无谓的内心矛盾之中。
>
> 很多人自觉有许多病，可到医院检查，各项指标都很正常。对这样的人，药物通常都是无效的，改善精神才是其康复的出路。

有些人每天总是没精打采，哈欠连天，对什么事情似乎都没有兴致，找机会就想睡上一觉；有些人精神无法集中，做着这件事，想着那件事，结果不是健忘就是出错；还有些人总是沉浸在无名的恐惧之中，为明天忧虑，为昨天追悔，整日疑神疑鬼，过着提心吊胆的生活。

前些天，我在电视台录制一个访谈节目，招集了一些网友来捧场，其中就有两位朋友是从千里之外闻讯赶来要见我的。一位先生是从新疆来的，觉得自己已病入膏肓，一定要让我亲自把把脉；另一位年轻的女孩是从重庆来的，感到自己身体很弱，肯定好不了了。

我为他们分别把了脉，发现都没有什么特别的异常。而且，这位先生与我握手的时候很有力量，一点儿也不虚弱；那位女孩一头秀发乌黑发亮，根本就没什么大病。

问了问女孩病的起因，原来是几年前，她精神压抑了很长一段时间，后来变成了厌食症，吃了许多老中医的汤药总不见好。看了我的书，也试了我

的方法，但都只是试了一下就放弃了，因为觉得病已经好几年了，凭自己的力量怎么可能治好呢，必须要找我来亲自治才会好。我告诉她，我亲自治也是书上写的那几招，您自己调理一段时间一定会有效的，要有一点自信才行。

那位先生的问题是手脚冰凉、怕冷、睡不着觉、头痛。我对他说，先集中力量解决脚凉、怕冷的问题，用热水泡脚、坠足法、跪膝、金鸡独立。一旦有了一点儿成果，自信心就会增强，下面的病症都会顺势解决。但是若没有一点内在精神的支撑，一切方法都毫无意义。

有人觉得生了病只有经过医生的手才能治好，只有吃过许多药物才可痊愈，不然就认定是缺少了身体康复的必然过程，从来也不相信自己的自愈能力，总是要靠别人来证实自己的状态，总是在问："我是不是好点了？我现在还有病吗？您看我多长时间能好？……"

没有自信的人，一辈子都无法真正获得健康。因为他总是在犹豫不决中徘徊，总是在因循观望中退却。脑子里天天在打仗，心里时时在冲突，仅有的一点气血全都消耗在无谓的内心矛盾之中。

要记住，别人给您的信心是别人的信心，您得到的也通常是火光一闪的冲动，要想获得持久的前进动力，必须点燃您自己的火药。想要重新获得健康，就要先从精神上找到一个支点才行。不然，没有启动的号角，康复的车轮永远无法转动。那么我们如何才能找到这个支点呢？

《黄帝内经》中说："诸病于内，必形于外。"形体的表现就是内心世界的最真实写照，这是无法掩盖和隐藏的。您内心的虚弱必然会表现在您外部的形态上：对着镜子您会发现自己的目光游离不定、头颅低垂畏缩、胸膛凹陷无力、脊椎弯曲佝偻；录下您的声音，您会从中听出软弱、不自信，就像是在哀求别人，仿佛是那漂浮在水面上的羽毛，无足轻重。

以这种举止形象，怎么会得到别人的信任？别人的不信任，通常就是让您不自信的重要原因。如果您的气质不能有意识地去主动改变，而总是顾影自怜，希冀别人的同情，那终将使自己更加软弱，最终一文不值。

想要在这个世界上快乐地活着，想要获得身边人们的广泛尊重，想要让自己每天都能健康一点点，就一定要对生活做一些必要的修正。

《礼记·大学》中有这样一句话："苟日新，日日新，又日新。"这是说假如有一天，您有了一点进步，那您就要顺着这个好的开始坚持下去，每天进步，进步不止。精神的健康会给予身体无穷的动力。力量是需要储备的，自信是需要堆积的。很多人自觉有许多病，可到医院检查，各项指标都很正常。对这样的人，药物通常都是无效的，改善精神才是其康复的出路。

每天健康一点点，这就是健康的全部秘诀。如果您不敢拿眼睛正视别人，那您就先在镜子面前瞪大眼睛正视自己；如果您在别人面前不敢大声说话，那您就先在自己面前高声演讲；如果您总是低眉折腰，那现在您就昂首挺胸；如果您常常步履缓慢，那您现在就健步如飞。

记住，当您改变了肌体的形态，您就改变了外在的气质，同时改变了您的脏腑功能，改变了所有的精神状态。牵一发而动全身，一点点的惯性将会产生一连串的改变。就像多米诺骨牌，您不要小看开始的轻轻一拨。

昂起您的头，挺起宽阔的胸，瞪大眼睛直视前方，您的身体将因此而产生巨变。

我突然想起了儿时看的一部前苏联电影《乡村女教师》，那个考了第一名的穷学生面对着衣着华贵的考官说了一首诗："光着两只脚，穿着破棉袄，不要害臊，前面就是光明大道……"

10. 鱼生来就会游泳，养生也要这样简单

> 鱼不需要学习游泳，小鸟生来会飞，莫扎特4岁就会做曲，莎士比亚也不需要谁来教他写作。人的才能是天生的。找到了自己的才能，也就找到了养生的方向。

提到养生，很多人总是先问我应该吃点什么。其实，每个人有自己的饮食偏好。你喜欢的，别人不喜欢，专家说有营养的，而你却不吸收。既然不

吸收，何必非要想方设法地往里硬灌呢？就像很多家长，给孩子报了无数的课外班，一股脑儿地"填鸭"，孩子整天晕头转向，烦躁不安，身心备受摧残。没吸收到什么营养，一肚子都是没消化的知识。

养生也是如此，首先您要轻轻松松，自然而然。别强迫自己非要怎么样，然后，寻找最简单的方法。就是自己感兴趣的、方便的、舒服的、痛快的方法。很多人会觉得，哪里有这么便宜的事儿。其实，如果您找好了自己本来的位置，找到了自己独特的天性，找到了使劲的着力点，那么养生就是吃饭时吃饭、睡觉时睡觉这么简单。

古时有一个给大钟做架子的能工巧匠，做出的钟架没有刀砍斧剁的痕迹，没有人为雕琢的感觉，简直与大钟浑然一体，大家都惊叹他的木工手艺。他说，我的木工手艺只是三流的，我只是眼力好罢了。而我在做钟架前，要先斋戒3天，让自己的心平静下来，抛开一些功利的想法。3天后，心里所想的和言谈举止都一致了，我就拿着斧子和锯到森林里去找那个天然的钟架。其实，本来就有一个做好的钟架放在森林里等着我去挑选。这样，我选好了天然的钟架，稍做修饰，就成了最好的钟架。

有的人天生就是那口钟，有的人天生就是那个钟架，还有人天生就是那个工匠。能够找到自己的本来位置，您就找到了力量的源泉。鱼不需要学习游泳，小鸟生来会飞，莫扎特4岁就会做曲，莎士比亚也不需要谁来教他写作。人的才能是天生的。找到了自己的才能，也就找到了养生的方向。

第二章

每个人
都有自己的保护神

　　每个人的保护神是大不相同的。"天之道，损有余而补不足"，这句话说出了您的保护神是谁，就是您身上"有余"的部分。有的人胃口特好，吃什么都香，他的保护神就在胃及其相关的胃经上；有的人脾气特大，总是义愤填膺，他的保护神就在肝胆及其相关的经络上；有的人特能喝水，小便也多（不包括糖尿病），他的保护神就在膀胱和肾经上。

1. 可惜，我们都没有用够自己的先天之本

> 人身体的先天潜能是用之不竭的，但现实生活中很多人不会用、不去用，活了一辈子，鲜花未曾真正开放，就慢慢地枯萎了。所以，如何利用有生之年赶紧把先天的东西挖掘出来，这是摆在我们每一个人面前的头等大事。
>
> 用药是从脏腑里把经络打通，而按摩是从外面打通经络，它也是一种药，只要您达到打通经络的目的，用什么都无所谓。即使现在什么都没有，赤手空拳，也照样可以把这些病治好，因为药就在您自己身上。

先天之本和后天之本对于我们普通人来讲，有什么不同呢？举个例子来说，当人的身体上有好多不舒服的毛病时，如果您去好好养护脾胃两经，去刺激上面的穴位，症状就会渐渐消失。但只要您一停下来，疾病又会复发。吃一点补药后，精神会好两天，但不吃马上又会不行了，病老是断不了根，这就是光补后天而没有激发先天的原因。

后天的东西都是外来的助力，先天的才是您本来就有的原动力，一个人要想长久地保持健康，必须把自身的原动力调动起来。所以后天相当于生活中老有人帮您，您虽然没钱，但您的亲戚朋友老能帮助您，时不时给您寄点钱来。但他们一不寄，您马上又会入不敷出。对于一个人的健康来说，这样肯定是不行的，您需要把自己的潜能调动起来，需要自己找一份事情做，然后通过奋斗才能逐渐成为富翁。

要想做到这一点，只有激发您的先天之本。如果您说自己都这么大岁数了，先天还激发得起来吗？别说70多岁，就是80多岁，您的先天之本也能激发出来。为什么？是因为从每个人的一生来讲，这个先天之本基本上就没用多少。别看自己都80岁了，其实您这一生中的先天储备顶多也就用了5%。

对于一个对生活没有过多要求的人来说，如果您只想达到一个健康的温饱状态，让身体能应付日常生活，看得过去就行了，那您没必要去激发先天之本。但如果您想真正让身体强壮，精神很快乐地去生活，就必须把先天之本激发出来。

有一个练瑜伽的老人叫沈维德，今年80岁了。他在60岁的时候，浑身是病，到医院去查，人家说没法弄，病太多了。这时，他因为一个意外的因缘看到了一本瑜伽书，很感兴趣，试了两个动作，居然有一个还能做，一下自信心就被激发出来了。顺着这个自信心练下去，每天练一点，练了4年，瑜伽的各种高难动作，什么搬腿、双盘，没有他不能做的，而且身体越来越棒。到79岁的时候，到医院去检查，各项指标都很正常，医生说他现在的身体情况相当于60岁，等于是过了20年又年轻回去了。他现在还四处给人授课，精神矍铄。

人身体的先天潜能是用之不竭的，但现实生活中很多人不会用、不去用，活了一辈子，鲜花未曾真正开放，就慢慢地枯萎了。所以，如何利用有生之年赶紧把先天的东西挖掘出来，这是摆在我们每一个人面前的头等大事。

沈维德老人80岁了，他都能把先天潜能挖掘出来，而且现在越活越好，我们还有什么问题呢？只要想做，健康每个人都可以做到。

有好多人老是问我，这个穴有什么用，那个穴治什么病。我要说，如果您这样下去，您学的东西都长久不了，今天用着还行，可过几天就不管用了。因为，症状只是疾病的各种反应，您得把病根找到。只是要把病根消除了，症状自然就消失了。如果只是考虑到症状，只把症状压下去了，那么早晚这些症状还要冒出来，您这一生就总是处于修残补漏、拆东补西的状态。

所以说到底，关注疾病不如关注健康。而关注健康就是关注先天之本，也就是激活肾经。从哪里着手激活肾经呢？从太溪穴激活。因为太溪穴是肾经的原穴，也就是源头。肾经的原发力、原动力都在这里。

肾经上的每个穴位就像一个多米诺骨牌一样，通过按这个穴位，让它再撞击、再通别的穴位，最后整条经都通了，这叫牵一发而动全身。到最后，您会发现整个身心在不知不觉中全改善了。

当穴位一个一个地被打通，人体的气血就开始自行调节，哪里虚弱了，有需要帮助的地方，气血就从充足之地奔赴过来，予以补给。经过这么一个良性循环，气血集中到了太溪穴上，储备的过程就完成了。最后，您要把这些储备好的东西通过涌泉穴来好好利用。因为涌泉穴是通肝的，用在肝处，

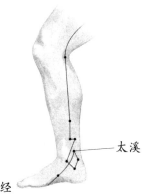

激活肾经的原穴太溪，就相
当于激活了我们的先天之本。

太溪

足少阴肾经

就开始变为后天所用了。

肾是我们先天的本，它得通过肝的生发疏泻才能用。我们一生当中损耗最大的是肝，所以我们一定要保肝。谁给肝供应营养？就靠肾。所以要想肝源源不断地为我们的后天提供保障，就必须让肾功能正常，也就是让肾经的气血周流通畅。

有人本来就虚怎么办？一定要先补到太溪穴去，补完以后是为了用，就像挣来钱是为了花的。谁是帮我们花钱的？是涌泉穴。当太溪穴气血备足之后，这时候您打通涌泉穴，您的精力就源源不断地被激发起来了。您会发觉身心突然进入一种很自在的境界，有一种莫名的轻松和欢喜。到了这个时候，您愿意像沈维德老人那样练练瑜伽也可以，不练瑜伽练练五禽戏、八段锦等很多东西都可以。但您要记住，一定要练好玩的东西，别练枯燥的东西。因为枯燥的东西谁也不会上心，而不上心的锻炼方法不仅没效果，而且坚持不下去。只有好玩，身心才能同乐共振，养生的效果才能明显长久。

我建议大家在揉肾经的时候，最好把心经同时揉一揉，因为心肾是相通的，效果能达到极致。肾经叫足少阴肾经，心经叫手少阴心经，其实它们是一条经：在胳膊上叫心经，属火；在腿上就是肾经，属水。

如果肾虚，那就是有虚火上来，为了不使上面的心火太大，就要让下面的肾水再多一点，所以这两条经要同时调节。比如，然谷穴可以治疗失眠，就是阴虚火旺那种，这个时候您同时揉一揉心经的少海穴，去去心火，上下同治，效果更佳。

我国有一本最好的方剂书《伤寒论》，是医圣张仲景所写，他非常强调打通心肾两经。书中有一段话是"少阴病，但欲寐也"，就是说肾上有病，心上有病，这个人就老爱犯困。

《伤寒论》实际上是一本经络书，讲的是如何用药物来打通经络，结果后人把它当做一本药物方剂书了。其实用药也是为了打通经络，只是从脏腑里面打通经络。但不管怎么说，经络是贯穿中医的一个主线，甭管是用药物、针灸、拔罐、刮痧等六大法中的哪一种，所有的目的都是为了打通经络。

用药是从脏腑里把经络打通，而按摩是从外面打通经络，它也是一种药，只要您达到打通经络的目的，用什么都无所谓。即使现在什么都没有，赤手空拳，也照样可以把这些病治好，因为药就在您自己身上。其实吃药只是为了打通经络，不是药单独在起作用。所有这些都是外来的东西，我们最后真正能依靠的只是我们身体固有的经络。

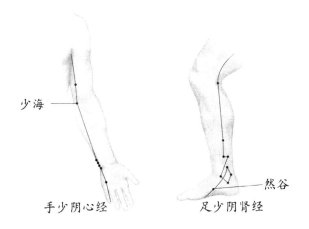

按揉心经的少海穴和肾经的然谷穴，可以滋补肾阴，很快解除您的失眠之苦。

2. 治身是表，调心是本，经络可以身心同治

> 有一种人，当他肾虚的时候，老是会出现恐惧的症状。恐伤肾，肾一虚弱人就恐惧，同时越恐惧肾就越虚。而恐惧是什么？恐惧就是人体气血的沙漏。您说自己想把气血补起来，于是您补进食物，经过胃肠消化后，好不容易变成气血了，可您每天只要一产生恐惧的心理，耗的气血就远远多于补进的东西，实在是得不偿失啊。

有一种人，当他肾虚的时候，老是会出现恐惧的症状。恐伤肾，肾一虚弱人就恐惧，同时越恐惧肾就越虚。而恐惧是什么？恐惧就是人体气血的沙漏。您说自己想把气血补起来，于是您补进食物，经过胃肠消化后，好不容易变成气血了，可是您每天只要一产生恐惧的心理，耗的气血就远远多于补进的东西，实在是得不偿失啊。

有人说干了一天的活儿从来不觉得累，但是如果有一件事让他产生恐惧、产生忧虑，马上就没精打采，眼睛酸涩，腰也酸了，什么活儿也没干仍然觉得非常疲劳，老想睡觉。为什么？因为恐惧大伤气血。

有人说："恐惧是一种心理状态，怎么去消除？我没法消除。您告诉我别恐惧了，要勇敢起来，可我还是恐惧。我碰到这类事还是害怕，已经形成习惯，改变不了了，怎么办？"这时，可以通过太溪穴来搭起一个通向心里的桥梁。我们的心理状态用心理调节的方法一般不太管用，因为已经形成一种惯性、一种性格了，但是您可以通过强健肾经来调节。当肾经强壮了，心理状态就会在不知不觉中改变了。

其实心理上的问题都会同时反映出一个生理上的症状。有时候一句话把您吓住了，您发现自己出了一身冷汗，甚至比阿司匹林发汗的效果还要快，这个冷汗就是生理上产生的症状。要知道，身心是相通的，心理上的一种阻碍，肯定会造成生理上的失调。所以中医老讲"百病从心生"，说的就是这个意思。

尤其很多慢性病，并不是因为什么外邪的侵袭、细菌的侵害，而是您情绪不调产生的。这种内生的东西怎么给它消除掉呢？就是强壮肾脏，从最根

源上给您打气。气打足了，就不恐惧了。生活中，人最大的恐惧就是对疾病、年老、死亡的恐惧。

恐惧会让人产生神经官能症。比如夜里只要外面有一点动静，就一惊一乍地睡不着觉，必须特别安静才行。这时，您多揉太溪穴就好了。

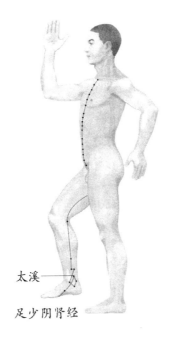

多揉太溪穴，强壮我们的先天之本，就能消除心中的恐惧。

太溪

足少阴肾经

还有的人是呼长吸短。吸气的时候老吸不进去，呼气则是使劲叹口气。原因就是心中有好多郁闷之气，得多呼出去点，可是吸却吸不进去，这是肾不纳气，也就是肾虚了。肾为气之根，所以要想把气真的吸到肚子里，通常的一种最好的呼吸方法就是腹式呼吸法。

腹式呼吸法能把气吸到肾上去，怎么吸呢？就是想象有人献给您一朵玫瑰，您拿过来搁在鼻子处一吸，这时候就是腹式呼吸。平常闻到好东西的时候，或者是做了一道美味的菜，您都是这么吸的。

坚持腹式呼吸法，就能真正达到补肾的效果。

过去有人练气功的时候，讲究"吸之绵绵，吐之微微"，吸气后都用鼻子慢慢吐，结果造成憋气，一会儿头就晕了。我们可别那么练，要吸的时候慢慢吸，吐的时候赶紧吐，这样就不会头晕，而且很舒服。

3. 要学会把身体里多余的火气变成保护神

> 很多朋友都想知道自己是什么体质：是寒性的还是热性的；是阴虚还是阳虚。结果查看了许多资料，可越看越糊涂，因为分类太多，专家们也是众说纷纭。看来，要搞懂自己的体质还是不太容易的。一时弄不清的东西，最好就先别去管它，看看有没有更容易理解而又有价值的方法。

我现在和大家一起找一找我们身上的保护神。找到了它，然后激活它的能量，它就可以给我们的身体以巨大的动力。这比您自己有意识地去做一些费力的健身运动所产生的功用要大得多了。

很多朋友都想知道自己是什么体质，是寒性的还是热性的？是阴虚还是阳虚？结果查了许多资料，越看越糊涂。因为分类太多，专家们也是众说纷纭。看来，要搞懂自己的体质还真不太容易。

一时弄不清的东西，最好就先别去管它，要看看有没有更容易理解、更有价值的方法。

我们已经知道"只要经络畅通，就会百病不生"的道理了，所以我们都想快点打通经络。但是打通经络，有时只是我们美好的想法。实际上，身体上的很多经络，我们运用了拔罐、敲打、刮痧、瑜伽、导引甚至针灸等方法，它们仍然是堵塞不通，或者是无知无觉。这是怎么回事呢？原来是我们没有激活自身的保护神。而所谓的保护神就是我们身体里先天强大的动力。

这个动力在哪里呢？别着急，马上您就可以找到它。不过每个人的保护神是大不相同的。"天之道，损有余而补不足"，这句话正说出了您的保护神是谁，就是您身上"有余"的部分。

有的人胃口特好，吃什么都香，他的保护神就在胃及与其相关的胃经上；有的人脾气特大，总是义愤填膺，他的保护神就在肝胆及与其相关的经络上；有的人特能喝水，小便也多（不包括糖尿病），他的保护神就在膀胱经和肾经上。

知道了保护神，我们怎么利用它们呢？

保护神就是您天生的力量源泉，也就是您强身的着力点。在这条经络上用力，治病养生就可以事半功倍。

有的人问："我虽然能吃，但吃完后总是肚胀，消化不好，怎么办？"没关系，只要您能吃，就说明胃是强壮的，那就借助胃经来解决问题。利用推腹法（主推胃经部分）、跪膝法（主要可引胃经气血下行）、敲胃经法（用拳头敲打大腿、小腿胃经部分）来充分调动身体本来就充足的能量库，自行冲击堵塞的经络。

又有人问："我的问题是小便不利，也喝不下多少水，身体湿气很大，但是胃口却很好，我是疏通膀胱经还是疏通胃经？"我说："您需要打通胃经，您的问题从表面看似乎来源于膀胱经，但如果径直去打通膀胱经，会发现根本就使不上力，不但达不到利尿的效果，反而会让身体的湿气更多。因为您没有使用您的保护神——胃经。而打通胃经，看似与利尿去湿无关，但实际上却激发了您自身特有的原动力。"

我们应该把胃的过盛能量用于帮助打通经络。因为，身体通常不是哪里都很强，有强的地方就会有相对弱的地方，要学会把身体强壮部位的气血引到相对虚弱的脏腑或经络上，也就是"损有余而补不足"。如此去治病，这样去养生，才会感觉劲有地方施展，心里才会有顺流而下、游刃有余的畅快。

爱发火的人，他的脾气也是能量，就是他身体的保护神。这样的人，平常应多敲打、按摩肝胆两经，尤其是胆经。经常刺激，能疏解肝胆滞气，让气血畅通。肝火旺的人能量最足，最易上火，但通常这么宝贵的能量都被"清热解毒"了，实在可惜。实际上，只要把肝火引到它该去的人体虚弱之处，那么这种巨大的能量将在体内自行转化或及时储备起来，成为健康长寿的资本。

怎么引到虚弱之处去呢？有时候，我们只知道身体强壮的地方在哪里，却不知道哪里虚弱。没关系，您的身体他自己清楚，您只有找到您的保护神，有意识地去激发它。剩下的事情，都是身体的自觉行为。

4. 身体哪里虚，气血引过去

> 要想身体健康，就要把握一些总的原则。大方向对了，您就不会白费力、瞎使劲。总的原则就是四个字：推陈出新。也就是先把身体的污浊排出去，随即把新鲜的气血补进来。您要先倒掉杯子里的脏茶根，然后才可以享受新鲜的龙井。

要想身体健康，就要把握一些总的原则。大方向对了，您就不会白费力、瞎使劲。总的原则就是四个字：推陈出新。也就是先把身体的污浊排出去，随即把新鲜的气血补进来。您要先倒掉杯子里的脏茶根，然后才可以享受新鲜的龙井。

怎么才能把体内的脏东西倒出去呢？很多人都知道自己身体里的毒素不少，但就是没排出去。买了通便的泻药，大便不见增多，却伤了脾胃；喝了大量的水，想着可以清洁血液，却造成了水肿；用了清热解毒的方子，却使身体更加虚弱了……这是什么原因呢？因为您没有遵循身体固有的规则，只是满足了医学逻辑的推理。要知道，身体只受心灵的指引，不会理睬知识的号令。

每个人身体里都有巨大的能量，之所以没能发挥，是因为被压抑了。所以，我们要找到压抑的那个点，因为那就是火山口，随时准备喷发。水能泛滥成灾，也能转化发电。身体的能量同样如此，如果任它乱撞，那就是脱缰的野马。我们上火了、发炎了、长东西了、疼痛了，都是它乱撞的结果。但如果我们帮它"南水北调""引滦入津"，那它不但能修复我们的病灶，排除体内的毒素，滋润我们的身体，还可以积蓄能量，让我们健康长寿。

怎么找到压抑点呢？压抑点就好像堵在路中间的大石头，那里通常就是正邪相争的战场。偏头痛、乳房胀痛，通常的压抑点就在胆经和三焦经上；吃得挺多，但吃完了肚胀，也就是所谓的"胃强脾弱"，通常的压抑点就在小腿胃经和脾经上，尤其是在脾胃相通的络穴上，如脾经的公孙穴、胃经的丰隆穴；有的地方是气血壅滞，如溃疡类、出血类、热痛类、肿胀类，这就需要在通往病灶的来路上先把能量消解转化，如常见的胃溃疡，病源起于肝，郁结之气在胆，症状表现在胃，通常的压抑点就在胆经上，郁结的能量从胆经宣发，而不去冲击胃。

有的地方是气血到达不了，如寒证、萎缩症、炎症等久不愈合之症，这就需要把气血引到病灶点，看看病灶点压在哪条经上，就在病灶的去路上"挖个坑"，水往低处流，挖这个坑就是想让气血流进去。有人说："您不是说了嘛，身体有它固有的规则，怎么会按照我的想法去走呢？"其实，不是它遵行您的想法，而是您在顺着它的意志，因为您找到了压抑点，这就是身体要告诉您的规则。"挖个坑"是什么意思？这只是个比喻，实际上您可以用拔罐的原理来理解和操作。开始拔罐时，由于气血过不来，罐就总拔不住，

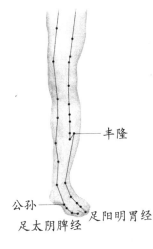

公孙 —

足太阴脾经   足阳明胃经

丰隆 —

公孙穴是脾经络穴，丰隆穴是胃经络穴，对"胃强脾弱"造成的肚胀特别有效。

会自行掉下来，多拔几次，气血引过去了，罐就越来越紧，"坑"里的"水"也就满了。如果这条经的新鲜气血充足，那么压在这条经上的病症自会不治而愈。

5. 强大气血的捷径——打通胃经

> 当您不想只是凑合活着，还想追求精彩人生的话，别忘了还有一条捷径，那就是打通您的胃经。

从治病到养生，仿佛是一个从温饱步入小康的过程。要治病，就要知道什么是病。"病"在中医里的含义是"心火"的意思，心里有火就生了病。而心火是从肝上来的，肝的不平之气就是心火的源头。所以，治病从调肝入手，才是治本之法。

养生是一个较高的层面，养生就是保养生命。而生命是身体和精神的统一体。因此，养生不但要养护身体，更要调适精神，也就是要修炼"精、气、神"。精气神正是养生的目标，也是养生的基本要素。而先天之本——肾脏的强壮，正是精气神充沛的源泉。简而言之，治病从调肝入手，养生以强肾为功。

肾为先天之本，是人体健康长寿的根基。很多人都知道肾脏功能的重要，想尽各种办法来补肾，以益寿延年、永葆青春。但是人们也发现，肾脏易衰而难补。于是，道家有打坐、意守丹田、还精补脑之法，中医有艾灸关元、肾俞、太溪之方，同时还有许多滋阴壮阳的药疗食补。这些方法使用得当，都会有不错的效果。只是一般人很难分清体质的寒热，把握不好养生方法的火候，所以通常不敢去尝试和坚持。那么，除此之外，有没有更简单安全的方法可以达到补肾强身的目的呢？

其实，所谓补肾，就是要增强肾的功能。简而言之，肾的功能有两个：一个是生殖的功能，一个是排毒的功能。其中，生殖的功能通常在40岁以后就会渐渐减弱。但如果能将生殖的功能保持旺盛不衰，那么人就不容易衰老。如何保持这种精力呢？我们可以借助自身一条不易枯竭的经络——胃经来实现。

脾胃为人体的后天之本，后天的营养给人以气血持续地供应。我们每天都要吃饭，所以胃是人体最活跃的器官，也是人体气血最容易汇聚的地方。但气血总是随进随出，并没有真正地保存下来。如果您要想健壮，想长寿不衰，那就需要有足够的气血储备才能实现。

肾脏之所以为先天之本，是因为它能够调动激发出人体的原动力。其实，这种原动力就是生殖的力量。这种生殖力量，也是万物得以繁衍的动力。

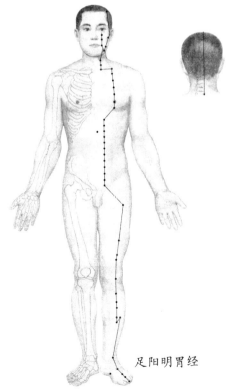

打通后天之本——胃经，便可以补足先天之本的"肾精"，让您身强体健，长寿不衰。

足阳明胃经

男性在青少年的时候，通常会有一种"精满自溢"的现象，这也是气血充足的表现。但是过了中年，尤其是在结婚生子以后，这种现象就会日益减少，渐渐地表现为精力不足。这时采用通常的健身方法，往往只是满足于维持身体不至于衰老过快，并不能让身体长久地保持活力。

其实，身体的潜能是无限的，就像大自然的神力，只是需要您去发现和挖掘。而保持肾精的充足，就是点燃天然神力大药库的火把。

肾精就像银行里的存款，生活在温饱水平的人都是随挣随花，没有多余的储备。而没有存款，日常生活也可以维持，只是无法进入小康。人的身体如果没有多余的能量储备，也可以活得很正常，只是不能达到强壮和长寿。如果只是活得长而不健康，也不是什么快乐的事情。所以想要强壮，就一定要培补肾精。肾精就是人体气血的储备。

《黄帝内经》中说，肾为"作强之官，伎巧出焉"。这就告诉人们，想要使身体强于常人，想要将体能转化为智慧，就要学会开发肾这个人体天然的能量库。道家有意守丹田，就是在积聚肾精，精足随后"还精补脑"，就是要把体能转化为智能。

但是积聚肾精谈何容易，因为肾精不是光靠集中意念于一点就可以生成的。而且，集中意念本身，很多人就无法做到。通常一打坐，就会杂念纷飞。这样何时才能补足肾精呢？

其实，我们可以循阶上梯，借假修真。那就是尽全力打通后天之本的胃经，来补足先天之本的"肾精"。《黄帝内经》中还有一句至关重要的话，也是在告诉我们这条胃经的重要性，那就是"痿症独取阳明"。阳明在这里正是指胃经。后人对"独取"多有歧义，有人认为应该泻胃火，有人认为应该补脾胃。实际上，只要打通胃经，补泻的事情身体自会处理得很完美，无须外力画蛇添足。那什么是"痿症"呢？就像花枯萎了一样，人的气血不足了，血液流不到它该流的地方，脏腑、肢体、肌肉、筋脉自然就萎缩了。所以，要想保持青春常驻，我们一定要在胃经上多费些工夫。

我以前写过一篇关于美容的文章，就是让女性朋友们每天敲打一下胃经，以保持气血对面部的供应。很多人对美容之道有误区，更认为胃经与己无关。其实，世上并没有单纯的美容方，美容的目的首先是要保持年轻，而要保持年轻必须身体健康，要身体健康自然气血要充足，要气血充足就非得让胃经通畅不可。

那如何让胃经通畅呢？知道了原理，方法完全可以自己创造，比如推按腹部胃经（尤其是腹直肌部分）、敲打大小腿上的胃经、在胃经路线上拔罐刮痧，以及练武术的基本动作——蹲裆骑马式、跪膝后仰头着地等，都是打通胃经的方便之法。

当您不想只是凑合活着，还想追求精彩人生的话，别忘了还有一条捷径，那就是打通您的胃经。

6. 捍卫命门，坚守丹田，让身体总有使不完的劲

> 人的一切能量都来源于肾的阳气，也就是中医说的命门之火。这是人生命的火种。道家讲意守丹田，守的就是这个火种，就是想让它烧得旺一点。因为，这个火种一旦激发出先天的活力，将是一个取之不尽的能量库。所以，我们千万不要让外来的寒气冷却这个火种，更不要让内生的恐惧将它熄灭。

讲到祛病强身、延年益寿，方法真是太多，从营养饮食，到生活起居，从运动锻炼，到导引瑜珈，从针灸服药，到按摩保健，各个方面都会有专门的论著。有许多朋友对研究健康养生情有独钟，是呀，谁不想活得好一点，健康一点，长寿一点呢？但似乎方法越多，人越迷惑，不知从何入手。能不能有再简单一点的方法呢？

其实，生活本来就是最简单的。是我们想得太多，人为地把问题复杂化了。如果能饿了吃饭，冷了穿衣，和大自然一问一答，就不会有那么多的烦恼了。想来，真正对您管用的，往往不是一个什么方法，而是一个理念。

方法不过就是一件随用随扔的工具，就像是扫地用笤帚、过河用小船一

样。地扫完了，笤帚就扔在一边了；到了对岸了，船也不必再拉着上路。

所以说，笤帚和船不是最重要的，要扫哪片地、要在哪靠岸才最重要。您的交通工具可以不是最先进的，但是您的方向却一定不要搞错。否则，您越聪明，您的知识越多，您的烦恼就越多。

下面大家就和我一起来把问题简化一下，看看影响我们身体健康的最基本因素有哪些呢？

我在以前的文章中提到过身体里有一个很重要的致病因素叫"三浊"——浊气、浊水和宿便。这些东西在咱们的肚子里就像是一洼沼泽，它们妨碍新鲜血液的生成，需要及时地清除出去，为此我提供了"推腹法"。很多朋友用过此法后，大便通畅了，小便增多了，放屁打嗝，浊气排出。但也有人说，推了半天，肚子软软的，好像没什么动静。身体也变化不大。这是为什么呢？用中医的话讲，这叫"中气不足"。咱们还可以给它说得更通俗些，就是人体缺少原动力。我们有一句话叫心有余而力不足，那是哪的力不足呢？是肾脏的精力不足。

每个人从父母那里禀受的先天之原动力是不同的。有人充沛，有人不足。充沛的人似乎总有使不完的劲，不足的人，从小就体弱多病。先天的禀赋似乎无法改变，那后天又是什么因素在削弱我们肾的精力呢？

主要有两个原因：

一个是外来的寒气。通常从皮肤和饮食侵入人体。人体要产热，把这些寒气中和或排出，否则就会影响血液的正常流动，造成"寒凝血滞"，形成淤血。产热的过程要耗费大量的原动力。所以要想使肾精充足，就要尽量避免寒气的侵入。如冬天还穿着短裙，平常总是冰块冷饮，这些都是耗伤肾精的元凶。

另一个是内生的恐惧。恐惧最耗肾精，有时甚至比寒气更厉害。但二者通常是互相影响的。如果身体温暖了，血液循环就畅通，我们就不会恐惧，如果，您总是勇气十足，必然热血沸腾，寒气也就不易侵入您的身体。

其实，人的一切能量都来源于肾的阳气，也就是中医说的命门之火，这是人生命的火种。道家讲意守丹田，守的就是这个火种，就是想让它烧得旺

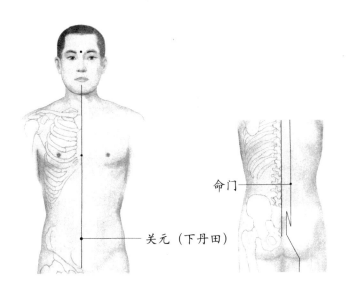

命门

关元（下丹田）

中医说"命门之火"，道家讲"意守丹田"，指的都是维持我们生命的火种。而艾灸关元穴，就能壮肾阳，得大道，激发出无限的先天活力。

一点。我们艾灸关元穴，也是想给这个火种以外来的助力。因为这个火种一旦激发出先天的活力，将是一个取之不尽的能量库。所以，我们千万不要让外来的寒气冷却这个火种，更不要让内生的恐惧将它熄灭。

7. 别把身体的本能当作疾病来对待

> 如果把人的自愈潜能当做疾病来对待的思想不改变的话，我们就是在自己和自己作战。人的本能是自然的力量，您顺着它走，轻松省力；您逆着它，压制它，就像在洪水中逆流而上，终将被它冲垮。

受风寒了，我们会打喷嚏；酒喝多了，我们会呕吐；吃了不洁食物，我们会腹泻。打喷嚏的意思是要赶走风寒，几个喷嚏过后，流了些清鼻涕，头上出了点汗，感冒就过去了。呕吐的意思是防止酒精超量，吐完以后，肚子马上舒服，胃又恢复正常。腹泻的意思是排出有害毒素，将要在我们肠道里滋生的细菌及时排泄。这些都是身体的一种自我保护功能。而现在治病的方法，是将这样天然优良的人体自愈功能压制下去，目的就是求得身体暂时的平静。

同样的，发烧、咳嗽、出疹子、嗓子痛、鼻出血、发炎了，都是身体的一种自我保护。为了让身体健康强壮，身体会排出异己；会牺牲局部，保存整体；会首先确保重要器官和脏腑的安全，而让皮肤、肌肉、关节，以及一些身体的孔窍和凹陷处成为毒素的寄存地或临时出口。有时会有一些激烈的症状，让人觉得很不舒服。但只要我们明白了身体的善意，我们就不会去干那些塞烟囱、堵下水道的傻事儿了。

其实，如果能善用发达的科学技术，我们在医学上本可以大有作为，但是因为方向不对，反而费力而无功。当我们打喷嚏的时候，如果我们能发明一种促进打喷嚏的工具，使喷嚏顺畅打出，那我们将从此告别感冒的侵害；当我们呕吐的时候，如果能有一种催吐的方法，将胃中的宿食痰涎倾吐干净，那我们将从此远离头晕目眩的困扰。咳嗽是为了吐出痰浊，我们应该帮它尽快吐出，而不是一味地祛咳；腹泻是为了排解湿浊，我们应该帮他善后调养，而不是盲目止泻；发烧本来是一次身体的大扫除，好处多多，它可以清除身体的寒气、湿浊、淤血、毒素，但它往往被压抑，结果高烧转为低烧，长年不已。

我相信，凭借现代科技的力量，发明一些激发身体本能的工具来，应该易如反掌。可由于理念的偏差，我们发明的工具不但不能帮助身体自愈，通常反而是破坏身体本能的。然而本能的力量是不能被压抑的，它总要反抗，它不但把外来的侵害当做毒素来抵挡，同时也把人为压制它的力量当做异己来攻击，这样，我们的身体同时对应的是两种侵害，一个是天然的，一个是人造的。

如果把人的自愈潜能当做疾病来对待的思想不改变的话，我们就是在自己和自己作战。人的本能是自然的力量，您顺着它走，轻松省力；您逆着它，压制它，就像在洪水中逆流而上，终将被它冲垮。

8. 如何才能返老还童

俗话说：人过四十天过午。到了不惑之年，很多人已隐约嗅到了衰老的气息，而且觉得这理所当然，无法逆转。此时既觉前力渐消，又觉后力难继，正是关注养生之时。有忧患便有举措，有需求便有渴望。但此时，很多人缺少的是重振雄风的信心，而没有自信，一切便无从谈起。

知道了身体的宝藏而不抓紧挖掘，明白了生命的真谛而不起而求索，那您必将重蹈覆辙，流入衰老的惯性之旅，今生都再难有逆转的时机。

我们的人生究竟还有多少潜能等待我们去挖掘？这个极为重要的问题正被许多人所忽略，或许，我们根本就不清楚什么是我们人体真正的潜能。我们的身体也许还未曾绽放，就已经枯萎；我们的精神也许还未曾聚光，就已经耗散。如果，我们不曾达到人生的应有极限就衰老颓废，那样的人生尽管身家亿万，也将是终生遗憾，因为这一切皆是身外之物，与我们的身心无关。人生应当可以达到极为灿烂的境界，但这一切，不是追求外物所能获得的，而是要从内心找到光源。

人生来各有使命，而发掘人本身的价值，正是每个人时时应该关注的。人本来可以过目不忘，本来可以·目十行，这是我们应有的记忆能力；本来可以经天纬地，运筹古今，这是我们应有的知觉能力；本来可以力擎千斤，腾跃数丈，这是我们应有的肢体能力。但由于我们心灵所执太多，以致无法平静心情来全心投入。我们的心飘忽游荡，时时刻刻受各种感情牵扯纠缠，就像有个沙漏，每秒钟都在流失我们的能量。我们无法真正地集中精力，无法真正地聚集光源，那我们就永远无法达到燃点，永远无法让生命的激情燃烧，这将是我们人生的缺失。当然，如果您对此茫然尤知，也就自然"无怨无悔"。

我们生来禀赋不同：有人聪明，有人愚钝；有人健壮，有人羸弱；有人刚强，有人怯懦。有时，我们深深地感到，似乎自己无论如何努力奋斗，也到不了别人轻松就可以达到的境界。为此，我们可能会不断拼搏，以期缩短与强者的距离；我们可能会舍去休息的时间来加紧充电，头悬梁、锥刺股，以弥补先天的不足。但这一切的努力总显得勉为其难、力不从心。因为这种拼体力的做法，只是在消耗可怜的精力，让您就像一个没有钱还在押宝的赌徒，最后连身上的衣服也要输光。

俗话说：人过四十天过午。到了不惑之年，很多人已隐约嗅到了衰老的气息，而且觉得这理所当然，无法逆转。其实，我们才刚刚出生，我们正要中兴重振。与20岁的青年不用谈养生，他们正动如脱兔，活力四射；与30岁的人无暇谈养生，他们正挥斥方遒，纵横职场；而40岁，正是稍停喘息的时候，此时既觉前力渐消，又觉后力难继，正是关注养生之时，无忧患便无举措，无需求便无渴望。但此时，很多人缺少的是重振雄风的信心，而没有自信，一切便无从谈起。此时，我们需要榜样的力量。

像前面说过的79岁的古稀老人沈维德，都可以成就如此回天之术，向世间展示生命的巨大潜能和生命的无比荣耀，那我们这些拥有大好时光的人，怎么可以轻言放弃呢？人生短暂，转瞬即逝，知道了身体的宝藏而不抓紧挖掘，明白了生命的真谛而不起而求索，那您必将重蹈覆辙，流入衰老的惯性之旅，今生都再难有逆转的时机。

有人会问：身体的宝藏在哪里，我们如何挖掘？生命的真谛是什么？我们怎么求索？这不是我能回答的问题。但如果您真的相信它是个问题，那么您必将获得想要的答案。

9. 病从寒中来，根从湿中祛

> 我们并不想成仙，只想快快乐乐地为人。那请您赶快把身上的寒气驱除出去吧，然后别再让外面的寒气进来，或许，我们就真的可以快乐似仙了。

很多人都有过敏症，通常我们要找一找过敏源。花粉、灰尘、食物、阳光，甚至空气都有可能对我们产生威胁。

其实，如果我们能从寒气、湿气两方面来考虑，可能会更为省事一些。如最常见的过敏性鼻炎，通常会在天气转凉的时候加重。因为寒气不能随汗而出，就造成"寒凝血滞"，也就是血液流通不畅，所以鼻子此时堵得更为严重。但这时我们只要运动一下，出点汗，寒气排出了，鼻子马上就通了。

本来，夏天天气炎热，容易出汗，过敏的症状应该轻许多，但由于我们已经习惯在空调的屋里一坐一天，然后再冰镇冷饮的一通猛吃，结果受的寒气反而比冬天还多。人体有很完善的排寒系统，根据受寒部位不同，排寒的形式也不同，有打喷嚏、呕吐、打冷战、腹泻，等等，但目的都是明确的，都是要排出体内多余的水分，也就是中医里面强调的"湿气"。

有人鼻子不通气，用取嚏法后，流出很多清涕（寒气），鼻子马上通了；有人受寒后头痛剧烈，用取吐法，汗水痰涎齐出（寒气），头痛立止；有人吃一点凉的，就会腹泻，这都是身体帮您把寒气排出去了，不必恐慌。

夏天，热气外发，我们身体自主的排寒是靠出汗，但空调冷气堵住了我们的排汗通道，结果寒气被留在体内出不来，再加上喝很多冷饮，成了外寒内湿。

冬天，我们自主的排寒是靠排尿。但我们室内的温度过高，常常会让人出汗，而小便并未增多，于是，我们靠肾脏、膀胱排寒的功能逐渐减弱。寒来暑往，我们的两大排寒通道（发汗、利尿通道）都处于紊乱和衰弱的状态，体内湿气也就越积越多。俗话说：水停百日生毒。人体的湿浊不能及时排出，血液就会被污染，并产生积液、水肿、痘疹、眩晕，以及各种炎症感染。其中，过敏症就是寒湿共同造成的典型病症。

一分湿气一分寒，如果我们不知如何去湿，那我们就先想方设法躲避和排除寒气。

日本的医学家石原结实先生主张"病从寒中来"，确有真知灼见。另外，道家祖师吕洞宾，八仙之一，我想无人不知。他的道号叫"纯阳子"，"纯阳"就是一点寒气也没有。

我们并不想成仙，只想快快乐乐地为人。那请您赶快把身上的寒气驱除出去吧，然后别再让外面的寒气进来，或许，我们就真的可以快乐似仙了。

10. 用力不如用意，用意才能强体

> 有许多人总希冀能得到武功秘籍、祖传秘方，最好是密密麻麻的厚厚一本书。其实，真言一句话，假言万卷书。如果，一生当中，能有一两句真言短语时时在脑海中指导我们的生活，那我们已经是受益无穷了。
>
> "用意不用力"就是这样的真言短语。

现在喜欢锻炼身体的人是越来越多，可见大家对健康的重视。但是，要想通过锻炼真正达到强身健体的目的，您就首先要知道，我们到底要练什么？怎么锻炼身体才能真正拥有健康呢？

其实，强身不在于您锻炼的项目。您可以选择自己喜欢的任何运动：跑步、游泳、打球、瑜珈、健美、搏击，以及走步、爬山、跳舞、太极拳等，都是很好的。这些运动本身没有优劣之分，关键是您怎么去练。

您说："他跑步，我也跑步，我们俩一起跑，我们一起练举重，他举100斤，我也举100斤，难道锻炼的效果会不一样吗？"

当然不一样，有时甚至完全不同。同样是锻炼，练的是同一个项目，有

的人练完受益，有的人受伤。

其实，造成锻炼效果不同的原因，只是一个心念，也就是您在锻炼时心里的想法。这个想法，才是锻炼的真正意义。

这个想法就是"用意不用力"。它本是出自于太极拳谱当中的一句名言，不但道出了太极拳法的精髓，也为我们进行各种锻炼指明了方向。

有许多人总希冀能得到武功秘籍、祖传秘方，最好是密密麻麻的厚厚一本书。其实，真言一句话，假言万卷书。如果，一生当中，能有一两句真言短语时时在脑海中提醒、指导我们的生活，那我们已经是受益无穷了。

"用意不用力"就是这样的真言短语。

有人说："用意不用力？我不懂，我就知道，举杠铃的时候不用力，就举不起来。"您说得对，不用力，并不是一点儿力不使，而是不额外加力。这就像唱歌，高音部分很多人唱不上去，于是就声嘶力竭，这就是用力了。真正的歌唱家，是用心去唱，声音高亢甜美，却不觉丝毫费力，这就是用意不用力。

有人还是不解："刚才说举杠铃，你怎么扯到唱歌上去了，我现在想举100斤，我不用力，能举得上去吗？"

举杠铃的时候，如果您随意和别人聊着天就能轻松地把杠铃举起来，那这时杠铃的重量就可以让您体会到用意不用力的感觉。再说跑步吧，如果您在跑步的时候，没觉得肌肉在使劲，只是全身很自然地在跑，腿该抬起就抬起，脚该落下就自然落下，胳膊的摆动也全然随意，那么您就是在用意不用力。用意不用力就是最好的身心合一。这样去锻炼，您身体不会受到任何损伤，而且效果极为显著。

因为您身体做的，就是您心里想的。身心之间没有抵触，没有摩擦，所以没有损耗。

一次在公园散步，无意中碰到了几个晨练的朋友，正在打太极，他们让我指点一二，我说首先要放松，于是马上就有人显出松松垮垮的样子；我说放松不是软弱无力，于是又有人立刻含胸拔背，沉肩坠肘；我说，肌肉不可用力，于是他们站在那里一下子不知所措了。

其实，练太极拳，是寻求一种意境、一种身心合一的感觉。画家画画的时候不会感觉到画笔的存在，他脑子里只有一幅美好的画面。打太极拳就是在画这张图，我们的肢体动作就是这只画笔。我们只专心感觉太极拳的美妙意境就可以了，肢体是紧张还是放松我们根本不用去管，它该紧张时就会紧张，该放松时自然放松。这就是用意不用力。

最近听到了一些练瑜珈的负面消息，主要是肌肉关节拉伤，以及生理机能紊乱。其实，瑜珈本身没有问题。问题在于，我们在练习的时候没有身心合一。身体抵抗时，心里就不要强迫它，一强迫必然受伤。当我们猛击一拳的时候，真正发力的不是胳膊的二头肌，而是胸中的怒火。

有人说，意是什么，我怎么体会不到呢？其实感觉不到也不妨碍正常的生活，只是少了些情趣，多了些单调和辛劳。

意就是一种感动，我们在梦中最容易真切地体会，有这种感动，小街的灯火才如此浪漫，寻常的月色才无比迷人，不然，灯火只是那或明或暗的影子，月色也不过是忽隐忽现的光团罢了。

第三章

心药不苦口
养生有智慧

　　有些人生活只是为了寻求公平，这样的人肯定四处碰壁；有些人生活总是要符合道理，这样的人注定烦恼随身。因为，世上本来就难有公平可言，少有道理可讲，所有的标准都是相对的。

　　只有懂得放弃杂务的纠缠，人生才有真正的快乐；只有学会排出体内的毒素，人生才有真正的健康。

1. 很多时候，一句好话比什么药都灵

> 如果一句好话，能够给人带来感动，带来喜悦，带来力量，我们何妨多说一说这样的话呢？

前两天，走在马路上，碰到了一位70多岁的大妈，眼睛真好，老远就朝我打招呼。大妈说在电视上看到过我的讲座，夸我讲得好，通俗易懂。我被夸得有点不好意思，正准备找机会脱身。大妈却把我的手抓得死死的，露出一脸的愁苦，说："唉，我浑身都是病，高血压、关节炎、老胃病，您讲的虽然明白，我也都听懂了，您的书我儿子也给我买了，可我还是不知该怎么做。经络我也找不准，推腹法我也推了几天，也没觉得有什么变化，看来，我这病是没救了。中里老师，您说，我该怎么办？"

我笑着对大妈说："您别着急，我看您没大事儿，您看，隔着马路您都认出我来了，您的眼力真好，眼力好证明您的肝肾功能没什么问题，肝肾好说明您身体的底子还是不错的。高血压，您可以平常揉揉尺泽穴"。我边说边在她的胳膊上点了点，她说："还真疼"。我说："有疼痛感效果最好。至于关节炎，您可以在床上练练跪膝。老胃病呢，壁虎爬行效果最好，您不会做呢，就趴在床上扭动身体也行。若还觉得不方便，也可以找个大点的水桶，每天用热水把腿脚泡一泡，祛祛寒，同样对高血压、关节炎都有效"。大妈一听，高兴了，说回家马上去做。

我说："大妈，没事儿，您这身子骨硬朗着呢，别自己吓唬自己，活个一百岁，没问题。"大妈看我这么一说，顿时眉开眼笑，腰板也直了，摇着我的手，千恩万谢。

小时候，奶奶教我背过《名贤集》，里面有一句话叫：良言一句三冬暖，恶语伤人六月寒。我记得格外清楚。如果一句好话，能够给人带来感动，带来喜悦，带来力量，我们何妨多说一说这样的话呢？

2. 只要是让身体舒服的音乐，就别管它是来自于贝多芬还是周杰伦

> 用您的心去选择属于您的音乐和节奏。能感动您的，就是您的财宝。不要去管它是来自于贝多芬，还是周杰伦。

我家离单位不远，走路也就是半个多小时。一到秋末，天气转凉，我就开始步行上班了，倒不是为了锻炼身体，只是为了感受节奏。

我走的这段路，路宽人少，路边就是街心花园，空气很好。带上耳机，放着不同曲调的音乐，踩着不同的步点，随着音乐节奏的不同，调整着步伐的频率。脚底的着力点也会随着曲调而变化，或前或后，或重或轻，或疾或缓。但是，不管怎么走，都要脚踏实地才好。不是用脚踩地，而是跟着音乐用心体会脚底与地面接触的感觉。这种感觉非常奇妙，虽然在别人眼里我仍然是在正常地行走，但自己的感觉就像是一路跳着舞去上班。

每天的心情不同，所听的音乐也是不同的。忧郁的时候，就用忧郁的音乐来化解；轻松的时候，就用欢快的音乐来抒发；情绪低落时，马上选用雄壮的进行曲来振奋；怒火中烧时，适合用柔缓的旋律来平息。

当然，每个人感觉各异，对音律的理解不同，别人觉得感动的，您也许毫无感觉。所以，用您的心去选择属于您的音乐和节奏。能感动您的，就是您的财宝。不要去管它是来自于贝多芬，还是周杰伦。

上班的时候，我是迎着朝阳大踏步前行，我就爱听节奏欢快的进行曲；晚上回家的时候，月明风清，我就喜欢一些抒情的流行乐。通常几首曲子还没听得尽兴，已经不知不觉回到了自家的门前。

3. 不生病的智慧之一——少做勉为其难的事

> 我只想做自己想做的事情，跟我的爱好有关，跟我的才能有关，跟我的感情有关。凡是与这些无关的事情，凡是别人认为应该我做而对我是勉为其难的，我都做不好，也尽量不去做。

前些天我与一个同事在网上聊天，同事夸赞我有大智慧。我到底有没有，自己也不太清楚。有时大家都认为你有，好像你没有也有了。只因写了一本书，本来再平常不过的我——以往让左邻右舍都觉得是个不学无术的家伙，居然被许多人视为了天才。就像马三立先生在相声中所说的，"弄得我自己都不知道自己吃几碗干饭了"。

很长时间没有写什么文章，有人说我是在磨砺修为，厚积薄发；有人说我是江郎才尽，文思枯竭；也有人说我已投身商海，腐化变质矣。唉，有了点小名，自然也就成了别人关注的对象。其实，我啥也不是，只是想常常在喧闹的马路边站站，看看车水马龙、霓虹闪烁，然后在狭窄的胡同里走走，闻着从窗子里飘出来的菜香，看着一家人围坐在小院里吃饭。至于什么宏图伟业、历史使命，以及闲云野鹤、羽化登仙，压根儿就与我无关。

我只想做自己想做的事情，跟我的爱好有关，跟我的才能有关，跟我的感情有关。凡是与这些无关的事情，凡是别人认为应该我做而对我是勉为其难的，我都做不好，也尽量不去做。

您的才能会告诉您能做什么，您的爱好会告诉您该做什么，您的感情会告诉您想做什么。做自己能做的、该做的、想做的，就是发自真心的。

那位与我聊天的同事夸了我，我也夸她干事麻利漂亮，很有智慧。她回复道："我不知什么是智慧，只是我真心想做这些事，我想真心就是大智慧吧。"

太对了，我一直不知智慧的大门在哪儿，这真是一语中的，金玉良言。

4. 长寿是为了享受更多快乐的时光

> 人不是为了长寿而长寿，想长寿是因为可以享受更多快乐的时光。如果为了长寿而谨小慎微，为了长寿而处心积虑，那这长寿岂不是充满迷幻的陷阱，害人不浅？

大家要听的，第一是有趣的，第二是有理的，第三是有益的。怎样讲才有趣？那就是讲故事，因为故事有形象、生动的情节。怎样讲才有理？那就是通俗，听得明白才有道理。怎样讲才有益？那就是简单，容易操作，老少皆宜。

每一次讲座，都要有一些新鲜的东西放进去才有意思。放进些什么东西呢？就放进去那些能让我讲得越来越少而大家感触越来越多的东西。感召、启发、激励才是最好的方法，而灌输、教导、批判都是徒劳无益的举动。

人是非常脆弱的动物。谁又能真的相信一切都早已注定了呢？如果真是那样，我们的安全系数，并不在于用了多少防范的措施，而在于我们积了多少福德。《心经》中说："心无挂碍，无挂碍故无有恐怖，远离颠倒梦想，究竟涅槃。"人怎么会无挂碍呢，若无挂碍，那到这个尘世之中来做什么？这个婆娑世界就是一个处处挂碍的世界。心里烦恼很多，其实并不是事物繁杂，而是活着的原理不清楚。

有人说："坦坦荡荡地做人，就是做人的全部内涵，就是做人的全部修炼。"

俗话说："有钱能使鬼推磨。"如果您有钱，那就一定要用这些钱来买时间，因为时间就是构成生命的材料。如果我们干一些事情，耗费了大量的时间，只是为了省一点点钱，那您挣来的钱又有什么用处呢？您挣的钱越多，生命就越短暂。

人不是为了长寿而长寿，想长寿是因为可以享受更多快乐的时光。如果为了长寿而谨小慎微，为了长寿而处心积虑，那这长寿岂不是充满迷幻的陷阱，害人不浅？如果金钱能带来快乐，那这钱一定要花；如果金钱能减少痛苦，那这钱一定要花；如果金钱能延长值得延长的生命、节约宝贵的时间，那这钱就更值得去花。

有些人生活只是为了寻求公平，这样的人肯定四处碰壁；有些人生活总是要符合道理，这样的人注定烦恼随身。因为，世上本来就没有公平可言，少有道理可讲。所有的标准都是相对的，对您有利的或许对别人就有害，如果对羊群保护，那么对狮子就是灭绝。

有的人为了公平，100块钱的利益纠纷不惜花费5000块钱去寻求裁决。唉，人生短暂，有多少美丽的景色值得去观赏，有多少有趣的事情值得去体验，有多少迷离的人生值得去经历，怎么可以为了吃一顿免费的早餐而误了飞往渥太奇的飞机呢？

唉，生活中的羁绊很多，如果您停下来要看个分明，想弄个透彻，那您就别想再走出这个浮浅而牢固的粉笔圈。只可惜很多人每天都在自己的脚下画着圈圈，还唯恐画得不圆，让别人看不起。

其实懂得待人接物的艺术，比学会几个穴位、练好几个动作不知要强多少倍。人生只有懂得放弃杂务的纠缠，才有真正的快乐；人生只有学会排出体内的毒素，才有真正的健康。精神集中本是一种状态，而不是一种思想。就像爱情，它不是一种概念，而是一种感受。开车的时候，我们的精神自然处于集中的状态，这时如果您还在反复提醒自己要精神集中，那反而集中不了。

如果一个人已经睡着，就不要再叫醒他来服安眠药了。有人虽然不说，但他是懂得的，就像哑巴吃蜜；有人满口禅语，其实根本不懂，就像瞎子点灯。

5. 想美丽，练叩首法就行

> 人生短暂，问题繁多，所以我们要学习"偷懒"的方法，也就是把一切事物尽量加以简化。最简单的方法就是惯性，所有的方法都遵循着一定的理念，找到一个大方向，然后自然是条条大路通罗马，我们就可以轻车熟路地一直走下去了。

人生短暂，问题繁多，所以我们要学习"偷懒"的方法，也就是把一切问题尽量加以简化。而最简单的就是所有的方法都遵循着一定的理念，找到一个大方向，然后自然是条条大路通罗马，我们就可以轻车熟路地一直走下去了。

很多女士向我讨要美容的秘方，我说，您想要哪里美丽，就把新鲜的气血引到哪里。然后，她们就问我引血的方法。其实，您关注哪里，您的气血就在哪里，您的财宝也就在哪里。

有两点是一定要搞清楚的，那就是一个起点、一个终点。终点就是到哪里去，起点就是从哪里起步。至于您是使用舟马车船还是慢步长跑，倒是无关紧要的。我们身边尽是些悟性很高的聪明人，只要您有心，就可以随时吃到免费的午餐。

下面是一个叫"小牧小树"网友的一篇小文：

> 打通小周天的叩首法，对于美白很管用，我没有天天做，只是隔三差五地做一次，每次一小节，每小节叩首15次。慢慢地，我脸上的色斑颜色浅了。过去我练习过美白瑜伽，练了半年多，那里边的动作也是以倒立为主，跟叩首法是一个原理，但效果就不是很明显。所以，爱美的女生们，加油啊！

我本人最喜欢这样的文章，短小、随意、充满感情，而又极为实用。很多朋友总是说："我的症状，您的书中没有说。"我说："有呀。"他们却说：
"我怎么没看到呢？"其实，您没有看到也很正常。

这就像是我们手中的地图，上面会标着哪里有个超市、哪里有个银行、
哪里有个医院、哪里有个学校……至于，银行有几个柜台、学校有几个教室，
您只有亲自到里面去数数了。

6. 梳头有大学问

> 别小看梳头这个动作，靠它就能打通人体的很多经络，是属于给身体打地基
> 的。当打通经络后，再集中看看哪个穴位有问题，特意去揉一揉，这就是为身体
> 添砖加瓦了。

每天梳头是一件极为重要的事。为什么古人总是说要天天梳头？因为梳
头实际上就是在梳经络。

有人说梳头多了，容易损伤毛囊，那咱们把指甲剪平了，用10个手指
肚来梳，这样怎么梳都损伤不了毛囊，而且还很有力量。您看头的侧面全是
胆经，有20多个穴位，您都不用找，就这么一梳，哪块有点疼，就证明哪
块有阻塞，您就反复地揉它，不知道那个穴叫什么名字没关系。因为您一梳
头，胆经上的20多个穴位就全部"一网打尽"了。

开始梳头的时候，您会发现，长期头痛或者胆囊不好、有乳腺增生这些
胆经阻塞方面问题的人，头上一定有相应的阻滞点。经络是连着的，下面有
堵的地方，它上面也堵。所以您这么一梳，就会发觉某处有疼的地方，用大
拇指一点一揉，会发现里面还有一些结节、疙瘩的东西，这时，您一定要把
这个东西揉开了。

每天梳头多长时间为好呢？坚持每天300次就非常好了。有人说我有的
是时间，梳3000次怎么样？那当然更好。头不怕多梳，您就记住，梳头好

处大了。头为诸阳之会，所有的气血都是奔着头上来的，头就怕堵住了，一堵住什么心血管疾病、脑梗塞之类的问题就全来了。您把头一梳，头部一清爽，这些问题就全解决了。所以梳头是能消百病的妙法。

有人说："我不敢梳头，因为头发本来就少，还老掉"。我说："越是这样的人，越得多梳。为什么？您别怕掉头发，因为，凡是用手指肚一梳就掉的头发，它根本就是在头上面浮搁着呢！您不动它，睡觉起来后也是一床，您不如干脆先给它弄下来就完了，剩下的头发就个个都是精英了。这就跟种花似的，您得把那些枯叶剪下去，别让它也跟着一块吸收营养，最后剩下的那些才是苗壮的。"

还有的人说："我也不敢梳头，我一梳头就白花花的跟下雪似的，全是头皮屑，没法梳。"他觉得越梳头皮屑越多。其实，如果能坚持每天梳头至少300次，连着梳1周，您再梳的时候就会发现已经没什么"雪花"了，而且梳完以后会看到满手都是油污污的。这说明您把堵塞在毛孔上的这些黑油（中医讲的湿气、痰浊）给梳出来了，这样当然就不长头皮屑了。

梳头不但可以治疗脱发，还能治疗白发和头发无光泽。当头发浓密起来后，就证明您的气血越来越足，肝肾的功能提高了。另外，有的时候我们想补补肝、补补肾，但往往直接补不到，效力达不到这个地方，怎么办呢？"诸病于内，必形于外"，人体的里面和外面是有通路的。谁是它的通路？头部就是它的通路。您经常梳梳头，就跟肝肾通上了。人不可能头发很浓密而肝肾却很弱，这是绝不可能的。头发浓密了，肝肾的功能也就提高了，这是一体的两面，只要提高一方面，另一方面就提高了。

梳头时，除了头两侧，正面也要全梳。头的正面是膀胱经，是专门抵御风寒的。有的人经常容易感冒，就是风寒老进来的原因。您把膀胱经多梳梳，就不容易患感冒了。还有的人总觉得头晕，脑供血不足，什么原因？是督脉堵塞住了。督脉这条中间线，下至尾骨，与肾经相通，上行巅顶百会穴，如果时时保持通畅的话，不但您不会得老年痴呆，而且会越梳越精神。

所以梳头应该把头部全梳一遍，每天梳得越多越好。

别小看梳头这个动作，靠它就能打通人体的很多经络，是属于给身体打地基的。当打通经络后，再集中看看哪个穴位有问题，特意去揉一揉，这就是为身体添砖加瓦了。

7. 用头练书法，精气神都壮

> 很多人缺乏想象力，一闭上眼睛，脑子里就是一片空白或者一片杂乱。而闭着眼写字的时候，脑子会很清晰地去想所写的字，所以精神很容易集中。而在精神容易集中的状态下，气血就会更多地上到头部，脑供血就会很充足，人也就不会得老年痴呆了。

我前阵子看电视，画面里赵之心老师正在教大家一个动作，我觉得非常好，就顺便在这里推荐给大家。

这个动作就是用头来写字，可以照着字帖来写，不仅书法练了，还能把身体的精气神全调动起来。因为这种活动很舒缓，而且各个字的笔画不同，所以绕脖子的方向也就不同，对脖子、颈椎、头脑的神经锻炼非常有好处。

很多人缺乏想象力，一闭上眼睛，脑子里一片空白或者一片杂乱。而闭着眼写字的时候，脑子会很清晰地去想所写的字，所以精神很容易集中。而在精神容易集中的状态下，气血就会更多地上到头部，脑供血就会很充足，人也就不会得老年痴呆了。

现在，让我们闭着眼睛一起来写一个"平"字：一横、一点、一撇、一横、一竖，就这么写下去。然后，再写一个"安"字，可以通过自己的想象随意地去写。

写完后您会发现，转头并不是随意地乱转，因为随意地乱转特别容易让脖子不舒服。而这样一写却非常放松，因为注意力不在脖子怎么运动，而在字怎么写，无形中就把脖子运动了，而且又不伤害肌肉，很自然地就把这个动作练了。

以头为"笔"，写了"平安"两个字，还可以在闲暇时写写自己心里愿意写的东西，比如写"健康"这样稍微复杂一点的字。开始可以写楷书，先写颜真卿、柳公权的字体，慢慢变成王羲之的行书。就这么很挥洒自如地写，不但能锻炼头部，整个神经系统和精神状态也能全部得到锻炼，而且最关键的是能让您把心里的很多杂念清除出去。

当您用头写字的时候，您会把所有的注意力都集中在所写的字上——怎么写得更优美，怎么更像王羲之。所以这是一个非常好的运动。我建议，大家每天在练完"梳头功"以后，就开始用头写字，也不用多写，就写十几个字。渐渐地，您的书法水平会大增，智力也会得到提高。

由此可见，养生的方法都是非常简单而且都是随时随地可以做的，关键是您要弄明白经络养生祛病的真谛。这样，健康就不是一件难事了。

8. 喝水要根据体质度身而行

> 每个人的体质不一样，一定要掌握适合自己的食品和饮食方法，不能因为大家都吃的东西，认为有营养就一哄而上。人家吃完这些变成营养吸收了，可您吃完成毒素堵那儿了，不一样。就像喝水，也要度身而行。

有很多人不爱喝水，一喝水就堵，这样的人千万别每天喝8杯水了。如果喝一口都堵，您再喝那么多水排不出去，留在身体里都变成湿气了，如果到腿上就会变成水肿。这时您再上点儿火，遇上点儿风寒，就会变成痰。为了化痰，您还得吃化痰药，每天吃药再灌点儿水，又会产生痰，这样就把自己变成一个"生痰机"了。

多喝水不是每个人都适合的，要根据自己身体的本能来喝。说喝水有好处，喝水能排毒，喝下去的水能跑到血管里冲刷血管壁，这都是美好的愿望。

那么，什么样的人适合多喝水呢？口舌经常干燥，喝完以后就上厕所，这样的人喝水没问题，多喝也没问题。有人喝3瓶水，能撒出4瓶尿来，这样的人怎么喝都没事。

有的人喝3瓶水，就撒出一瓶尿来，另外两瓶哪儿去了？在身体里面成湿气了，成水肿了，这样的人一定要少喝水。还有得哮喘病的朋友，一哮喘就有好多痰液，又是虚寒的体质，这样的人绝对要少喝水，否则哮喘好不了，除不了根，水也代谢不出去，都变成痰了。

要知道，日常生活中的很多习惯和观念，实际上比我们知道的那些经络穴位重要多了。因为您天天都要饮食，而如果饮食有错误，它给您带来的坏处就会远远超过您对经络穴位所付出的努力。

每个人的体质不一样，所以一定要掌握适合自身的饮食方法，不能因为大家都吃我也吃，认为有营养就一哄而上。人家吃完这些变成营养吸收了，可您吃完成毒素堵那儿了，不一样。就像喝水，也要度身而行。

9. 大道至简，跪膝有方

> 练跪膝法除了能减肥和防治膝盖痛、膝盖积水、膝盖骨刺、腰疼、脱发外，还能让身心有很多意想不到的收获。

人为什么会膝盖痛？膝盖为什么会磨损？积液和水肿是怎么来的？平白无故怎么会出现这些东西？膝盖是一个关节，如果我们老做下蹲折叠的动作，就跟轴承一样会产生磨损。而老年人气血没那么多了，供给膝盖的气血也少了，膝盖又总是磨损，所以特别需要气血这种润滑油，润滑油充足就没事，润滑油一少就会干磨，就会出现磨损的问题了。这时寒气再进来，在缺血的情况下再去练蹲起、爬山、走远路，膝盖只能更磨损了。这就是很多中老年人在锻炼后膝盖越来越疼的原因。

很多人说锻炼有好处，那得看是在什么情况下锻炼。如果是在膝盖已经磨损的情况下去锻炼，那只能是雪上加霜，越练越坏。膝阳关穴虽然可以很好地缓解疼痛，但怎么让它不疼痛才是最根本的。所以，治本的方法就是让它一开始就不磨损，一开始就让新鲜血液润泽过来。而让血液过来的最好方法就是跪膝法，跪着走。这么一跪您就会发现气血轻而易举地跑到膝盖上来了，而且在跪着走时，会发觉腰也在扭动，肾也跟着补了。跪着走两三周后，您还会突然发现原来老掉头发的现象消失了。

另一方面，中医称膝为筋之府，膝就是筋的房子。而肝又主筋，所以跪膝法又是大补肝脏的方法，相当于每天喝几支杞菊地黄丸口服液，还不花一分钱，更不分什么体质，效果还如此好。

有人说："我跪不了，我去照片子了，医生说我这里有好多骨刺，这一跪肯定骨刺就扎着我，给我扎破了怎么办？扎一个窟窿就麻烦了。"这是大家对骨刺的一种误解。骨刺是人体的一种自然现象，每个人到一定年龄都会有骨刺。骨刺本身不会让人产生疼痛，疼痛是因为骨刺旁边的淤血压迫神经造成的。把淤血驱散，膝盖自然就不疼了。但去照片子，却发现骨刺一根没少，还都在那儿立着呢。

现在市场上有很多这个"刺灵"那个"消刺"的药，其实它们消不了骨刺，只能把骨刺旁边的淤血给化掉。所以说骨刺消不消没关系，并不妨碍我们去锻炼。所以，练跪膝法一点都不会对我们的身体有什么影响。

有人说："我膝盖已经有点儿积水了，破损比较严重，这个时候怎么办？"这个时候您要先揉腿下边的脾经，先除湿，再揉膝阳关穴，往下疏导，然后再跪膝，把气血引过来，这样做就没问题了。

有人说："我这一跪还是有点儿痛，我有些担心。"那您就把沙发靠垫或别的软东西垫在膝下，先跪着别走，等跪两三天适应了，把垫拿走，再跪在床上，然后过两天再跪行。这个方法我曾给一个80多岁的邻居老先生试过，他本来不能下蹲、不能正常上厕所，但照我所说的两周以后就没问题了。现在他都快90岁了，膝盖一直没有毛病。如果平时稍微有点儿痛，他马上就到床上去跪膝，这个方法非常简单有效。

对想减肥的男士和年轻女士来说，跪膝法更是一个减肥秘法，比"敲带脉"还快。此法减大腿上的赘肉最明显。要想检验这个方法灵不灵，您回家拿皮尺先在大腿上量一下，然后每天跪20分钟，3周以后再拿皮尺量，肯定让您大喜过望。很多人都试过这个方法，效果非常明显。

练跪膝法除了能减肥和防治膝盖痛、膝盖积水、膝盖骨刺、腰疼、脱发外，还能让您有很多额外的收获。

我的一个同事，他练了两周这个方法，还不是每天20分钟，有时候就跪10分钟，不久他去换眼镜的时候度数下降了50度。他都30多岁了，为什么还有这样的效果？因为练跪膝法养了肝，肝主筋，而膝盖是筋之会，肝开窍于目，所以通着眼睛。

学习防病的方法，一定要跟很多东西联系起来，不能认为跪膝法只是治膝盖、头上的穴位就只是治头，要举一反三，学一达百。有句话叫"饮半盏湖水，当知江河之滋味；拾一片落叶，尽享人间之秋凉"，讲的就是这个道理。这样我们学习起来就快了。您如果不能每天积沙成塔，那个塔就老也积不起来，您得有好的方法，学习最主要的东西。其实最关键的方法就是联想法，想想膝盖还跟哪儿通着，还管什么事儿？您一联想就行了。

第四章

求 医
不如求经络

　　我们锻炼的时候，不要单独去练一条经。要知道，没有哪一个脏腑是可以独自很健壮而其他脏腑很虚弱的，它们都是互相平衡的。只想锻炼一个脏器，您是锻炼不了的，也锻炼不好，得互相配合才能和谐健康。

　　学习防病的方法，一定要跟很多东西联系起来，不能认为跪膝法只是治膝盖、头上的穴位就只是治头，要举一反三，学一达百。有句话叫"饮半盏湖水，当知江河之滋味；拾一片落叶，尽享人间之秋凉"，讲的就是这个道理。

1. 学医不明经络，开口动手便错

> 要记住：打通经络是获得健康的必经之路。只有拥有健康，我们才能慢慢享受岁月奉献给我们的惊喜与感动。

什么是经络？是血脉还是神经？这是迄今为止各界纷争不休的话题。但对于我们普通人来讲，记住一句话就行了：有效就是硬道理。不要去管经络到底属于什么解剖层次或者神经层次，只要用它来随时防病治病，保证健康就可以了。

说得具体一点，经络不仅外接四肢百骸（百骸就是五官七窍），内通五脏六腑，而且经络之间也相互贯通。经络就是一张网，这张网上无处不是相通的。

有人说我胆囊切除了，有人说我做了乳腺手术，问会不会阻塞经络，经络会不会断掉，再揉经络还有没有用。好多人都有这个问题。我的回答是，再揉经络同样有用。比如您做了乳腺手术，您觉得胃经那块好像断了，可是另外好多经络也是通着胃经的，它们可以从旁边跟胃经接通。另外、像胆囊摘除了，敲胆经仍然起作用。

动手术就好比城市里某个地方在施工，说让您绕道行吧，您仍然可以到达想去的目的地，只是绕道罢了。就像有人脊椎有了问题，督脉不通了，但它还可以通过旁边的膀胱经和其他的经络相通，道理都是一样的。

经络在身体里起一个什么作用呢？它就像一条线路，比如煤气管道，在炉子哪边能点着火，就证明哪边有能量，管道是通的。如果点不着火，那就要看看到底是哪个地方关闭了。关闭的地方相当于人体的穴位，穴位就相当于一个一个的阀门，它们跟脏腑直接相通，其关系就类似于风筝和风筝线。脏腑就像个风筝，而经络就是风筝线。脏腑出现问题，比如说有人肝出问题了，怎么办？可以通过调节肝经，就是捋肝经这根"风筝线"来解决。一捋肝经，肝脏就得到了修复。

只要经络畅通，您就百病不生。但很多人不信，说这个经络能有这么神吗？您是不是夸大了它的功效？我们来听听古人是怎么说的吧。《灵枢经》中说："夫经脉者，所以决生死，除百病，调虚实，不可不通。"中医谚语说："学医不明经络，开口动手便错。"

有人说，中医看病经常是开汤药方，吃中药，这里面有什么经络吗？好像没经络什么事儿。其实这里面同样有经络，而且中药都讲究经络。中药里面有什么？可能大家知道的就是当归、柴胡、人参、黄芪，这些药都是归经的。所谓归经，就是这药被吃下去后，专门被这条经所吸收了。所以甭管您是用药也好，还是按摩、拔罐、针灸、刮痧，以及用什么方法锻炼，甚至做瑜伽，治病的最终目的都是为了打通经络。

用《黄帝内经》中的一句话，我觉得更能够非常细致、全面地给大家讲述经络到底是干什么用的："夫十二经脉者，人之所以生，病之所以成，人之所以治，病之所以起，学之所始，工之所止，粗之所易，上之所难也。"这就是说，您要想生长发育，就要靠经络来提供气血。而病是怎么生成的？生病的原因很简单：经络不通就生成病了。如果您想防病，想治理一下自己的身体，那就要靠打通经络。

现在人们总说防病。但防病不能是等病来了才防，您得提前防。您只要保持经络畅通，疾病就没法侵入您的身体。如果有病，也可以有起色，能够好转。另外，学养生祛病之道要从经络开始学，而好的医生所达到的最高境界就是把经络搞明白了。不过，粗浅地熟悉一下经络非常容易，但要把它搞得非常精通，还是需要下一番苦功的。

把《黄帝内经》中的这段话弄明白了，就能知道防病、治病、保证健康的着力点在哪里了。所以很多长期身体虚弱、疾病缠身的朋友不用担心，坐在椅子上，躺在床上，敲敲打打照样可以维护健康，达到有病调病、无病强身的效果。

要记住：打通经络是获得健康的必经之路。只有拥有健康，我们才能慢慢享受岁月奉献给我们的惊喜与感动。

2. 治病不先解开心结，没效

> 我们应该借助经络穴位的桥梁，通过调整生理来改善心理，才能真正达到经络穴位的妙用。如果把经络穴位当成一个死的、没有感情的东西，那么揉它的效果就会很差。

我一个朋友的表妹最近生了一个女孩，她婆婆觉得不是大胖小子，心里挺别扭，生产后就来看了一眼，第二天就不来了。这个媳妇心里很委屈，本来头天有奶，第二天奶没了，因为生闷气憋回去了。这时，当针灸大夫的姨妈来探望她，一看这个情况，就给她使劲点按涌泉穴，同时慢慢开导她。不一会儿，她突然痛哭流涕，哭了一阵，觉得心里痛快多了。两小时后，她感觉乳房开始胀，奶又重新有了。

这个故事说明什么呢？说明经络穴位是可以直接通到情智上去的，它是沟通生理和心理的一个桥梁。既然如此，我们在按摩这些穴位的时候，就应该把心理方面的因素也加进去。比如说，您给亲朋好友按摩的时候，要知道他的心结在哪里，先解开它，如此才能达到"身心同治"。

我们应该借助经络穴位的桥梁，通过调整生理来改善心理，才能真正达到经络穴位的妙用。如果把经络穴位当成一个死的、没有感情的东西，那么揉它的效果就会很差。

当您帮助别人揉穴位的时候，如果他们心里有抵触，或者对其功效半信半疑，这时不要强迫去揉，因为绝对没有什么效果。如果绷着劲，而又要强行揉开，力量全都消耗在你们的对抗之中，怎么可能有效果呢？

对待所有的东西包括治病，都要像解绳扣，而不要像扯绳子一样越扯越乱。解开的方法有两个：一个是身体上要解开它，还有一个是心结也一定要解开。两个同时解开，经络穴位才能真正发挥效果。

3. 一个穴位就可以孝敬父母

揉揉经络穴位就能孝敬父母，还有比这更简单、更令人欣慰的事吗？

前些天，网友陈女士向我讲述了她的经历：

母亲经常犯胃痛，痛起来非常剧烈，药物也难以缓解。那天母亲发病，正巧我在场，赶紧打开郑老师的书，对照着经络图，找到大概是"足三里"的地方，用大拇指使劲一按，母亲当时就喊道："对，就是这里，我想起来了，20年前那个针灸师给我扎的就是这个穴，当时胃就不痛了。"得到了母亲的认同，我更有自信了，接着又去按胃经的伏兔穴。本来我对穴位是找不准的，可母亲那个穴位附近痛得要命，我便哪里痛就多揉哪里。母亲怕痛，直要我住手，可两分钟过后，她大腿胃经上的一根紧绷的硬筋让我揉开了，伏兔穴也不痛了，胃也不疼了，好神奇呀！我再也不用眼睁睁地看着母亲难受而束手无策了。

哈哈，看来我的这点看家本领已经被大家轻松地掌握，并能随心所欲地发挥了。胃痛找"足三里"，这是寻常的办法，不足为奇。但陈女士能循着胃经上行，找到伏兔穴，却是我在书中没有特别强调的。然后，又能"离穴不离经"，将胃经上的"硬筋"揉散。治疗的过程，好似是冰融雪化、拨云见日一般。

揉揉经络穴位就能孝敬父母，还有比这更简单、更令人欣慰的事吗？

下面是另一位叫"yutingliu"的网友的留言：

确实是，我学了郑老师书中的方法后，除了调理自己的身体之

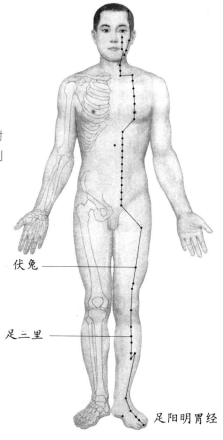

胃痛时，在足三里穴附近找痛点，用力按揉，特别管用。

伏兔

足三里

足阳明胃经

外，更主要的是帮妈妈疏通了经络。妈妈每次生气后就会打嗝，以前也曾经让我帮她敲敲后背，说那里堵得慌，可是我胡乱敲打后没什么效果。现在我经常帮妈妈用按摩棒从上到下疏通小肠经、三焦经和膀胱经，天哪，简直是我一上手她就打嗝打个不停啊！很多穴位都很痛，嗝打出来就不痛了，妈妈说真感谢我这个小女儿。说实在的，我真不敢想象，如果自己没有学习经络，妈妈的身体会怎么样。我也很高兴，终于觉得自己的存在有了独特的价值，像个孝顺的女儿，对父母有点用处了。

4. 常怀感恩心，这是通往健康的捷径

有的人尽管勤耕不辍，却仍然是费力无功。为什么会这样呢？——德基不厚也。所以积德是立业之本。活着就要感恩，这是通往健康的捷径。

有的人尽管勤耕不辍，却仍然是费力无功。为什么会这样呢？——德基不厚也。所以积德是立业之本。活着就要感恩，这是通往健康的捷径。

我很感动网友"伟伟鱼"的留言：

前几天脸上疙里疙瘩的，有长出来的痘痘，大部分还在里面，而且脾气特别坏，说出来的话总是恶狠狠的，弯腰时两肋刺痛。我赶紧买了"加味逍遥丸"，吃了后没再肋下痛，可皮肤还是丑得没办法，自己也知道是肝火太旺。为了赶紧赶走痘痘，就开始按摩肝经，发现曲泉到阴包痛得厉害，就按摩加刮痧。就用的是牛角梳的背面，腿上抹点橄榄油就刮了起来。只一会儿就刮得红里发紫，暖暖的挺舒服。一直按摩了几天肝经，没有明显的痛点，但皮肤还是没大的好转，急呀！最后全身上下地找，发现大肠经的曲池痛不可摸，大喜，赶紧翻看《求医不如求己》。书上说曲池可治各种皮肤病，赶紧按吧。现在已经不怎么痛了，皮肤也好了很多。我是个笨人，也记不得具体的经和穴位，只知道大概的地方，没事就全身上下地找，虽是个笨方法，确也实用。从买书到现在没看过医生，小病都是自己搞定的，顺便也帮家人按按。看老师的书收获了很多，不止是求医上的。老师的语言幽默，看得我经常大笑不止（可能小有夸张，但本人认为看您的书就是解肝郁的良药）。甚至认为我这一生也不会有什么大不了的病，真要好好谢谢您！祝您爱惜自己，

千万别他人都健康了您倒下了！老师您要好好的，还想什么时候去看看您呢。

"伟伟鱼"的留言让我真是很感动，也给我许多的启发。有人总是说自己"笨"，您知道"笨"是什么意思吗？这可是个最好的字——"竹"字加个"本"字。本是树根的意思；而竹子，古人一直用来形容君子，所以素有"虚心竹有千千节""百尺竿头更进一步"等对竹子的美誉。所以，"笨"是指有本事、有根基的人。能像竹子那样虚心谦和，那她必然会日日进步。"伟伟鱼"就是这样的"笨人"。

从"伟伟鱼"的叙述中我们知道：

第一，脾气坏是浊气顺胆经上窜，导致两肋疼痛，而"加味逍遥丸"对肋下痛是有效果的。

第二，肝火旺，长痘痘，就按肝经的曲泉穴到阴包穴。这两个穴都是肝经的要穴：曲泉泄肝火，清湿热；阴包解肝郁，调月经。

第三，当按摩穴位疼痛时，可用刮痧法。工具随意，像牛角梳的背面也可，腿上抹点橄榄油就行了。

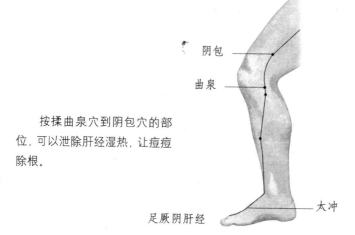

按揉曲泉穴到阴包穴的部位，可以泄除肝经湿热，让痘痘除根。

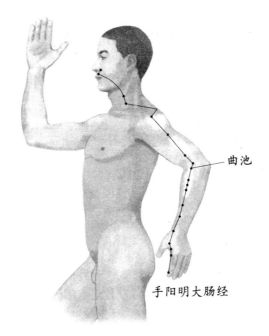

曲池

曲池穴可谓是"治痒奇侠"，对各种皮肤病都有很好的疗效。

手阳明大肠经

第四，痘痘也是皮肤病。找可治各种皮肤病的曲池，多按就好。

第五，找穴位的方法就是没事就全身上下地找，找大概位置上的痛点就行。

第六，常怀感恩心，这是通往健康的捷径。（本来是靠自己的智慧得到的感悟，却要感激别人。）

"伟伟鱼"的留言，让我想起《易经》的开篇语："天行健，君子以自强不息；地势坤，君子以厚德载物。"前半句，激励我们大家要每天健康一点点；后半句，告诉我们怎样才能达到健康的目的。

5. 用经络祛病是一件快乐而有成就感的工作

> 生病的时候，一定要在自己身上及时地找到原因去实践，有自己的感觉后，祛病就变成是一件快乐而有成就感的工作了。这才叫属于自己发明的绝招。

学习经络，不必追求每天学得太多，只要每天健康一点点就行了。

学习经络穴位一定记住：不要化简为繁，越学越多就麻烦了；要化繁为简，去粗取精，拨云见日。要找最重要的那一点，关键要获得的是理念，掌握了理念就掌握了精髓。

下面是一个叫"明月清风此夜"的网友给我的留言：

今年冬天患流感的太多了，我也不例外。由于我已接受《求医不如求己》的理念，于是自己找经络按摩，反反复复地总算坚持下来了。我的体验是，不同症状的感冒反应在不同的经络上。

前天早上上班，到单位就流清涕，我敲大肠经，发现在肘上边的穴位很痛，就使劲按揉。几分钟的时间，疼痛减轻了，鼻涕不流了，感冒也就好了。

前段时间流行的一个明显症状是咳嗽，我也咳嗽。我开始时是在肺经上按摩，没有效果，嗓子里像有痰，还咳不出来。后来，有一天我发现在晚上5点多钟咳得厉害，猛然想起这时是肾经活跃的时段，就按肾经，发现肾经上的复溜穴很疼，膝盖窝里的穴位（我记不住名了）也疼，就去按摩，立即止咳。我感到很神奇，我想，看明天这个时间还咳不咳，若咳，说明我的思路是对的。第二天晚上稍晚一些，接近6点，又咳了，程度较前一天轻了，我继续按肾经，又止咳了。到了第三天，6点半多开始咳，程度较前一天又轻了许多，我又开始按摩。到了第四天，就基本不咳了。这让我有了一种成就感，同时增强了学习传统中医的信心。

这位网友学习中医的悟性让我十分佩服，不仅大胆实践，更能灵活创新，还把自己的感受与大家一起分享，真是难能可贵。我在这里向他表示由衷地感谢。

《灵枢经》中说："大肠经主津液所生病者，肩前臑痛、鼻衄、寒栗不复。"正是他上面说的那几个症状——鼻流清涕、肘上边穴位痛、感冒。肺与大肠相表里，感冒初期，取大肠经的穴位及早预防以抵御风寒侵袭肺脏，真是高明的方法。

《黄帝内经》云："五脏六腑，皆令人咳，非独肺也。"下午5点至7点为肾经气血最旺的时间。肾经的循经走向是从脚心顺腿而上，入肺中，循喉咙，与支气管、肺、喉咙关系最为紧密。这位网友在按摩肺经无效后，立刻能想到去点按肾经，并能使用肾经最有通利效果的两个穴位——复溜穴、阴谷穴（估计是此穴），真是太有灵感了，难怪起效如此迅捷。

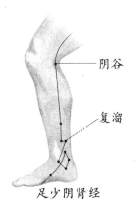

阴谷

复溜

足少阴肾经

肾经的穴位也能治咳嗽。

通过这个例子来看，调理肾经也是可以止咳的。所以，生病的时候，一定要在自己身上及时地找到原因去实践，有自己的感觉后，祛病就变成是一件快乐而有成就感的工作了。这才叫自己发明的绝招。

学习就是为了应用，看到朋友们在这么短的时间里就能够学到中医真正的精髓，真让人感到振奋。在灵感面前，聪明和学识总显得那么笨拙。此夜有明月清风，但愿明天还能涌来清风明月。

6. 做父母的家庭医生

> 理念正确，力点集中，方法精简，并懂得"贵在坚持"，这是祛病强身的灵魂精要。如此身体力行并无私分享，真是善莫大焉。
>
> 没有心灵土壤的滋润，一切治疗都会显得勉强。

这是一个叫"青扬满田"的网友写给我的留言：

今年过年，我70多岁的公公讲，自从每星期六照您的方法给他按摩后，他已停西药1个多月，血压基本正常了，真是非常感谢您。

我采用轻手法、慢节奏，先刮他的心包经、大肠经、肺经，并围绕降压的重点穴位按摩，再在他后背的膀胱经走罐几分钟，然后按摩脚上的太溪穴、太冲穴和足底心脏反射区。每周一次，每次1个多小时。坚持了不到3个月，老人的穴位由没感觉到反应越来越敏感，特别是这周，按完许多穴位后，他的肚子也开始跟着鸣叫。

老人血压高好多年了，这是头一次不用西药就正常了，他特别高兴。说真的，老人的健康快乐就是我们晚辈的福气！

老师的祛病方法简单，好操作，但贵在坚持。

祝老师在鼠年多创殊文佳绩，普及健康，善莫大焉！

看到"青扬满田"能够有如此孝心来对待公公，我心里十分感动，我想，这里最有效果的，首先是这个网友的一份爱心。因为，没有心灵土壤的滋润，一切治疗都会显得勉强。

再看两个重要指征：一是"由没感觉到反应越来越敏感"，二是"按完许多穴位后，他的肚子也开始跟着鸣叫"。能把这两个指征重视起来，说明"青扬满田"已经掌握了经络起效的特点。

穴位敏感才是真正开始起效了，能让腹中浊气运行起来，证明新鲜气血已经开始周流，也就是全身的大循环开始了，这是非常关键的一步。另外，还有特别选择的经络直指病灶，比如心包经专治心脑血管疾患，大肠经清体内热毒淤血，肺经肃降而补肾；穴位也都各效其力，太溪穴是肾经原穴，补肾并引血下行；太冲穴清全身浊气，浊气出则百病皆消，使心脏反射区增强心脏供血，补充气血原动力。

理念正确，力点集中，方法精简，并懂得"贵在坚持"，这是祛病强身的灵魂精要。如此身体力行并无私分享，真是善莫大焉。

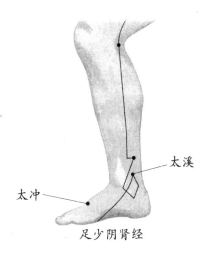

太溪穴补肾，太冲穴排浊气，都是身体的自带大药。

太溪

太冲

足少阴肾经

7. 通窍不可强求，别处自有洞天

> 生活中没通的"窍"很多，我们不用着急，"一窍不通"正是生活的乐趣和意义所在。不通就不通，哪里有要通的感觉，我们就先通哪里。就像这位网友说的："也不知是大肠经还是三焦经，反正哪儿疼敲哪儿。""通窍"更是如此，不可强求，往往别处一通，这里不通自通。

在现实生活中，我们的工作任务需要定期完成，紧锣密鼓，没的商量。而精神生活与思想文化却需要慢慢感悟、细心体会，才能得到真趣。

这是网友"梅花39"给我的留言片段：

> 我冬天有一次着凉了，就实践了取嚏法，感觉很爽。晚上睡觉的时候感觉有点鼻塞，就试着在胳膊上找孔最穴，结果真找着了。太神奇了，按压左手臂的孔最穴，右鼻孔顿时畅通无阻；按压右手臂，左鼻孔就通了。不知这又是怎么回事？怎么不是同侧呢？

> 现在我还有一毛病没解决，希望得到老师的指点：经常胸闷，好像脖子下面堵了什么东西，想打嗝，打不上来，或者打到半截就上不来了，不知怎么回事？我现在天天敲胃经、大肠经、三焦经，因为晚上上臂外侧有点疼，也不知是大肠经还是三焦经，反正哪儿疼敲哪儿。

> 我也经常练习跪膝法，右膝盖跪的时候有点酸疼，同时感到有点恶心，不知是什么原因？

先说说这位网友的疑问吧。凡是胸闷、恶心、想打嗝打不出，那是浊气阻滞在胃脘或胸膈。首先可以用推腹法，主推心窝下及中间任脉和两旁的胃经，也可以在三焦经的手腕处找到支沟或外关，进行敲打或点按。因为三焦经主"气所生病者"。还可在小腿胃经诸穴，进行点按或刮痧。另外脾经的络穴——公孙穴，也是消除肠胃浊气的要穴。

再看看这位网友治感冒的经验：感冒先取嚏，取嚏后仍然鼻堵就找孔最穴，左鼻堵揉右臂孔最穴，右鼻堵揉左臂孔最穴，而且一揉就通，真是太实用了。孔最穴因总管全身各种孔窍而得名，除了能通鼻窍，还对感冒引起的咽喉痛有特效。但为什么揉左管右，我暂时还没搞明白原理，也是"一窍不通"。

生活中没通的"窍"很多，我们不用着急，"一窍不通"正是生活的乐趣和意义所在。不通就不通，哪里有要通的感觉，我们就先通哪里。就像这位网友说的："也不知是大肠经还是三焦经，反正哪儿疼敲哪儿。""通窍"更是如此，不可强求，往往别处一通，这里不通自通。

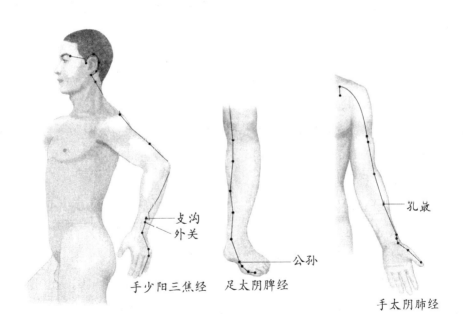

支沟
外关

公孙

孔最

手少阳三焦经　　足太阴脾经

手太阴肺经

支沟、外关和公孙三个穴位都能帮您排出积聚在身体胃脘或胸膈的浊气，而孔最穴为您通鼻孔。这些您用着有效就好，也别问为什么，因为我也是"一窍不通"。

8. 防衰老的五大法：做眼保健操、撞揉鼻骨、叩齿、掌根揉耳背、敲胃经

> 其实很多方法大家过去都学过，像眼保健操里面就有一个"轮刮眼眶"的动作，上面刮一下、下面刮一下。就这么一个动作，看似非常简单，其实里面蕴含着很多的深意呢！

时下，女士们都担心黑眼圈、眼袋、鱼尾纹这些问题。尽管衰老是一种自然的过程，但谁不愿意自己漂亮一点、年轻一点呢？这里，我告诉大家一些极为简单的方法。

其实很多方法大家过去都学过，像眼保健操里面就有一个"轮刮眼眶"的动作，上面刮一下、下面刮一下。就这么一个动作，看似非常简单，其实里面蕴含着很多的深意呢！

·治黄褐斑、眉棱痛、鱼尾纹、眼袋、黑眼圈：做眼保健操

我们的眉毛上面有3个要穴——攒竹穴、鱼腰穴、丝竹空穴。3个穴位有着不同的作用：攒竹穴管的是眼睛的视力及眼睛胀痛等眼睛不舒服的问题；鱼腰穴管的是眉棱痛；而尾部这块儿的丝竹空是专门祛斑的大穴，专管太阳穴附近出现的暗斑、黄褐斑。

另外，眼角容易出现鱼尾纹的地方有个穴位叫瞳子髎穴，是专门治疗鱼尾纹的。眼眶下还有个穴位叫四白穴，是专门治疗黑眼圈的。还有，四白穴上面有个承泣穴，是专门祛除眼袋的妙穴。

我们可以每天用指节上下一刮，刮的时候把痛点多刮一下，尤其是要慢慢地刮下面那个痛点，给它刮开。每天不需要很长时间，就刮两三次，每次刮两三分钟，慢慢地您会发现黑眼圈没了，鱼尾纹也不长了。

下面有眼袋是脾虚引起的，上面有眼袋是肾虚引起的，都是脾肾两虚造成的水肿。这两种水肿在睡觉之前要少喝点水，然后在睡觉之前轮刮一

下眼眶，第二天起床的时候再刮一下，最后这个眼袋就会减小，眼部的最大美容问题就解决了。

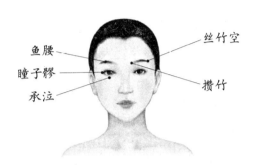

鱼腰　　　　　　　　丝竹空
瞳子髎　　　　　　　攒竹
承泣

眼睛胀痛、酸涩揉攒竹穴；眉棱痛马上揉鱼腰穴；想祛雀斑、黄褐斑，常按揉丝竹空穴；欲除眼角皱纹，首选瞳子髎穴；常揉承泣穴，可以帮您很快消除眼袋。

·改善头部供血，面若桃花：撞揉鼻骨法

对鼻子来说，除了搓鼻子以外，我再给大家提供一个方法，就是撞揉鼻骨。即趴在桌上，用前额先撞手背，然后撞整个鼻梁骨，一直撞到下颏，力度可以自己随时掌握。这个方法能改善面部供血，对治疗慢性鼻炎非常好，也是美容的一大妙方。

·乌发满头，肾强腰壮：多叩齿

齿是骨之余，是骨头的余气，而肾又主骨。当人到了一定岁数，肾气就会逐渐衰弱，牙齿也会松动。对这种情况，我们可以反过来想，如果牙齿很坚固，那么是不是肾气就会很足呢？如果暂时不方便调理肾，那么我们可以先坚固牙齿。牙齿里的经络和肾经是相通的，只要坚固牙齿，它就可以对肾起一个反固的作用，就可以让肾强壮。要知道，人不可能牙齿很强壮而肾很虚弱，这是绝不可能的，因为它们是同步的。所以，如果我们不便直接地去调养肾，那么就健壮牙齿，这是最好的补肾方法。

健壮牙齿的好方法就是多叩齿，用上下两排两个牙齿撞击就行了，就这么简单。

注意：撞击的地方主要是后面的槽牙，不要让前面的牙先叩。

·补肾、治耳鸣：用掌根揉耳朵背

人老了就容易耳鸣，现在，好多年轻人也都患有耳鸣。而耳鸣通常的原因就是肾气不足。

治疗耳鸣有个极好的方法：把耳朵给盖上，然后用掌根揉耳朵背。但要注意，不是揉耳背这个皮，而是隔着耳背揉耳朵眼。揉的时候脑子里要这样想，好像隔着耳背已经揉到耳朵眼里面去了。

当您揉两三分钟以后，耳朵眼里面一发痒，就证明耳朵里面的气血过来了，长期这样揉，耳鸣、耳聋的问题就解决了。另外，揉的时候一定要闭上眼睛，因为七窍是相通的。揉完后睁开眼睛时，您会发觉眼睛变得很亮。

当做完五官上的这几项运动后，您再去照镜子，会发现感觉确实不一样了。

·让面色一直保持健康红润：敲打胃经

谁给面部供血最充足呢？就是人体的胃经。胃经是一条多气多血之经，直接通达到面部。

怎么敲打胃经呢？

首先把指甲剪平，然后开始用10个手指肚敲击面部，这时敲打的主要是胃经，但同时也敲了大肠经、小肠经。有人一敲面部就爱打嗝，这是肠胃功能得到了很好调节的表现。

但面部的胃经只是一个很小的局部，跟下面的整条胃经还没有接通，还需要给它接通一下。而接通点在哪儿呢？就在脖子上。所以我们还要再捋捋脖子。不过别敲脖子，一敲脖子就想咳嗽，不舒服，捋一捋才舒服。

有的人脑供血不足，其主要的一个原因就是给头部供血的颈部出现了

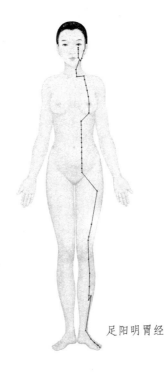

经常敲打胃经，可以
让您气血充盈，面色红
润，光彩照人。

足阳明胃经

问题。因此多捋颈部就可以改善脑供血不足，而且颈部在这时是有阻塞的，当您稍微使劲一捋，对着镜子一看，发现都出痧了，这就证明有淤血堵在这里了。

经常这样捋，心脑血管疾病就可以得到防治。而且捋脖子还是调节血压的一个非常好的方法，高血压的可以帮助降压，低血压的能帮助维持比较好的状态。它的机理就是打通心脏和头部之间供血的通路，让头部供血充足。

要让胃经完全发挥给头面部供血的功能，在捋完脖子后我们还要以空拳来敲打胸部，位置是乳头上下到心窝，两个拳头相对敲，这正好是胃经的循行位置。然后，在大腿的正面和外面1/2处接着敲，最后再敲一敲小腿中间胫骨的外侧。

当您连敲几天后，会觉得面色非常红润，原来蜡黄、比较发暗的脸色已经不见了。这就是气血源源不断地供到头上去了，而且肠胃功能也会很明显地得到改善，吃饭、睡觉都会特别香。

9. 为什么说"痰蒙心窍"？化痰为何如此重要

> 心包经就是化痰的，专化血脂之痰，是专门预防高血脂的一条经络。如果血脂高，心血管就会堵塞，就会患心脑血管疾病，甚至会得心梗。大家一定要知道这个原理。

说到痰，中医涵盖得比较广泛，比如说"痰蒙心窍"。为什么痰会把心窍蒙住？

中医对"痰"大概分为3种：

第一种是气郁生的痰，所谓"气郁则生痰"。气郁生的痰在身体上最容易表现出的就是脂肪瘤、囊肿，中医叫痰核。脂肪瘤看似是个有形的东西，其实它是气郁的结果。还有，像扁平疣这类东西，也跟气郁有关。

第二种是脾虚生的痰，所谓"脾虚则生痰"。这种痰就是经常人们一咳嗽就吐的痰。它其实不是来源于肺上，而是生自于脾。脾是生痰之源，肺为储痰之器。有的人常吃咳嗽药，但是痰总是化不掉，原因就在于肺不是生痰之源。所以，要想根除痰，就必须健脾祛湿。

第三种是血痰，所谓"血滞则生痰"。"痰蒙心窍"就是指的血痰，也就是现在常说的高血脂。血流缓慢，停滞住了，然后堆积下来，就形成了高血脂。

这3种痰是不一样的，但中医都称做痰。而且这3种痰之间还可以互相转化。

心包经就是化痰的，化血脂之痰，是专门预防高血脂的一条经络。如果血脂高，心血管就会堵塞，就会患心脑血管疾病，甚至会得心梗。大家要知道这个原理。

10. 刮痧一定要顺着经络的走向刮才有效

> 其实刮痧很简单，不是像大家想的那样需要非常高的技术。技术不重要，但是您得知道怎么样刮才是正确的。您说我不会手法，这没关系，但您刮痧的时候一定要记住顺着经络刮。您只要懂得经络的走向，就等于会刮痧了。

刮痧很简单，并不是像大家所想的那样需要非常高的技术。技术不重要，但是您得知道怎么样刮才是正确的。您说我不会手法，这没关系，只要记住刮痧的时候一定要顺着经络刮这一点就够了。

刮痧的手法并不重要。手法用不好，顶多是不会出多少痧，另外就是有点痛，不会有其他什么问题。而手法好，顶多出痧比较多、不太痛而已。但要是您不懂经络，刮痧对您来讲就有副作用。比如有一种刮痧方法，我就觉得是很有副作用的。

有一次在洗浴中心，我看他们刮痧就是刮到中间一条以后，马上往两边分着刮，结果全是横着的。但是看看经络图，横着是没有经络走向的，都是顺着膀胱经走的，只有这样刮才会很顺畅，这样刮出来的淤血才可以顺着膀胱经及时排出去。而横向给它分散以后，就没有排毒的通路可以出去，只是暂时出来，又被吸收进去了，根本没有循环。所以，刮痧一定要顺着经络刮，手法倒是次要。

要学会刮痧手法，不一定非得专人教您，您只要刮几天就差不多会了，这一点儿都不难。需要注意的是，刮的时候要轻轻地刮，出不出痧不在于用多大的劲。大家一定要记住，痧不是您"刮"出来的，而是您体内的气血推出来的。如果您的气血不足，就是再使劲刮也不会出痧。如果刮得非常痛，身体就会产生抵触，往里收，紧绷着肌肉，这样较上劲，您的力量就完全是一种内耗了。所以，刮痧一定要舒其所欲发，勿强开其所闭，痧想从这儿出来，您就顺势刮一下，被刮的人感到很轻松，还希望您再使点劲，这样才会非常舒服，就跟挠痒痒一样，这时多刮几下，痧就很容易出来了。

　　另外，刮痧也有一些禁忌。首先孕妇别刮；有肿瘤的重症病人别刮；心脏不好的人也要注意。刮痧要循序渐进，量力而行，要一点儿一点儿来，并且要对刮痧有一个重新的理解。要知道刮痧不是把皮肤刮破，而是要把黏在血管壁上的淤血通过内外的合力赶到外面来。原来毒素黏在血管壁的内部，下不来，现在变成游离状的垃圾，被刮到血管壁的外面，随即被新鲜的血液重新吸入到血管里再循环，最后通过尿液排出体外，这就是刮痧的全过程。刮痧就是选择性地把淤血排出的最好方法。

　　另外，刮痧不需要消毒药水，只需要润滑油。

　　还有人问我："刮痧和拔罐这两种方法怎么来配合着治疗？是先刮痧好，还是先拔罐好？"我的回答是："刮痧好还是拔罐好，要根据不同的位置。如果毒素已经到了体表，最好就是刮痧，尤其是脸上爱起痘痘的人；如果后背还没起痘，那么在后背刮痧就是把脸上的痘转移到后背上去，通过痧的形式出来，这样脸上就不起痘了。但有时候刮痧刮不出来，后背还有痛点，这表

在背部刮痧要循着经络的走向，这样才更容易出痧。

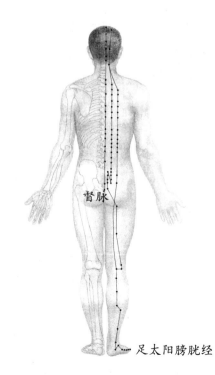

督脉

足太阳膀胱经

明淤血的位置在深层，这时就需要拔罐，先拔到浅层来再刮痧，才会有效。"

11. 内火和外寒，肥胖两大因

> 要想彻底改善肥胖的问题，就要通过祛除外寒和内火来完成。其实不光是肥胖的问题，如果祛除了外寒和内火，五脏功能得到了调节，整个身体状况都会得到改善。中医治病不是治症，而是整个身体的调节。身体调节顺畅了，血脉都通畅了，病自然就消除了，肥胖也就自然地消失了。

肥胖产生的原因有两种：外寒和内火。

逢年过节，家人要团聚，亲友要互访，难免要举杯交盏一诉思念之情。这个时候，有很多朋友会担心自己的身体长胖，而正在减肥的人也会担心经过如此大吃大喝后一切都前功尽弃了。

现代人对于肥胖的原因，普遍认为是营养过剩，就是摄取的能量过多，又不能及时地代谢出去，由此身体就把这些能量以脂肪的形式储藏起来，但肥胖真的是人体摄入的营养过多了吗？

我有个朋友，身高1.73米，体重100公斤，应该是很胖了，他每天只吃一点蔬菜和一点小窝头，根本就不敢吃肉，他还经常锻炼，就这样他的体重还是一天一天地见长，怎么也减不下去。他说自己喝凉水都长肉。而我另外一个朋友，身高也是1.73米，但体重只有50公斤，看起来很瘦，可特别能吃，每次朋友聚会，他比谁吃得都多，可他怎么也长不胖。这是怎么回事呢？

在中医看来，肥胖就是一种病，但这种病也是有范畴的。比如现在有好多体重正常的女士，为了减成魔鬼身材，有骨感，也去减肥了，她们这种情况就不属于中医所说的病的范围了。而中医所说的肥胖是从外形、从自己的感觉上就能判断出是一种肥胖的体质，是一种病。

肥胖这个病是怎么产生的呢？中医认为原因不外乎两个：一个是外寒，另一个就是内火。有人认为这个原因有点简单了。人可能得的病那么多，怎么只归结于外寒和内火呢？我现在给大家分析一下，就像冬天来了，河水流速会减慢，甚至结冰。当人受寒，寒气侵入身体，血液就会流通缓慢，会沉积下来，形成淤滞，这就是寒凝血滞。

血流缓慢就会造成淤血的堆积，这是一个外因。而内因就是内火，肝气的郁结，气滞则血淤，这也是造成淤血的一个主要原因。

中医认为，肥胖实际上是人体的垃圾排泄不出去，并不是能量储备过多。因为人身上的赘肉不是一种优质的脂肪，它绝不会在身体需要的时候变成一种储备调动出来，它只是身体的负担，需要及时给它清走才行。

当气滞血淤的时候，就会造成经络堵塞，从而带来脏腑功能的紊乱。这样，体内的垃圾代谢不出去，沉积在血管壁就是高血脂，沉积在肝脏就是脂肪肝，而沉积在皮肤表面就是赘肉。

要想彻底改善肥胖的问题，就要通过祛除外寒和内火来完成。其实不光是肥胖的问题，如果祛除了外寒和内火，五脏功能得到了调节，整个身体状况都会得到改善。中医治病不是治症，而是整个身体的调节。身体调节顺畅了，血脉都通畅了，病自然就消除了，肥胖也就自然地消失了。

肥胖主要有6种类型。

·肝胆功能失调引起的肥胖自疗法：推大腿内侧的肝经和外侧的胆经、敲带脉区

肝胆，在中医的眼里作用非常巨大。《黄帝内经》中说，"肝主谋虑，胆主决断，肝为将军之官，胆为中正之官"，是什么意思呢？就是说人在谋虑的时候要耗费大量肝血，然后还要及时地用胆来决断。而现在的人每天谋虑的事情很多，但是能够做出决断的很少。生活中，人们会为很多事情谋虑，比如孩子的升学、身体的健康、与邻里的关系、婆媳之间的关系等等。但有些问题我们只能谋虑，却无法去解决。所以肝胆之间就产生了冲突，就是说

肝谋虑了，但胆不能及时地决断，这就造成了肝胆之间的不调，这种不调引起了气郁，就是郁结在那里了，损伤的是肝胆的功能。

肝胆有3个主要的功能：

第一个就是大家都熟悉的解毒功能。肝是给心脏供血的血库，胆可以分泌胆汁帮助消化。如果肝的解毒问题解决不好，身体垃圾排泄不出去，就会造成胆汁分泌不足，而消化不良就会形成多余的脂肪堆积。还有，肝给心脏的供血能力如果差了，心脏就会供血不足，而排出体内垃圾需要大量的新鲜血液，需要足够的心脏动力。如果心脏动力不足，新鲜气血就无法到达病灶，无法将体内的垃圾清运出去。所以肝胆失调就会造成肥胖，并且是造成肥胖的很重要的因素。

肝胆失调造成的肥胖，通常体现在大腿内侧和外侧，以及腰部的两侧（即所谓"游泳圈"）。

清除大腿内侧肝经上的赘肉，可用手掌根推肝经。每天睡觉的时候，用手掌根从大腿根部推到膝盖附近，把这条肝经的位置推300下。推的时候可以沾一点肥皂或油脂的东西润滑一下，以免擦伤皮肤。

推肝经有什么好处呢？曾经有一个朋友写信告诉我，说她推肝经推了四周。第一周，推了两天后开始感觉大腿皮下疼痛明显，痛处集中在大腿根部，很高兴，因为按照书上说的，这是经络被激活的反应；第二周，推的时候感觉痛的位置向下移动，集中到了膝盖内侧附近，她明显地感觉脾气好了很多，晚上睡觉也踏实多了，看来是肝火被清的表现；第三周，她偶然间发现原来穿上很紧的34号牛仔裤，现在套上松松垮垮的；第四周，成果明显，现在穿32号的牛仔裤正合适。

从这个例子中可以发现，减肥并不是减重量，而是减体积。因为这个朋友减到最后，体重并没有减轻，只是体积减少了，腿上的赘肉少了。另外，她还说，大腿内侧的肝经被疏导畅通后，肝脏对血液的排毒功能也大大改善，脸上的痘痘和口臭问题都同时迎刃而解了。

从这个例子还可以看出，中医减肥不是光减一个肥胖的症状，它实际上是在调节整个机体的功能。

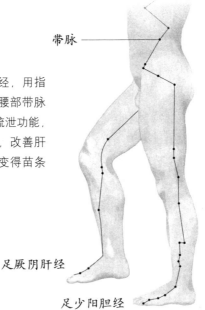

带脉

足厥阴肝经

足少阳胆经

每天推揉腿部肝经，用指关节敲打腿部胆经和腰部带脉区，能够增强身体的疏泄功能，有效消除腰腿部赘肉，改善肝胆失调型肥胖，让您变得苗条而健康。

清除大腿外侧胆经上的赘肉，可敲胆经。

大腿外侧胆经有一个天然的标志，就是人们裤线的循行位置。要想减去这个部位上的赘肉，只需要拿指节去敲打就可以了。因为这些穴位都在皮肤下面的肌肉层，并不在皮肤表面，所以敲打的时候，力度要能渗透到肌肉里面去。只有这样敲打，效果才真正地明显。

清除腰上的赘肉，可敲带脉区。

如果腰上有赘肉，就敲腰两边的带脉区，这里是肝胆经的循行位置，就像带子一样围着人体，所以只要敲带脉，就可把腰两边的赘肉敲下去。敲带脉很简单，只要平躺着，手握空拳，每天坚持敲打300次，由轻到重，以舒服为宜，不久这些"游泳圈"自然就下去了。

·肠胃功能失调引起的肥胖自疗法：跪膝法

如果吸收的东西不能及时地变成血液，就会变成脂肪赘肉堆积在人体里。还有便秘，也会造成体内垃圾排不出去。

如果大肠功能失调，胳膊上的反应点会很多。这时，要经常敲打胳膊正面的大肠经，不但可以消减胳膊上的赘肉，还可以改善便秘的问题。敲大肠经对老年人还有额外的好处。因为大肠经属于多气多血之经，如果老年人觉得肩膀老痛，经常敲敲大肠经，肩膀的气血就会充足，这对于防治肩膀痛很有好处。

如果胃功能失调，比如吃点儿东西就堵在肚子里，根本下不去，好像不消化，这时可用一个最简单的方法——跪膝法。就是在床上，或在地板上铺上垫子，每天跪着走，就可以帮助胃功能恢复正常。

像这么每天跪着走一走，所有的气血就首先奔胃经而去了，原来存积的赘肉就会被带走，被排泄出去。不光是减了肥，膝盖有损伤、有关节炎的，也会随之好转。

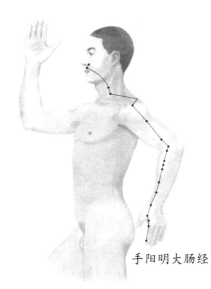

经常敲打大肠经，不仅可以有效减少于臂赘肉，很快消除肠胃功能失调引起的肥胖，还能改善便秘、肩膀疼痛等症。

手阳明大肠经

·小肠功能失调引起的肥胖自疗法：捏手臂内侧

小肠的功能是消化和吸收，如果它的功能减弱，手臂内侧下方小肠经循行的位置就会有松松垮垮的赘肉。在中医看来，心和小肠相表里，小肠

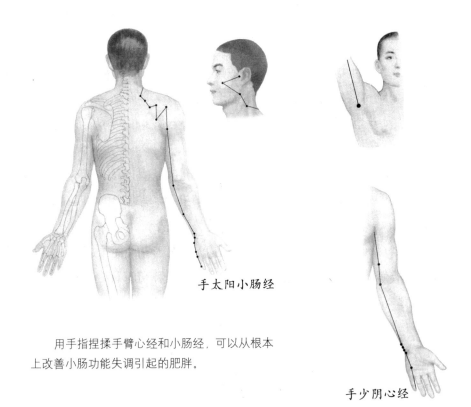

手太阳小肠经

用手指捏揉手臂心经和小肠经，可以从根本
上改善小肠功能失调引起的肥胖。

手少阴心经

经功能减弱就是心脏给小肠经供血不足了，同时心脏功能也出现了些问题，
虚弱了。

怎么解决呢？很简单，把手举起来做个敬礼的动作，然后用手指肚捏
手臂内侧。大拇指是心经的位置，其他四个指肚捏的就是小肠经的位置。

捏的时候一定要挨着捏，边捏边结合点掐、点揉，从腋下往肘上走，连
着揉下来，一直揉到小臂。每天坚持，不但这里的赘肉可以减少，而且还能
改善心脏供血的功能。另外，肩膀上的问题、颈椎病等都会相应地得到解决。
所以长期在电脑前工作的朋友们，要经常揉心经和小肠经。

·心脏功能失调引起的肥胖自疗法：用大拇指揉心包经

肥胖容易造成心脏负担过重，反过来，心脏功能不好也会造成肥胖，两
者是一个恶性循环的关系。

心脏功能不好为什么会造成肥胖呢？前面说过，肥胖的原因就是体内的垃圾运不出去，堆积在身体里了。只有靠新鲜的血液才能把垃圾运走，而驱动新鲜血液的动力就是心脏。心脏动力强，气血才有力量，才能够把赘肉吸收并清运出去。

有人问："我怎么知道肥胖是由于心脏功能弱呢？"其实有一些体征可以看出来，比如晚上睡觉的时候经常会觉得憋闷，需要开开窗户，这样的人心脏功能是弱的。还有就是上楼没几步就喘上了，心脏功能也不好。

怎么解决这个问题呢？只要每天拿大拇指按揉心包经就行了。把胳臂往前伸平，从腋下到中指的这条直线就是心包经。按揉的时候，心脏功能比较差或者心血管有轻微淤阻的人，都会发现有相应的痛点在上面。这时，一定要把这个痛点给揉散。

心脏问题稍微严重一点的人，通常肱二头肌下面有更为明显的痛点，一定要多揉这里。这时，减肥倒是次要的，最关键的是一定要把心血管给打通，让它通畅，这样才可以防治心梗、心绞痛、冠心病等疾患。

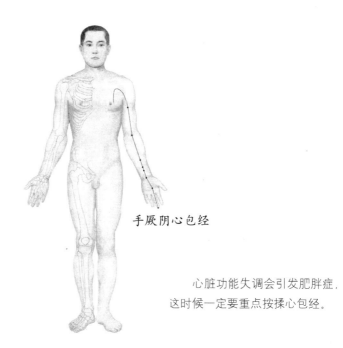

手厥阴心包经

心脏功能失调会引发肥胖症，这时候一定要重点按揉心包经。

·脾的运化失调引起的肥胖自疗法：推左侧小腿上的脾经

脾的运化失调也能造成肥胖。中医认为，脾主运化，化就是把体内吸收的食物变成精微营养物质变成血液化掉。同时，还要把新鲜血液运到全身的每一处。如果不能运到四肢末梢，那里就会有淤血、垃圾堆积。所以脾主运化的过程，就是清除体内垃圾的过程，也是推陈出新的过程，即新鲜气血把沉积的垃圾赶出去的过程。

有人说："我怎么知道是因为脾功能失调造成的肥胖呢？"脾虚通常会引起腹胀，就是吃完饭肚子就胀，甚至有的人即使不吃饭，但一到下午肚子就胀起来了，还有的人夜里睡觉老是流口水。这些都是脾的运化功能差了。要及时地健脾，才能把这些问题解决。

健脾可以用推脾经的方法。除了一般的减肥之外，还能减腿上、小腹部的赘肉，这些都是脾经所主。

脾经在小腿内侧的这一段穴位很多，也最容易找。当贴着小腿这根骨头的内侧来捏的时候，会找到一些痛点，这些痛点都是穴位。脾经堵塞的人，这些穴位会非常敏感，非常疼痛，这时就要多揉。

另外，揉左侧脾经效果最好。因为这里有一个普遍的规律：比如说肝在右侧，那就多揉右侧的肝经；心脏在左侧，揉心包经的时候要揉左侧。

每天推揉小腿的脾经，对脾的运化失调引起的肥胖有特效。

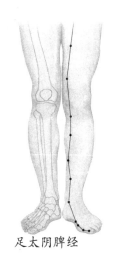

足太阴脾经

·膀胱经失调引起的肥胖自疗法：在后背膀胱经按摩、刮痧、捏脊、艾灸

膀胱经在人体的后部。后背、臀部、后腿、脚外侧都是膀胱经循行的位置，像后背、臀部上的赘肉、肥肉多，都是膀胱经的问题。

膀胱经通常的问题就是人体的风寒易堆积在那里。因为它是人体抵御外寒的一个栅栏。中医认为："风从项后入，寒从脚底生"，就是说风寒都是从膀胱经进来的。所以好多人后背、臀部上的赘肉摸上去的感觉就像摸一层棉花一样，没有质感，这就是风寒堆积引起的。

如何清除后背膀胱经上的这些赘肉呢？就是驱寒，而驱寒的最好方法就是在后背的膀胱经上刮痧。

如果有人不喜欢刮痧，也可以用拔罐、按摩、捏脊、艾灸的方法，目的都是清除后背的寒气。而消除臀部上赘肉的方法是趴着，用拳头敲打臀部，可以达到臀部减肥的效果，而且也可以把臀部的寒气排出。还有，大腿后侧、

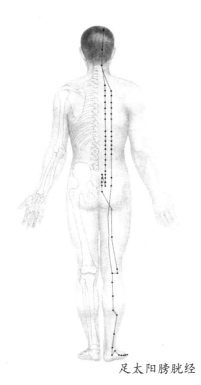

如果想减掉后背和臀部的赘肉，就要在后背的膀胱经上经常刮痧，还可以经常按摩、艾灸背部或者进行捏脊，都会收到十分理想的减肥效果。

足太阳膀胱经

小腿肚子上的赘肉可以用按揉、点揉的方法来消除。总之，要在膀胱经上多多用力。

· **通治各种肥胖的自疗法：推腹法、走路法、早睡早起**

推腹法顾名思义就是推肚子。因为人体的12条经络都在肚子上有循行，所以把肚子推顺了，12条经络就通畅了，等于都得到了锻炼。

推肚子的时候，要用食指肚从心窝开始推。有时候，您可能感到心里闷得慌，堵了口气，这时要把这个气推散。

推的时候要往下推，推过肚脐眼，推到小腹部。先推中间这一条，然后再推两侧。推到肝胆经的时候，要斜着往中间推，因为肝胆经是斜行走向。这么一推腹，12条经络都调节和畅通了，身体的垃圾也会很容易被带走。

临睡觉的时候要推一次，第二天起床之前再推一次，各推5分钟。

走步法就是每天徒步。当您要上班的时候，最好在离单位不远的地方提前下车，然后走着去上班。老年朋友去公园时要多走步，这样可以均匀地将身体的赘肉减下去。

走步为什么有这么大的好处呢？因为人体6条重要的经络都循行在脚上。有人说："我天天都在走路，怎么身上的病还那么多？"这是因为很多人通常都不大会走路，没有用脚踏实地的方法，只是拖拉着鞋在走，所以很多人鞋的后跟都磨偏了。

如果用脚踏实地的方法，走路就成了锻炼的方法了。其实在生活中，举手投足都是锻炼，但是您得用心注意才有效果。

走路要走到什么情况下才有效果呢？比如在冬天，要走到头微微出汗、脚开始发热为止。这样不光能减肥，还能祛除足寒证，把气血都引到脚上去，这对老年人来说最合适。另外，走路法还可以防止脑中风、老年性痴呆、高血压等问题。

要想气血养足，还有一个根本，就是一定要睡得充足。

第五章

膀胱经大药房——
让排毒通道畅通无阻

古人把膀胱经比喻成人身体的藩篱，说它是抵御外界风寒的一个天然屏障。而风寒之邪通常从后背侵入人体，膀胱经就是人体在后背的一个大栅栏，能够防止病魔入侵。

膀胱经上的穴位最多，有67个，而且，膀胱经的主要部分都在人体的后部——后背和腿后侧。古人把膀胱经比喻成人身体的藩篱，说它是抵御外界风寒的一个天然屏障。而风寒之邪通常从后背侵入人体，膀胱经就是人体在后背的一个大栅栏，能防止病魔入侵。同时，膀胱经又是人体最大的一个排毒通道，也就是说我们通过刺激膀胱经，就可以增加全身的血液循环和新陈代谢，把人体的废物从尿液中排出去。

人体有三大排毒途径，第一条是通过输尿管把尿液排出的通道，这是排出体内毒素的最大一条通道；第二条是通过大便把体内脏东西排出去的通道。其实毒素从尿中排出去对人体来讲更为重要，因为，人就是10天不大便，对生命也没有什么影响，但若3天不小便，那这人就比较危险了；第三条排毒通道是毛孔，通过发汗把体内的毒素排出去。

人体的主要排毒通道就这3个，当然通过咳嗽、流鼻涕、流眼泪也能排出一些毒素，但排毒主要还是依靠这三大通道。

膀胱经是掌控尿液和汗液这两条通道的，所以膀胱经一定不能被堵塞住；另外，膀胱经是直接连接脏腑的，能够把脏腑的毒通过膀胱经后背的俞穴及时排出来，所以膀胱经还是排毒最简单、有效的一个通道。

知道膀胱经是人体抵御外邪的一个天然栅栏后，我们就要把它加固完善，什么时候风寒进来了，就证明这个栅栏不坚固了，也说明这条经络流动的气血少了，而要让它充沛起来就要多刺激它，打通它，这样膀胱经才能固若金汤，外御寒邪，内疏体毒。

膀胱经上的67个穴位没必要都记住，咱们只掌握那些使用很方便、确实有效果的东西就够了。

1. 一阳高照，有凤来仪——品味头部的膀胱经大药

> 我上学那会儿，做眼保健操的时候很多人都是马马虎虎完事，等于把这个宝贝给忽略了，脚踩着钻石，却当小石头给踢了。现在，我们一定要把这些宝贝重新拾起来。

·治包括近视在内的任何眼疾：按揉睛明穴

膀胱经的走向是从头开始的，然后沿着头后边一直到脚外侧小趾边缘的至阴穴，睛明是它的第一个穴。

过去很多人都做过眼保健操，而此操的第一个动作就是揉睛明穴。睛明穴是防治眼睛疾病的第一大要穴，但它一直被人们忽略，因为，大家按这个穴的时候，并没有真正感觉到它有这么大的神奇效果。原因就是这个穴大家没有按对，因此，作用没有显示出来。

按此穴时，咱们要把所有的指甲剪平了，先用两手大拇指指肚夹住鼻根，不要特别使劲儿，然后垂直地往眼睛深部按，按的时候把眼睛闭上（凡是明目的穴，按的时候都要把眼睛闭上），然后按一下松一下，再按一下再松一下，如是做9次，这个穴就能真正起作用了。

为什么我们先要用拇指把鼻根夹住呢？因为这个穴特别小，如果您很随意地去揉，很容易就杵到眼睛，而且还可能把旁边的皮也杵破了，只有这样按起来才非常安全，而且对眼睛的诸多疾病都有效果。

揉睛明穴对眼睛昏花、涨痛、青光眼、白内障、角膜炎、结膜炎等诸多眼疾都有效果，尤其对近视的孩子效果特别好。但通常孩子揉的时候一般不太认真，这时我们一定要告诉他怎么揉才行。

·治眼睛方面的疾病和热证：揉攒竹穴

攒竹穴在眉毛边上。为什么叫攒竹呢？因为这个穴是在描述人的一种表情，我们如果经常有什么愁事，眉头就会攒在一起，眉头上就有好多纵纹，就像竹子立起来了一样，所以我们平常不要老皱着眉头。

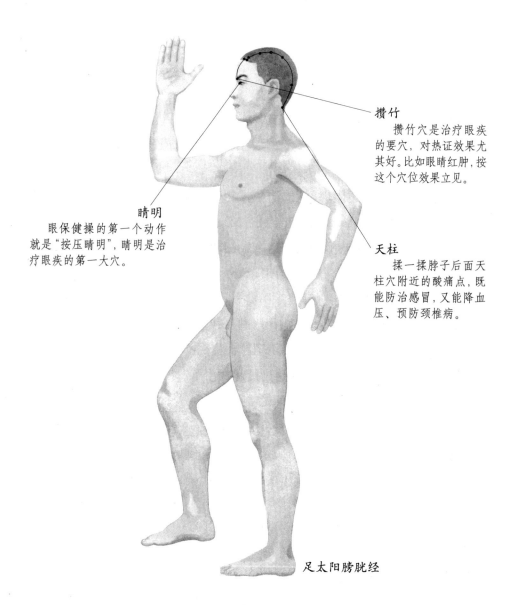

攒竹

攒竹穴是治疗眼疾的要穴，对热证效果尤其好。比如眼睛红肿，按这个穴位效果立见。

睛明

眼保健操的第一个动作就是"按压睛明"，睛明是治疗眼疾的第一大穴。

天柱

揉一揉脖子后面天柱穴附近的酸痛点，既能防治感冒，又能降血压、预防颈椎病。

足太阳膀胱经

每天用10个手指肚梳50次头，就能调理好膀胱经在头上的这些穴位。

攒竹也是治疗眼睛方面疾病的要穴,而且它治疗热证的效果通常比其他穴位更好,比如眼睛这块儿红肿了、肿痛了,赶紧揉这个攒竹。

其实,揉攒竹有一个更简单的方法,比如用指节来轮刮眼眶就行,不要轻轻一划就过去了,也不能跟画眉毛似的,要很有力量,这样不但能把您心里的淤积之气给疏散开了,又能舒眉展目,而且连眉毛中间的鱼腰穴也一块刺激了(鱼腰是经外奇穴,不但能够治疗头痛、眼睛胀痛、慢性鼻炎,还能明目)。所以,我觉得发明眼保健操的这个人真是一个高人,太高了,人家就这么随便一轮刮眼眶,攒竹、鱼腰、三焦经的丝竹空、胆经的瞳子髎和胃经的承泣穴、四白穴就全都刮进去了。您看,就这么一个小动作,眼袋、黑眼圈、鱼尾纹、黄褐斑就全部一扫而光。

我上学那会儿,做眼保健操的时候,很多人都是马马虎虎完事,等于把这个宝贝给忽略了,脚踩着钻石,却当小石头给踢了。现在,我们一定要把这些宝贝重新拾起来。

·通鼻窍、治眼疾、头痛、癫痫:用10个手指肚每天梳头上的膀胱经50次

膀胱经在头部的穴位有眉冲、曲差、五处、承光、通天、络却等,这些穴位都在头部中点旁开 1.5寸的一条线上,拿10个手指肚顺着这条线使点儿劲一梳头,梳到后脖颈子这块儿,就能把头上膀胱经的这些穴位全给调理了。

梳的时候,哪儿的痛感明显就要多梳揉,因为头上这些穴都非常重要,有的是通鼻窍的,有的是治眼睛的,有的是治头痛的,还有的是治癫痫的。

找不准穴位没关系,只要每天用10个手指肚梳50次头,就能达到很好的效果。

·明目醒神、降血压、防治颈椎病、感冒:揉天柱穴

天柱穴在后脖颈子这块儿入发际0.5寸处,揉的时候不用多想,揉到酸痛点就行了。

天柱穴，第一是有明目醒神、防治感冒的效果；第二还有降血压、预防颈椎病的功效。

2. 不让外邪前进半步——品味背部的膀胱经大药

> 后背这些俞穴太多，我们不要仔细的去区分，先找最痛的点多揉就行了。

· 治咳嗽老不好、心里发憋、心血管问题、胃痛、肝、胆问题、腰酸腰痛：按后背膀胱经上的相应位置

往背上走，有大抒、风门、肺俞、厥阴俞、心俞、肝俞、胆俞、脾俞、胃俞、三焦俞、肾俞、大肠俞、小肠俞、膀胱俞等众多穴位，它们都在后背中线旁开1.5寸和旁开3寸的地方。

后背这些俞穴太多，我们用不着去仔细地区分，先找最痛的点多揉就行了。举例来说，您最近老咳嗽，老不好，后背上的某块儿一揉会很痛，这时，您对照图一看，痛处就是肺俞。另外，心血管有问题，心里发憋，有冠心病、心绞痛的，通常厥阴俞这块儿会痛，即使您不按它，疼痛有时候也会反射过来，有时候会反射到右侧的厥阴俞，有时候又反射到左边的厥阴俞。只要您揉时觉得痛，就知道心血管有问题了；而如果是心俞这块儿痛，一般就是心脏供血不足。

还有，揉这些俞穴的时候，一定要把它旁边的俞穴也一起揉了，比如揉厥阴俞的时候，要把旁边膏肓穴也揉了，它们俩都管心血管的事；另外，揉心俞时就把旁边这个神堂也揉了；揉肺俞呢，也揉旁边的魄户；揉胆俞要揉阳纲；揉肝俞呢要揉魂门。这样，就能举一反三，而且，有病时，旁边的俞穴肯定也会痛。

后背的这些俞穴就是一个通道，直接跟里面的脏腑相通。所以咱们一揉

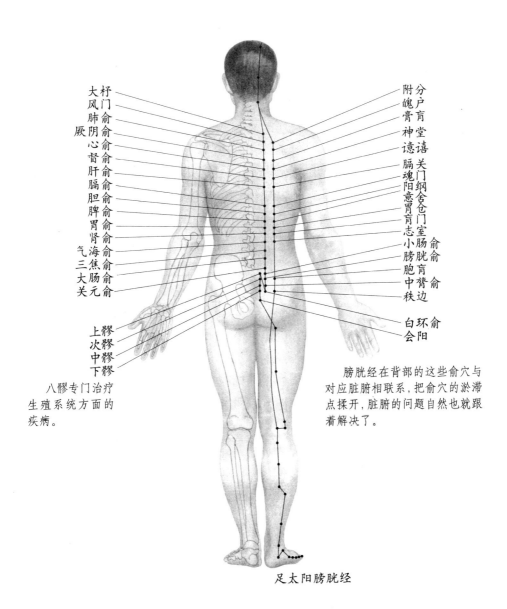

大杼
风门
肺俞
厥阴俞
心俞
督俞
肝俞
膈俞
胆俞
脾俞
胃俞
肾俞
气海俞
三焦俞
大肠俞
关元俞

上髎
次髎
中髎
下髎

附分
魄户
膏肓
神堂
谚谄
膈关
魂门
阳纲
意舍
胃仓
肓门
志室
小肠俞
膀胱俞
胞肓
中膂俞
秩边

白环俞
会阳

八髎专门治疗
生殖系统方面的
疾病。

膀胱经在背部的这些俞穴与
对应脏腑相联系,把俞穴的淤滞
点揉开,脏腑的问题自然也就跟
着解决了。

足太阳膀胱经

膀胱经是14条经络中穴位最多的一条,同时它也是人体最重要的排毒通道。时刻保持膀胱经通畅,才能"无毒一身轻"。

这些俞穴，就可以很好地调节脏腑。

有人说："我现在胃痛。"那您就看腰这块儿胃俞在什么地方，如果您还找不着，没关系，您只要在后背正中间旁开1.5寸这条线上去点，最明显的痛点就是胃俞。如果您长期有这慢性胃病，您就把胃俞当作灵丹；另外，平常肝有问题的，比如脂肪肝什么的，按肝俞肯定会疼；胆囊有问题的，在胆俞这块儿就会很痛。所以，犯病的时候您找这些穴位最容易。正常的时候您去找，哪个穴位都差不多，您也不知道到底是哪个穴位有问题。而当您有问题的时候，它就表现出来了。

当您知道了脏腑毛病出在哪里，就要去找相应的俞穴按揉，或者在相应的这个痛点刮痧，很快淤血（痧）就会出来。

很多人经常会腰酸背痛，酸的地方往往就是肾俞那儿，这时，把手握成空拳往后敲打，每天坚持，会收到很好的效果。还有，在肾俞处拔罐对腰酸腰痛最管用，还能补肾，直接就补进去了，还不上火。

拔罐还有一个好处，一拔好几个穴位都拔到了。为了方便起见，我建议大家用真空罐，因为火罐稍微麻烦点，拿下来后，还得重新点火才能拔第二个，而真空罐随时拔随时都可起下来。

另外，在后背上艾灸肾俞，也是补肾的；把手搓热了在肾俞上捂一捂也能补肾；还可以从肾俞开始往中间脊椎骨揉或推按，把我们的气血多补到肾俞这个位置，存储起来就是补肾了。

后背督脉向两边分开各1厘米处是一个夹脊，这叫华佗夹脊，就是把脊椎夹在中间的意思，平常我们可以多按揉夹脊，这是真正的补肾大法。

由此可见，平常我们一定要多做腰部的运动，比如有一个叫"两手扳足固肾腰"的动作，就是坐在那把腿伸平了，然后拿手扳着两脚，有点抻筋的感觉，这个动作就能固腰肾。

·治疗生殖系统方面的疾病：揉八髎

腰部往下还有好多髎，上髎、次髎、中髎、下髎，左边4个，右边4个，共8个，通常叫八髎。主要在裤腰的下缘和尾骨尖中间这一段旁开2~3厘米处。

八髎是专门治疗生殖系统方面疾病的，各种男科、妇科疾病都归它那儿管。如果有痛经、子宫肌瘤、前列腺方面毛病的人在八髎这几个穴位上肯定痛点很多。您在这附近找到痛点按揉，就能起到很好的疗效。

3. 神通广大，一叩百应——品味腿上的膀胱经大药

> 经常敲打臀部和大腿后侧，不但可以减肥，而且还能排除体内的寒气，对身体是一个非常好的保健方法。

·排毒减肥：拉抻或敲打承扶穴到委中穴一段

这个地方的穴位不太好按揉，肉太多，所以，我们用一个抻筋的方法，就是在床上把腿伸直了，腰往下弯一弯，抻完后，再多敲打一下大腿后边，尤其是承扶到委中这一段，把痛点都敲得不痛了，膀胱经这块儿就疏通了。因为这块儿最容易积攒毒素。

有人敲这里的时候觉得很松软，没什么感觉，这是因为毒素都积攒在臀部了，所以您要多敲打，多用空拳循序渐进地打，根据身体的感受量力而行。有人一打前面就疼，这证明脏腑里面有些地方已经生病了。

经常敲打臀部和大腿后侧，不但可以减肥，而且还能排除体内的寒气，对身体是一个非常好的保健方法。

·降血压、治腰背痛、脑后头痛、足跟痛：压委中、委阳穴

委中穴在膝盖窝里这块儿。中医有一句俗语叫"腰背委中求"，说凡是腰背痛都要去求委中来解决。

揉委中穴时，要用大拇指点到穴上去，另一只手攥住脚腕往下压它，不用使劲揉，点住它就行了。我们平常只要有腰痛，压委中效果就会特别明显。

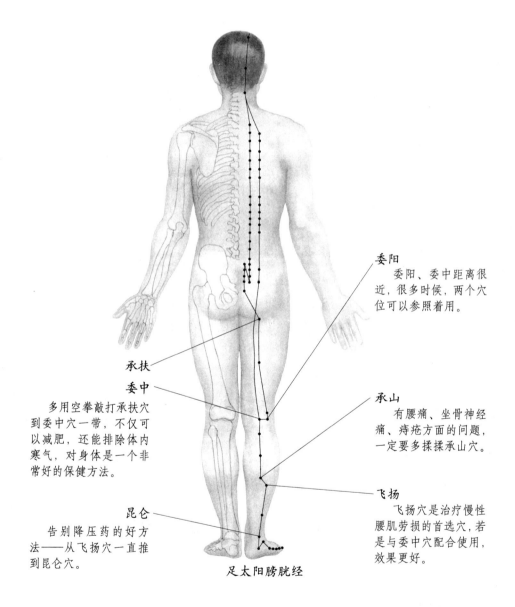

委阳

　委阳、委中距离很近，很多时候，两个穴位可以参照着用。

承扶

委中

　多用空拳敲打承扶穴到委中穴一带，不仅可以减肥，还能排除体内寒气，对身体是一个非常好的保健方法。

承山

　有腰痛、坐骨神经痛、痔疮方面的问题，一定要多揉揉承山穴。

飞扬

　飞扬穴是治疗慢性腰肌劳损的首选穴，若是与委中穴配合使用，效果更好。

昆仑

　告别降压药的好方法——从飞扬穴一直推到昆仑穴。

足太阳膀胱经

　　我们腿的后侧只有膀胱经一条经络，敲敲腿后侧即是敲了膀胱经。

还有一种腰胀痛的，您千万不要用拔罐的方法，会越拔越痛。因为胀是表明有浊气在冲撞，而这时您得把气给疏导出来，也就不要揉委中，揉委中感觉不明显，要揉旁边的委阳穴。委阳是三焦经的下合穴，而三焦经是主一身之气的，所以揉它能够把气给疏散。有气结时，委阳穴最管用。

这两个穴位，大家可以参照着用。

委中是一个大穴，过去通常都是用点刺放血的方法把体内毒素从这个排毒口排出去，但对于一般人来讲，就别用这个方法了，这方法还是找专业的医师来做才安全有效。

委中穴还能降血压，治脑后头痛和足跟痛。

·治腰痛、坐骨神经痛、痔疮：揉承山穴

腿肚子上还有合阳、承筋、承山三个穴位，功能都差不多，咱们说一个承山穴就行了。

承山穴在小腿肚子下缘，找的时候，要把脚后跟翘起来，这样，小腿肚子那就形成一个窝儿，这个穴位就在窝儿里。

咱们平常谁经常有腰痛、坐骨神经痛、痔疮方面问题的，一定要多揉这个穴位。

·治慢性腰痛立竿见影：揉飞扬穴

飞扬穴在承山穴斜下 1 寸的位置，它是治疗慢性腰痛（慢性腰肌劳损）的首选穴，比承山穴效果还明显，是可以立竿见影的。

另外，此穴和通治慢性腰病的委中穴配合着用，效果更好。

·治感冒、膝盖发凉、血压高、眼睛酸涩、老花眼、腰腿痛、足跟裂、足跟痛：从飞扬穴一直推到昆仑穴

昆仑穴在外踝骨后缘这块儿，是一个非常好用的穴位，对于老年人来讲，效果就更明显了。它和手上的养老穴有着几乎一样的效果，而且更为强大。像老年方面的问题，比如血压高、眼睛酸涩、老花眼、腰腿痛、足跟裂、

足跟痛，昆仑穴全管了。

昆仑穴是引血下行的一个重要穴位，而血压为什么能降下来？就是因为昆仑穴能把上边的血引到脚底去。由于昆仑穴有这个引血下行的作用，所以，像头胀痛、哮喘它都能治。

揉昆仑穴时，有时感觉不明显，觉得里边有好多筋，这时可以用拨动的方法，会很有效。另外，如果想要长久地把血压降下去，可以在昆仑穴这块儿拔两个小罐，如果刚一拔，这罐自己就掉了，说明这块儿没劲，气血不足。此时，除了敲打昆仑穴上边的经络把气血引下来以外，还可以在拔罐的地方抹点油，或者和一块面把罐边封严再拔，当罐越撮越紧的时候，血压就降低了。还有个最简单的方法，就是把小腿上的膀胱经全部推完，从飞扬穴一直推到昆仑穴，用大拇指肚来推，别用指节推，否则容易推破皮肤。

4. 浊气入地，清气长存——品味脚上的膀胱经大药

束骨虽然最管用，但在脚上这块儿不好找，我们干脆用大拇指顺着脚外侧的骨头这么一推，就把这几个穴全推了。哪块儿敏感，就多揉哪块儿，这对您最管用，您也甭管它是束骨、京骨还是通骨，只要一推这几个穴，就可以治感冒，通鼻窍，防止脚寒凉。

·治腿抽筋、癫痫、身上老发紧：揉申脉穴

申脉穴在脚外踝下缘，不太好揉，但用食指指节硌的方法一下就容易找到。

申脉，顾名思义就是让您身体伸展、伸开的意思，比如腿抽筋、癫痫、腿、腰都老发紧的时候人就蜷缩了，这时揉申脉就可以起到防治的作用。

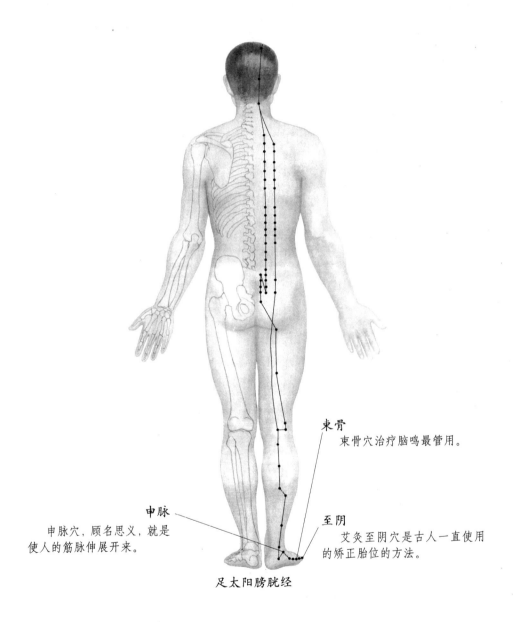

束骨
束骨穴治疗脑鸣最管用。

申脉
申脉穴，顾名思义，就是使人的筋脉伸展开来。

至阴
艾灸至阴穴是古人一直使用的矫正胎位的方法。

足太阳膀胱经

　　膀胱经在脚上的穴位挨得都很近，您用大拇指沿着脚外侧的骨头一推，就能把这些穴位一次性刺激到。

· 治脑鸣、头痛，防感冒，通鼻窍，防止脚寒凉：揉金门到足通骨这一段膀胱经

其实膀胱经在脚这块儿挨着一大堆穴位——金门、京门、束骨、足通骨和至阴。

束骨治疗什么呢？昨天有人问我，说他脑子里边老响、头痛，我告诉他，束骨对脑鸣是最管用的。不过，束骨虽然最管用，但在脚上这块儿不好找，我们干脆用大拇指顺着脚外侧的骨头这么一推，就把这几个穴全用上了。哪块儿敏感，就多揉哪块儿，这对您最管用。您也甭管它是束骨、京骨还是通骨，只要一推这几个穴，就可以治感冒，通鼻窍，防止脚寒凉。

· 正胎位：艾灸至阴穴

至阴穴在小脚指旁边，是膀胱经上的最后一个穴位，平常一般也用不到。古代记载，如果胎位不正，灸这个至阴穴就能正胎。

膀胱经上的穴位，说到这就差不多了，大家一定要记住，按揉的时候，心情放松极为重要，如果您心情老处于一种非常放松的状态，这经络您就是不揉它，它都是通的；要是处于紧张状态，身体就会气滞而血淤。

按摩身体上的穴位，也是为了调治咱们精神上的情感，这两个东西是一体的，是须臾不能分开的，就像手心和手背一样。您身体上有一个不好的症状，心理上肯定就有一种不好的情绪相对应；而您心理上有一种不好的情绪，身体上也会同时产生一个不适的症状。心理方面的因素一般不好消除，已经形成一种习惯了，但生理上的东西比如经络穴位却很好找，咱们通过调节经络，也就调节了脏腑，最终就调节了咱们的心理状态。就像您心里有愁事，这眉头肯定是皱的；您不可能在舒开眉头的同时心里还想着这愁事，它俩是不能同时存在的，所以把这边舒开了，心里边的淤结也就解散了。

5. 膀胱经健康大课堂

孝敬父母并不难，一个穴位就可以，不是非得我们给他们多少钱，给他们买多少营养品才行，咱们献给他们一个穴位，让他们身体健康了，就是尽了一份孝心了。

问：

得了肾结石，揉膀胱经有没有作用？

中里巴人答：

甭管是肾结石还是其他的结石，全是身体的一种垃圾，都可以通过刺激膀胱经来增强其功能，从而清除这些症状。

问：

膀胱经在后背的这些穴位，可不可以自己用墙壁或是树来按摩？

中里巴人答：

可以。我经常看到有人用后背撞树、撞墙、撞门框，还有背靠背地两人一块儿撞。实际上，撞哪儿都行。

有三个原则大家一定要记住：第一个是量力而行；第二是循序渐进；第三是持之以恒。只有牢记这三个原则才会既安全，又有效果。

问：

我母亲80多岁了，她现在腰不得劲，很不好受，请问按摩什么穴位好？

中里巴人答：

您母亲平趴着的时候，给她按摩腿上膀胱经的穴位，把飞扬穴、委中穴揉一揉，一定要轻揉。还可以在床上做做跪膝，既可以渐渐增强腰部的力量，又对缓解腰痛有很好的帮助。

问：

我老娘腰腿疼，我就在她的左右委中穴、飞扬穴上拔上了两个罐，旁边还有穴，我也拔两个罐；然后昆仑穴我就拿手给揉，这样弄了以后，我老娘说话了："我腰部怎么那么热呢？"后来她的腰连续几天特别好。我老娘说："你替我谢谢中里老师！"

中里巴人答：

孝敬父母并不难，一个穴位就可以，不是非得我们给他们多少钱，给他们买多少营养品才行，咱们献给他们一个穴位，让他们身体健康了，就是尽了一份孝心了。

第六章

肾经大药房——
激活先天之本，何惧疾病衰老

　　肾经上的很多穴位都能治同样的病，我们一定要灵活运用。虽说太溪穴治这个、然谷穴治那个、涌泉穴也可以治什么，但用的时候一定要灵活。如果今天管用的这个穴位到第二天揉的时候不痛了，您就换那个最敏感的去揉。记住这一点。

　　其实，我们不要光想着什么穴位能治老年痴呆、治耳鸣、治牙齿松动，只要把肾经打通，这些症状就全没了。

1. 补肾之峻猛，强身之迅捷，无出其右——品味脚上的肾经大药

> 肾经上的很多穴位都能治这些病，我们一定要灵活运用。虽说太溪穴治这个、然谷穴治那个、涌泉穴也可以治什么，但用的时候一定要灵活。

·肾经第一神药：涌泉穴

涌泉穴是肾经的第一个穴位。找的时候捂住脚趾肚，把余下的脚底分为3部分，涌泉穴就在上1/3处有个窝的位置。

涌泉穴是一个井穴，即源头。把气血引到脚上，实际就是引到涌泉穴去，这叫引血归源。引血归源有什么好处呢？它使人不容易衰老，这是最大的好处。

练金鸡独立、坠足功等方法，主要目标就是要把气血引到涌泉穴去。但有时做的时候会发现，好像气血总不能集中到想要去的地方，这就需要额外地刺激一下它。

刺激涌泉穴时，先把大拇指的指甲剪平，然后用力点按。如果很痛，这个穴位就适合每天按摩。一定要坚持，因为补肾是需要用一辈子来完成的任务，肾气强壮就不会衰老。但有的人用力点按后没感觉，穴位还被按下了一个坑，这就是典型的肾气虚弱、气血不足。这样的人即便每天揉，再加大力量，对身体来讲也是一种白白的消耗。所以这个时候要先做跪膝法、金鸡独立，把气血引下来，再刺激涌泉穴。

涌泉穴是最终要打通的穴位，但在人体气血不足的情况下不要去刺激它。

有人说："我按涌泉穴也凹陷下去了，也很痛，这种情况我能不能再按呢？"能！它只要痛，就可以每天按摩，这说明气血能够冲击到涌泉穴这儿来。

每天按摩3分钟，坚持1个月，您会发现脚底有弹性了，再按的时候就不会凹陷下去，肾气就归源了。其实，把涌泉穴按摩通了，就证明把整个肾

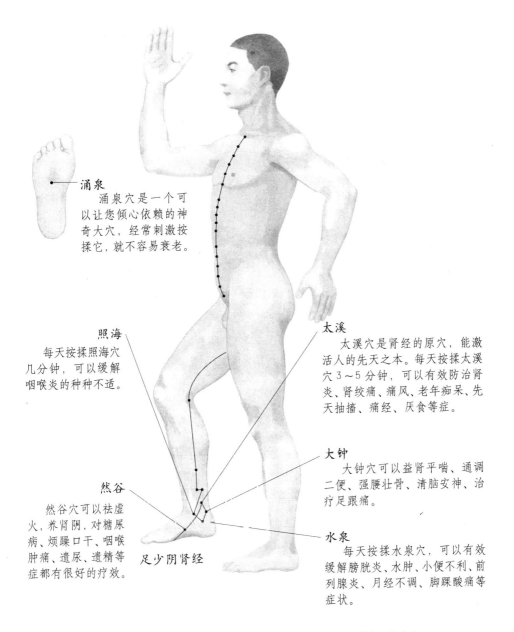

涌泉

涌泉穴是一个可以让您倾心依赖的神奇大穴，经常刺激按揉它，就不容易衰老。

照海

每天按揉照海穴几分钟，可以缓解咽喉炎的种种不适。

然谷

然谷穴可以祛虚火，养肾阴，对糖尿病、烦躁口干、咽喉肿痛、遗尿、遗精等症都有很好的疗效。

足少阴肾经

太溪

太溪穴是肾经的原穴，能激活人的先天之本。每天按揉太溪穴3～5分钟，可以有效防治肾炎、肾绞痛、痛风、老年痴呆、先天抽搐、痛经、厌食等症。

大钟

大钟穴可以益肾平喘、通调二便、强腰壮骨、清脑安神、治疗足跟痛。

水泉

每天按揉水泉穴，可以有效缓解膀胱炎、水肿、小便不利、前列腺炎、月经不调、脚踝酸痛等症状。

肾经从脚循行到头，在脚上共有6个穴位。时时按揉，对其呵护有加，便能培补我们的先天之本。

经都给打通了，这是一个非常省力和快捷的方法。

还有人说："我天天都按摩涌泉穴，非常痛，按了差不多1个月，痛老也不减。"这肯定是气血在流经肾经的其他穴位时，中途被堵塞住了，而且还堵得比较厉害。这时，我们要先在肾经上找其他的痛点按，依次把这些堵塞的地方按通了，然后再去按涌泉穴，就会逐渐不痛了。当按到非常有弹性而且又不是很痛，只有一种酸胀感觉的时候，您将会发现身体和整个精神状态有了一个显著的变化。这就是引火归源的巨大好处。

一旦您把涌泉穴揉通了，就会对这个穴位充满深深的感激，原来经络穴位有这么神奇，可以让您产生一种源源不断的汹涌动力。

涌泉穴可以治疗足寒证。如果您身上怕冷，脚心老是冰凉，而且按的时候凹陷不起，这时候最好用艾灸法。但如果火气比较大，这种方法就不适合应用。

有的人不足寒，但脚心总发热，这样的人最需要揉涌泉穴。因为他们的体质是肝火过旺，但受到了抑制，火气没有宣发出去，而肾阴又不足，所以就会脚心发热。这时，需要向肾要点水，来浇灭体内的火。

涌泉穴是肾经的井穴，井穴是属木的，通着肝，水又生木，所以可以从这里挖掘能量补肝。当脚心发热的时候，就是肝在向肾求救了，要求肾给一点肾阴（水）来降低肝的火气。这时候一定要揉涌泉穴，几天后脚心发热的问题就会缓解。

涌泉穴的作用和功效非常强大，但使用它时有一些禁忌，需要看好时机再用才会有好的效果，否则容易适得其反。使用涌泉穴时一定要知道它的原理，才能游刃有余，因为它的功效是随着疾病的变化而变化的。

涌泉穴可以治呃逆（打嗝不止）。如果肾气不足，气就不往下走，不能归源，而往上走就会产生呃逆。您只有把气弄顺了，它才不会往上走，这就是灵活使用涌泉穴的原理所在。

涌泉穴可以治疗虚寒性呕吐。虚寒性呕吐就是吃点凉东西就反胃呕吐，这也是肾气不足造成的。肾经的循行是从脚底开始的，一直通向肠胃，最后通到俞府。中医讲，经络循行到哪里就治哪里的病。它循行到胸口，像胸闷什么的问题它就治；它挨着支气管，正好管辖着这一块儿，那么咳嗽、哮喘的问题它也能治；它还通着肠胃，所以也能治肠胃不舒服等毛病。

涌泉穴可以治疗耳鸣、耳聋。因为肾开窍于耳，肾气不足耳朵就会出现问题。

涌泉穴还可以治疗高血压，但光靠揉是不行的。古人通常用一些药敷的方法，比如把吴茱萸这味中草药打成粉，然后调点醋，和成泥状糊在脚心上，这样就能很好地稳定血压，其实也是引火归源。有人采用金鸡独立，效果也一样。

每天搓脚心100次，也是为了引火归源。还有如果鼻出血了，赶紧拿一瓣大蒜，捣碎糊在脚心上。左鼻孔出血糊右脚心，右鼻孔出血糊左脚心，两侧同时出血就一边糊一个。糊的时间别超过10分钟，因为时间长了脚底下容易起泡。有人就是因为糊了一宿，第二天没法走道了。古人说此法是敷上以后立马就好，如果不好，则说明身体可能有别的病。

只要是肾经上的穴位，您就没有必要记住它是专管什么的，只要把经络打通，这些穴位自然就起作用了。整个经络通了，那它的每个穴位都是通畅的。如果每个穴位反反复复地刺激，可整条经络还是堵着，这些穴位也一点用都没有。

·治糖尿病、烦躁口干、咽喉肿痛、遗尿、遗精：按揉然谷穴

找然谷穴时，可以先摸一下脚的内踝骨，往前斜下方2厘米处有个高骨头，然谷穴就在高骨的下缘。

这个穴非常实用，尤其对糖尿病很有效。古人称糖尿病为消渴，其实消渴和糖尿病有一定的区别，只是类似。然谷穴便是专门治消渴症的。

然谷穴是肾经的荥穴。荥穴属火，肾经属水，然谷穴的作用就是平衡水火。如果心火太大，就拿这个水给浇一浇，使身体不致太热也不致太冷。如果总想喝水，心老起急，就是心火比较旺，一揉然谷穴就可以用肾水把心火降下来。

如果夜里心烦睡不着觉，伴口干，然谷穴就派上用场了。在睡觉之前揉

揉然谷穴，不一会儿就会感觉嘴里有了好多唾液，不那么想喝水，也没那么烦躁了，自然也就能睡得踏实了。所以然谷穴相当于一味专治阴虚火旺的中药大补阴丸。其实，中成药大补阴丸的补阴效果不是特别强，只是去火的效果还行。不过，人岁数越大，越不能去火，因为他就仗着这点火气，他这个火全是虚火，所以用穴位来灭虚火就可以了。

心烦的时候，人容易上火，有时候会咽喉肿痛、发炎、不能咽唾液，这时您按然谷穴同样有效。肾经是通着咽喉的，虽然经络图上到俞府穴就结束了，但肾经"上咽喉辖舌本"，所以咽喉、舌头的问题它全管。当您突然失音，说不出话来，有两种情况：一种是咽喉特别干燥，另一种是有气无力。然谷穴适合第一种情况。

然谷穴还能治疗男科的专病——遗尿、遗精。对小便短赤（即尿少、很热、颜色发黄）等症状治疗效果也特别好。

·益肾平喘、通调二便、强腰壮骨、清脑安神、治疗足跟痛、胆小怕事等情志病：按揉大钟穴

大钟穴在脚内踝后缘的凹陷往下约1厘米处，肾气不足的时候按下去肯定很痛。

大钟穴有益肾平喘、通调二便的功效。由于肾经连着支气管，所以大钟穴能治疗支气管哮喘方面的疾病。

此穴还有强腰壮骨、清脑安神的功效。

大钟穴是肾经的络穴，络膀胱经，主要的功效是排毒和御寒。

络穴都是治慢性病的，而恐惧这种病就是肾上的慢性病之一。恐惧不是一天两天形成的，它可能会伴随人一生。有人从小就胆小怕事，到老了也如此，而且因为肾虚、气不足，比原来还胆小。所以，一旦意识到自己有这种情绪上的病，要赶紧多揉大钟穴。

如果总想睡觉，整天没精神，本来晚上睡了8个小时，但白天不到10点钟又困了，而且吃完饭后总觉得没精打采的，这肯定是肾虚不足了。另外，虽然脾经不通、脾湿，也会容易困倦，但脾虚引起的这种症状和肾虚不一样。

脾虚导致的困倦是有阶段性的。比如，早上起来后，到了九、十点钟脾经所主的时候气血不足，就想睡觉；而肾虚则是早上起来也想睡觉，下午还想睡觉，整天有气无力的样子。

肾是藏精的。没有精，就没有气，更谈不上神了。所以要想精气神好，就得先从补肾开始。中医说"久病入络"，生病久了，自然会在络穴上产生一种虚弱的感觉。要想补肾，平常就要多揉大钟穴。

还有一种"心有余而力不足"的人，心里想得都挺好，可老没劲干，没有动力，更没有持续力，这也是因为肾气不足。有这种情况，就不要老想着是不是意志力不强，因为这不是意志力的事。就算您意志力再好，而身体不行，那您也干不好事情，所谓坚强的意志力也维持不了多长时间。身心是连在一起的，身体强壮了，您自然就干劲十足。

大钟穴还是治疗足跟痛的一个要穴。

当嗓子老说不出话来，也是肾气不足或肾阴不足的表现。大钟穴，古人起这个名绝不是瞎起的，为什么叫"大钟"？钟不敲不鸣。所以它是专门治疗失声的，一失声就鸣不了，敲敲大钟又能出声了。

我曾经在《求医不如求己2》中专门讲到一个案例，是说一个人说不出话了，我就给他按大钟穴，他当时说了一句"好痛啊"。可见穴位这个东西只要让它通，马上就起效；它要不通，也许一辈子都没用。这就跟我们家里的灯泡一样，如果没有接通电，把它插到哪儿也不会亮，而一旦接通电则瞬间即亮。所以经络穴位起效不是很慢，中医也不是很慢，相反它的调养方法是最快的，关键是您没让它通上。有人说身体的问题都3年了。您甭说3年，如果10年您没接通，这个问题也还会搁在那儿。

·治膀胱炎、小便不利、前列腺疾病、月经不调：按揉水泉穴

水泉穴是肾经的郄穴。郄穴都治急性病，什么是肾经上的急性病呢？比如泌尿系统感染，就是突然有膀胱炎等方面的问题了，就需要赶紧去揉水泉穴。"水泉"的意思就是让尿流通畅，一通畅，体内的毒素就能排出去。

水泉穴是专门消水肿，治小便不利的。小便不利就是刚上完厕所，还没

两分钟又想上，每次就撒一点。这是典型的肾气不足，医院通常诊断为泌尿系统感染。老年男性一般都有前列腺的问题，每天也要坚持多揉水泉穴。

水泉穴还有活血通经的作用。它通月经的效果很好，尤其是女性月经量特少、肚子胀得特别难受，但经血就是下不来，这时要赶紧揉水泉穴。

水泉穴可以治疗足跟痛，特别是对突发的足跟痛疗效好，一揉就能缓解。如果长期足跟痛，那就需要改揉大钟穴或太溪穴。

水泉穴还能缓解脚踝酸痛。比如刚爬完山发生脚踝酸痛，赶紧揉水泉穴。

·治咽喉痛、慢性咽炎：按揉照海穴

照海穴在内踝的下缘，您贴着内踝一按就行。从古至今，它治疗咽喉方面的疾病如咽喉痛、慢性咽炎等最有效。

实际上，肾经上的穴位都能治咽喉疾患，因为肾经本身就是通咽喉的。打个比喻，这些穴位都是治咽喉病的能工巧匠，它们一般没有侧重，但照海穴偏重于专门治疗咽喉疾患，且效果极佳。

·全身第一大补药：太溪穴

太溪穴在脚内踝后缘的凹陷当中。揉太溪穴时，很多人根本没反应，尤其是身体虚弱的人，什么反应都没有，而且一按就凹陷下去了。这时，不痛的一定要把它揉痛，痛的要把它揉得不痛。归根结底，就是要把气血引到脚底的涌泉穴去。

太溪是肾经的原穴。原穴能够激发、调动身体的原动力，但调动起来后一定要把它储藏起来，即储藏到涌泉穴，这样您就有健康的根基了。所以像每天搓脚心、做金鸡独立、泡脚之类的保健方法，其目的就是为了打通肾经，引火归源。

有人经常足跟痛，这就是肾虚。您应多揉太溪穴，顺着太溪穴把肾经的气血引过去。只要太溪穴被激活了，新鲜血液就会把淤血冲散吸收，然后再循环带走。为什么会痛？痛就是有淤血，停在那里不动了，造成局部不通，

不通则痛。您把好血引过去，把淤血冲散，自然就不痛了。揉太溪穴就是帮助冲散淤血。

有人经常咽喉干，喝水也不管用，没有唾液，这是肾阴不足。揉太溪穴就能补上肾阴。太溪穴是原穴，原穴的意思是既补肾阴，又补肾阳。

有很多女性朋友来月经的时候肚子痛，这时揉太溪穴很管用。

有的人肾绞痛，尤其是体内有肾结石的时候肾绞痛，那么平常多揉太溪穴就能防治这种症状。

有人痛风、尿酸过高，这是尿里毒素太多了，每天揉太溪穴能从源头把这个问题解决。有人得了肾炎，排不出尿来，揉太溪穴也能帮助把尿毒解掉。

太溪穴还可以治先天性抽搐。如果大脑受伤，它还有辅助调养的功效。因为脑髓是肾所主，跟肾经有极大关系，所以要想调养后天受伤的大脑，就要好好刺激太溪穴。

有个人因家属出了车祸老是哭，哭了一段时间，眼睛越来越看不见东西了，还有个人经常想起点什么事就哭一鼻子，这时我都劝他们要多揉太溪穴。

有的人患有厌食症。古人管厌食症叫饥不欲食，看到吃的东西虽然饿，可就是吃不下去，这也是肾虚造成的。因为肾经的循行路线是从喉咙直接通着肠胃，所以太溪穴还能治疗厌食症。

还有像胸闷、支气管炎、哮喘等，太溪穴都可以治。因为肾经都经过这些病所发的位置。

老年痴呆也是肾虚的一种表现。而打通肾经就可以防治包括老年痴呆在内的各种老化症状。

其实，我们不要光想着什么能治老年痴呆、治耳鸣、治牙齿松动，只要把肾经打通，这些症状就全没了。

肾经上的很多穴位都能治这些病，我们一定要灵活运用。虽说太溪穴治这个、然谷穴治那个、涌泉穴也可以治什么，但用的时候一定要灵活。您不能说书上写着太溪穴是治咽喉痛、咽喉干的，但没说然谷穴治，您就不揉然谷穴，这样就麻烦了。所以，当您有这些症状的时候，哪些穴位最敏感，您就赶紧多揉它。如果今天管用的这个穴位到第二天揉的时候不痛了,您就换那个最敏感的去揉。记住这一点。比如说您今天咽喉痛,有几个穴都治——太溪穴治、然谷穴治、涌泉穴也治,可是您揉涌泉穴的时候不痛,那就别揉涌泉穴;揉然谷穴还不痛,也不要去揉了;再揉太溪穴痛了,就揉太溪穴,这时候太溪穴就管咽喉痛。

太溪穴不但是肾经的大补穴,还是全身的大补穴。大家都知道足三里穴是强身大穴,但如果与太溪穴相比,足三里穴偏重于补后天,太溪穴偏重于补先天。所以,要补先天之本就得从太溪穴开始。

2. 指下有乾坤——品味小腿上的肾经大药

> 当您想补肾的时候,如果有脏东西堵着,真正的气血生成不了,那就补不上。这时您需要先揉复溜穴,让它通一下之后再补,最好是揉完复溜穴马上再揉太溪穴,把好血赶紧引过来,打好这个基础。

·调节肾经的杠杆之药:复溜穴

从字面上的意思讲,复溜穴就是要让停留下来的水又重新流动起来。当人体内有淤血时,尿液、汗液和痰湿这些脏东西就会停留在体内不流动了。

当人体的某一部分肿起来了,比如说膝盖肿,就跟复溜穴有关系。实际上,身体凡是有肿的地方都跟复溜穴有关系。因为肿的意思就是有水液在那里停滞不流,淤住了,而刺激复溜穴就能让它重新循环起来。

静脉曲张就是血液长期淤在那里没有回流造成的。如果是在刚淤的时候刺激复溜穴,效果会很明显;如果静脉曲张已经形成了大疙瘩,揉几天复溜穴是不会好的,必须从整个身体来慢慢调节。所以当疾病刚发生苗头的时候就要给它消除掉,等到严重时就不好弄了,一定要防患于未然。

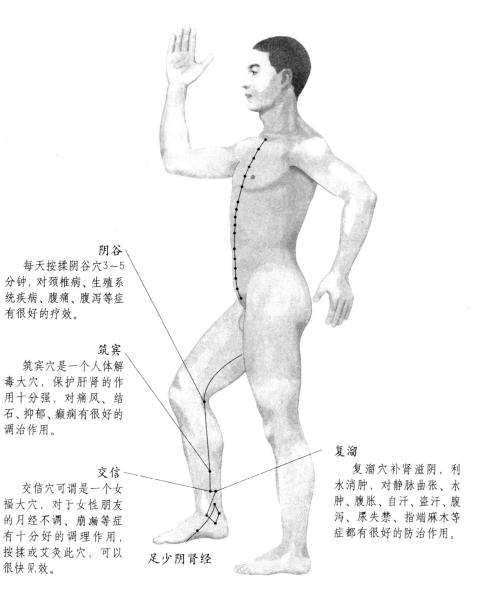

阴谷

每天按揉阴谷穴3~5分钟，对颈椎病、生殖系统疾病、腹痛、腹泻等症有很好的疗效。

筑宾

筑宾穴是一个人体解毒大穴，保护肝肾的作用十分强，对痛风、结石、抑郁、癫痫有很好的调治作用。

交信

交信穴可谓是一个女福大穴，对于女性朋友的月经不调、崩漏等症有十分好的调理作用，按揉或艾灸此穴，可以很快见效。

复溜

复溜穴补肾滋阴，利水消肿，对静脉曲张、水肿、腹胀、自汗、盗汗、腹泻、尿失禁、指端麻木等症都有很好的防治作用。

足少阴肾经

肾经在小腿上只有4个穴位，分别是复溜穴、交信穴、筑宾穴和阴谷穴。它们虽然名声不显，却依然是壮大我们先天之本的不竭源泉。

　　复溜穴的功效是补肾滋阴、利水消肿，改善整个肾功能，解除肾功能失常所产生的各种症状。肾功能失常会造成人体水液代谢失常，而复溜穴专门治疗水液代谢失常。水液代谢失常会出现水肿腹胀，不但是腿上有水、肚子里有水，而且腰脊强痛，这看起来是膀胱经的问题，但揉膀胱经却没什么效果，此时一定要揉肾经。首先揉复溜穴，让淤血重新流动起来。

　　另外，为什么会腿肿？那是有积液不流动了。如果排尿很通畅，尿路就不会感染，更不会水肿。其实，只要知道一个症状，这些相应症状的原因您自己都可以想象出来。

　　复溜穴能治疗自汗、盗汗之症。自汗就是待着的时候就出汗；盗汗是睡觉的时候在不知不觉中出汗，一睁眼就不出了。出汗不出汗都属于代谢的问题。说到这里您会发现，人的身体不是功利的，它不会让您光出汗或者不出汗，它总要达到一个平衡，即该出多少汗就出多少汗，该不出汗就不出汗。所以，为了健康，身体总是任劳任怨地在朝着平衡状态努力。

　　复溜穴能治疗腹泻腹痛。腹泻是因为膀胱受堵，水液不走膀胱，而是走大肠的结果。中医有句话叫"水液别走大肠"，走错地方就造成了水泻。当您揉复溜穴之后，尿道一通，腹泻自然就好了。

　　肾还有一个"司二便"的大功能。大便无力跟肾有关，小便无力也跟肾有关。有好多人尤其是老年人，半天解不出小便来，这就是肾气不足，气血不往下走。为什么说最后气血得重新归到脚上去？因为只有到脚上去才证明您的气血可以进行全身的大循环，但现在气血不循环，半路上又回来了，所以撒尿就没有劲了。尿失禁也是这个问题。一个是撒不出来，一个是尿失禁，都是肾气不足的表现。这些问题都可以通过揉复溜穴得以解决。

　　复溜穴和肺经的尺泽穴配合使用是最补肾的。常吃中药的人都知道，中药需要配补，就是把一些同类型的药互相搁在一起用，效果才更好。经络也一样，经络穴位要想产生最好的效果，也要配合使用。

　　复溜穴有降高血压的功效。但是您得先揉尺泽穴，再揉复溜穴，降压的功能才更确切。这是最好的降压方法。揉尺泽穴是为了把上面的气降下来，揉复溜穴是为了把降下来的气给接收住，让它固定下来。最后再揉太溪穴，才能真正把肾给补上，这是一步一步逐渐起效的。

如果您一天到晚总是腿脚酸胀，甚至需要别人给踩踩腿，或者脚老得抬高放在桌上才舒服，这是气血下不去了，这个时候您每天要多揉揉复溜穴。

复溜穴是治眼疾的要穴。当您有白内障、青光眼、飞蚊症、眼睛胀痛、上眼皮无力（扒拉开合还得使劲睁开，睁开一会儿又搭拉下来）等问题，揉复溜穴都管用。

如果您手指端或脚趾端总是麻木，就是气血过不去，原动力不足，每天要多揉复溜穴。

复溜穴能治疗哮喘。偏于虚寒的就去灸复溜穴，偏于实热证的揉揉即可，最好也配上尺泽穴。两个穴一降一补才能最好地达到平衡身体的效果。但身体特别没劲、有气无力的人，本来气就上不来，使用尺泽穴就不适合。

复溜穴是调节肾经的一个杠杆，它是一个枢纽。当您想补肾的时候，如果有脏东西堵着，真正的气血生成不了，那就补不上。这时您需要先揉复溜穴，让它通一下之后再补，最好是揉完复溜穴后马上再揉太溪穴，把好血赶紧引过来，打好这个基础。

·治月经不调、崩漏：按揉交信穴

交信穴在内踝上2寸（相当于两个半横指）的位置。"交"是指跟脾经的三阴交穴相交，"信"是指月信（月经），交信穴是专为调理女子月经准备的一个大穴。当女性月经到期不来或者有崩漏、淋漓不止等情况时，揉交信穴可以得到很大改善。

·治痛风、结石、抑郁、癫痫：常揉筑宾穴

筑宾穴在内踝上5寸，是补肾不可或缺的穴位。

当揉太溪穴和复溜穴不敏感的时候，通常是筑宾穴处有淤堵，您一定要先把筑宾穴给揉通。

这里的"筑"是建筑房屋的意思，在古义里跟"杵"相通。杵是生活中

捣蒜、捣米用的工具，相当于现在砸夯时用的大木墩子。"宾"字加上月字旁是通假字，专指膝盖骨。"筑宾"就是在膝盖骨旁边再搭个柱子，给这块儿补上劲，即强腰健骨的意思。

当膝盖发软、没劲、心里有恐惧的时候，按揉筑宾穴就可以给人增加底气。

筑宾穴的主要功效是清热利湿、化痰安神、理气止痛。

在人体内，毒素最喜欢生长在有湿、淤血、痰浊多的地方，而筑宾穴就是一个去毒的要穴。它既然可以排毒，就证明它可以祛湿、化痰、活血，只有这3个方面都成功了，毒才能排出去。

筑宾穴最能排除人们平常最担心、最常见的那些毒，像烟毒及油漆味等污染空气的气毒，还可以解吃药后淤积在身体内的毒。对于那些长期吃西药的朋友，平时一定要多揉筑宾穴。

太冲穴也是一个解毒的穴位，但它是从肝上解毒，即把肝毒给排到肾脏了，所以需要再排毒。揉筑宾穴就是再解一遍毒，把体内的毒素统统都给排出去，不让毒素损伤肝肾。损伤肝的时候可以用太冲穴解毒，损伤肾的时候可以用筑宾穴解毒。

筑宾穴还可解尿酸过高。尿酸过高会产生痛风、结石症，揉筑宾穴可以治疗这些病。

人体内的毒素很多时候还会伤害到神经，让人产生一些神智上的错乱，比如抑郁症、癫痫等，常揉筑宾穴可以有效地防治。

当您把种种毒素排走了，脏血被过滤了，新鲜血液才能产生，这样才叫真正打通肾经，才是真正的补肾。

·治颈椎病、生殖系统疾病、腹痛、腹泻：按揉阴谷穴

阴谷穴在膝窝处、委中穴的内侧。和委中穴距外侧委阳穴的距离差不多，只不过一个在外，一个在内。

阴谷穴是治疗颈椎病的一个好穴位。中医常说"肾主骨"，颈椎和椎体都是骨头的一部分，所以揉阴谷穴可以治疗颈椎病。

阴谷穴还能治疗生殖系统疾病。

阴谷穴治肚脐周围的腹痛效果也很好。如果跟胃经上的下巨虚穴配合起来使用，祛腹痛的效果会更快。《难经》中说："合治逆气而泻。"就是说浊气逆流而上会造成腹泻。阴谷穴是肾经的合穴，能阻止逆气上行，治腹泻。如果再加上排浊气的推腹法，疗效既快又好。

3. 鸟因迁徙而羽丰，兽恃蛰伏而体壮——品味胸腹部的肾经大药

> 推揉胸腹部肾经，心脏、肠胃、生殖系统、泌尿系统的众多疾病会迎刃而解。

·治心脏、肠胃、生殖系统、泌尿系统、情志等疾病：推揉胸腹部肾经

推揉胸腹部肾经，心脏、肠胃、生殖系统、泌尿系统的众多疾病会迎刃而解。

肾经从大腿根一直往上走，分两条线：第一条是从人体正面的中线旁开0.5寸处从横骨到俞府，第二条线是顺着脊椎上去。所以，脊椎和肚腹上面的所有毛病都跟肾经息息相关。

先看第一条线，从横骨一直往上走，经大赫、气穴、四满、中注，最后到肓俞，而肓俞正好在神阙穴（肚脐眼）旁边。从横骨到肓俞之间的穴位都是治疗生殖系统、泌尿系统方面问题的，包括妇科、男科的很多疾病。所以推腹的时候，如果能推到肚脐眼以下的耻骨（也就是相当于横骨旁边的曲骨穴处），这些问题将统统迎刃而解。

从肓俞再往上走，就是商曲、石关、阴都、腹通谷、幽门，这块区域正好都在心窝以下，所以推这块正好可以治肠胃方面的问题。

再往上走，是步廊、神封、灵墟、神藏、或中、俞府，肾经这条线上的穴位专治支气管、乳腺、心脏等方面的毛病，包括咳嗽、胸闷、憋气、恐惧

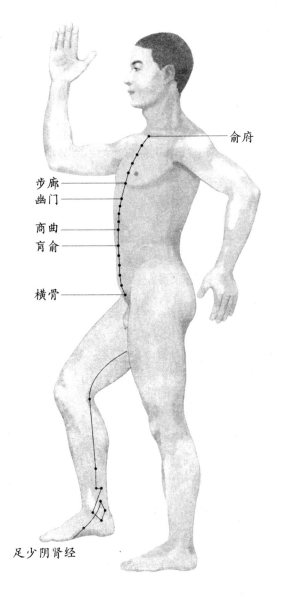

俞府

步廊
幽门

商曲
肓俞

横骨

足少阴肾经

分3段推揉胸腹部肾经，从俞府到步廊，从幽门到商曲，从肓俞到横骨，可以防治心脏、肠胃、生殖系统、泌尿系统的众多疾病。

等方面的问题。

所以在推腹的时候，肾经可分为3个部分来推：

第一部分从俞府推到步廊。在这一段，您会推到痛点，特别是您心里有恐惧的时候，而且恐惧的时间越长，这些痛点就越敏感。把这些痛点都给揉散了，您就会觉得心里非常舒服，恐惧不知不觉就消失了。而且诸如心里郁闷、胸闷、咳嗽等毛病，都可以在这里找到原因并得以解决。

第二部分从中线旁开0.5寸的幽门穴开始，一直推到肚脐眼旁边的肓俞穴。推这块是为了达到排出腹中浊气、调节肠胃功能的目的。

第三部分从肓俞往下推到横骨。能防治生殖系统方面的疾病。

打通身体正面的肾经，可以通过以上介绍的推腹法来办到。如果您觉得身体哪方面问题最严重，就着重从管哪块区域的经络开始推就可以了。

4. 肾经健康大课堂

涌泉穴怎么揉都没关系，点揉也行，找个按摩棒揉也行，只要敏感了就可以多揉。如果不敏感，又凹陷下去了，就先别揉它，而是揉其他的穴位，慢慢地把气血往那儿引。

问：

肾经从腿上到后背的穴位有哪些？

中里巴人答：

腿最上面的肾经穴位是阴谷穴，再往上到背后、臀部这一带只有经，无穴。趴下的时候，内侧有一根筋，中间有一根筋，外侧还有一根筋。中间这根筋和外侧这根筋都是膀胱经，内侧这根筋才是腿上的肾经。

问：

涌泉穴是点按好，还是从中点往脚趾头顺着揉好？

中里巴人答：

怎么揉都没关系，点揉也行，找个按摩棒揉也行，只要敏感了就可以多揉。如果揉时不敏感，又凹陷下去了，就别揉它，先揉其他的穴位，慢慢地把气血往那儿引。

问：

我的嘴老是特别的干，尤其是夜里，请问用哪个穴位好？

中里巴人答：

其实肾经上的一半穴位好像都是给您的。您挨个揉一下吧，哪个最敏感就最有效。但是最终目的是要让太溪穴敏感，再让涌泉穴也敏感，就成了。

问：

帕金森这个病有没有什么好的办法可以调理？

中里巴人答：

凡是颤动的症状都跟肝有关系，可以多揉太冲到行间，还有地筋以及肾经上的穴位。但要想效果长久的话，还是要从肾经上来打通。

问：

请问尾骨疼按什么地方？

中里巴人答：

凡是骨头方面的问题都跟肾有关，肾主骨。所以尾骨疼也跟肾有关。要揉肾经上的太溪穴、复溜穴，它们都管用。另外，尾骨和颈椎互为反射点。

所以尾骨痛要揉颈椎上的痛点；颈椎痛要揉尾骨上的痛点。这两个您都可以互相参照。

问：

目前我脚上长有骨刺，又加上痛风，按摩哪个穴位比较好？

中里巴人答：

没有哪一个穴位是专门治这个病的。多揉脾、肾、肝这3条经络，把它们打通后，这种病症就能缓解。

问：

跪膝法对于腰椎也有好处吗？

中里巴人答：

跪膝就是引血下行，主要是补肾、补肝，调节肝肾的，而腰椎是肾所主，像腰椎间盘突出就是里面的筋有问题。筋硬、有淤血了就会产生关节的错位，这与肝脏功能有关，所以跪膝法是调节腰椎，调节肝肾的方法。

问：

我想问一下，腰椎痛还有腰椎突出和右边这条腿发凉，通过跪膝法可不可以缓解？

中里巴人答：

可以，坚持一段时间就可以。

问：

我有一段时间气老不通，光往上走，不往下走，而且老打嗝，这个有办法治没有？

中里巴人答：

揉尺泽穴加复溜穴，可以把气降下来。但是老打嗝证明您有一个想往外发的力量，一定不能压住它。所以最好先揉太冲到行间，把气消了，然后揉三焦经的支沟穴，再揉尺泽穴加复溜穴，把气再降下去。

问：

复溜这个穴位是治咽痛和咽炎的，那它治咽喉部的囊肿能有效果吗？

中里巴人答：

只要是咽部的问题、喉咙的问题，揉复溜穴都会有效果。

问：

我总怕冷是怎么回事？而且爱睡觉，吃完饭就爱打盹，是为什么？

中里巴人答：

总怕冷还爱睡觉，是肾气有点不足，也可能是脾虚。要是整天都爱睡觉，那是阳气不足，也就是肾气不足。如果只是早上起来后刚一两个小时就想睡觉，那是脾虚。最好的方法就是去补肾经，把肾气升起来就好了。

第七章

胃经大药房——
天天培育我们的后天之本

　　胃经这条经络很长，它从头到胸、腹、大腿、膝盖、小腿，最后直达双脚。如果它畅通无阻，不但能让人睡得香，胃口好，脸色红润，还能让人返老还童。

　　胃经这条经络很长，它从头到胸、腹、大腿、膝盖、小腿，最后直达双脚。如果它畅通无阻，不但能让人睡得香，胃口好，脸色红润，还能让人返老还童。

　　胃经，顾名思义，是管理胃肠功能的。胃肠功能一旦失调，整个人就会虚弱下来。在日常生活中，如果某个人爱吃、能吃，而且消化特别好，大家就会说他有口福。而有的人虽然能吃，吃下去的东西却停在肚子里不消化；有的人吃一点儿就肚子胀；还有的人不论对酸的、辣的、凉的、硬的都非常敏感，沾一点儿肚子就不舒服。这些不仅是肠胃问题，还会影响睡眠，并且最终影响整个人的心情和精神状态。

　　那么，从哪里调节最便捷呢？就从胃经来调节。因为，胃经上的很多穴位都是非常对症的，而且十分好找，用起来也特别方便。

　　胃经上的穴位共有45个，其中22个暂时不用去记，只用剩下的23个，就够我们养护后天之本了。

1. 饮半盏当知江河滋味——品味头部的胃经大药

　　如果左眼皮跳，咱甭管它，发财嘛，巴不得呢；如果右眼皮跳，您心里慌，那赶紧揉右眼下边的承泣穴，您一揉，眼皮就不跳了，这灾也就过去了。所以，揉穴位不仅能防病治病，还能消灾，挺好！

·治迎风流泪、流泪控制不住、青光眼等：按揉承泣穴

　　承泣穴是胃经的第一个穴位，离眼睛非常近，就在眼眶处。"承"是承接、承载的意思，"泣"就是哭泣。当您眼睛累了、迎风流泪、流泪控制不住、有青光眼等毛病，承泣穴就可以向您伸出救援之手。

　　有人眼睛老眨巴，眼皮平白无故地跳。对这种情况，有的人比较迷信，说眼皮跳是有讲究的，"左眼跳财，右眼跳灾"。所以眼皮一跳，心里就嘀咕。如

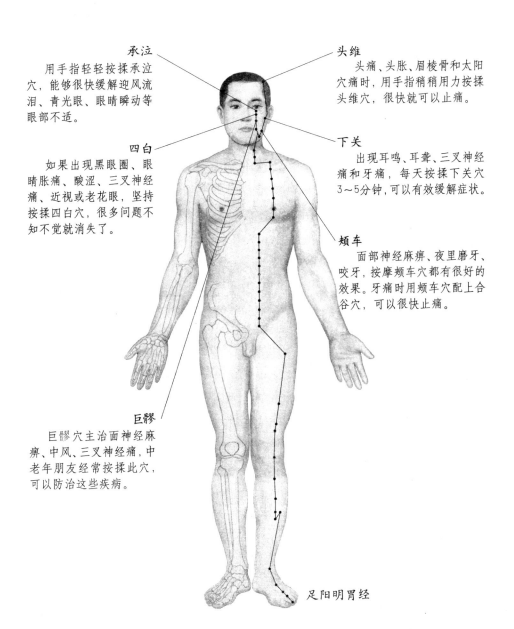

承泣

用手指轻轻按揉承泣穴，能够很快缓解迎风流泪、青光眼、眼睛瞬动等眼部不适。

头维

头痛、头胀、眉棱骨和太阳穴痛时，用手指稍稍用力按揉头维穴，很快就可以止痛。

四白

如果出现黑眼圈、眼睛胀痛、酸涩、三叉神经痛、近视或老花眼，坚持按揉四白穴，很多问题不知不觉就消失了。

下关

出现耳鸣、耳聋、三叉神经痛和牙痛，每天按揉下关穴3～5分钟，可以有效缓解症状。

颊车

面部神经麻痹、夜里磨牙、咬牙，按摩颊车穴都有很好的效果。牙痛时用颊车穴配上合谷穴，可以很快止痛。

巨髎

巨髎穴主治面神经麻痹、中风、三叉神经痛，中老年朋友经常按揉此穴，可以防治这些疾病。

足阳明胃经

胃经在头部的这些穴位在治疗头面部疾病中效果非凡。

果是左眼皮跳还好，右眼一跳，心里就慌了，总觉得有灾祸要发生。现在知道了这个承泣穴，您就有办法了：如果左眼皮跳，咱甭管它，发财嘛，巴不得呢；如果右眼皮跳，您心里慌，那赶紧揉右眼下边的承泣穴，您一揉，眼皮就不跳了，这灾也就过去了。所以，揉穴位不仅能防病治病，还能消灾，挺好！

·治黑眼圈、老花眼、眼睛痒或胀痛、三叉神经痛：每天按揉四白穴

看东西特别清楚，在成语里叫做"一清二白"。"白"是看得清楚，"二白"是看得很清楚，那"四白"就是看得更清楚了，所以四白穴是一个明目穴。

记得上小学的时候，课间大家都要做眼保健操，其中一节就是按揉四白穴。因为四白穴对防治近视眼效果非常好。因为近视是眼部气血不足造成的，而胃经本身又是多气多血之经，气血非常旺盛，四白穴又在胃经的上部，所以刺激它能最快捷地调节眼睛周围的气血运行。

另外，脸色不好、头部气血不足等症状，都可以通过按揉四白穴来改善。黑眼圈就是胃经气血不足、眼睛周围的陈血没有被及时疏通走、好血没有及时过来造成的，这时候点揉四白穴，把气血引到眼眶四周，黑眼圈就没了。

归纳起来，上学的孩子可以用四白穴来治疗近视，成年人可以用来防治黑眼圈，老年人可以用来防治老花眼。

如果眼睛老发痒或者胀痛，揉四白穴效果十分好。还有，四白穴正处在三叉神经上，所以还对三叉神经痛有一定的疗效。

·治面部神经麻痹、三叉神经痛、中风、嘴肿、嘴破：按揉巨髎穴

顺着四白穴往下走，到鼻翼，也就是鼻孔旁边，有一个穴位，叫巨髎穴。

巨髎穴主要治疗面部神经麻痹，而通常的面部神经麻痹就在此处发生。有中风先兆的中老年朋友要常揉这个穴位。

按揉巨髎穴还能预防三叉神经痛。有些朋友嘴唇爱肿，还容易破，多揉揉巨髎穴也可以预防。

·治牙痛、口眼歪斜（面部神经麻痹）、睡觉爱咬牙、磨牙：按摩颊车穴

使劲咬一下牙，面部会有一块地方凸出来一个包，那是咬肌，咬肌上有个窝儿就是颊车穴。颊车穴与嘴角处在一条平行线上，上边垂直于鬓角。一般人按颊车穴时，都会比较酸痛。

"颊车"的意思是面颊处停着一辆车，即古代的那种小推车，而下颌骨侧面的形状就像这个小推车，所以叫做颊车穴。

颊车穴可以治疗口眼歪斜，即面部神经麻痹，还能治疗牙痛。如果在治疗牙痛时，再配合手上虎口处的合谷穴，效果会更好。

有些朋友夜里爱咬牙、磨牙，那么睡觉前可以先揉揉颊车穴，能很好地缓解"咬牙切齿"的状况。

·治耳鸣、耳聋、三叉神经痛及胃经、胆经疾患：按摩下关穴

沿着颊车穴往上，走到耳朵前边，用手摸有一个凹陷，一张嘴这个凹陷里面就有一个包被顶出来，这个包就是下关穴。

由于离耳朵比较近，又是胃经和胆经的交会穴，所以下关穴可以通治胃经和胆经两条经上的病，像胆经上最常见的问题——耳鸣、耳聋，按揉它都会有很好的疗效。

下关穴还可以治疗三叉神经痛以及牙痛。

·快速缓解头痛、头胀、发懵、眉棱骨痛、太阳穴痛：按摩头维穴

头维穴在额头上，距额头角一横指（1.5厘米）处。"维"是思维的维，在古代意为大绳子。"头维"就是形容头痛的时候，好像有绳子或者布把脑袋裹上了一样，因此这个穴位专门治疗这种头痛如裹的病。很多朋友都有类似这样头痛、发胀、发懵的时候，遇到这种情况，一定要多按一按头维穴，症状会缓解很多。

有的人眉棱骨或者太阳穴总是莫名其妙地痛,按头维穴也马上有很好的效果。

2. 无病第一利——品味颈胸部的胃经大药

> 在胃经胸腹这块儿的循行路线上，穴位非常多，密密麻麻的。如果单就某个具体的穴位来按摩，根本就不好找。因为有这个麻烦，好多人就知难而退了。当然我们也确实没有必要给自己找麻烦，最简单的方法就是一带而过。

·缓解心理压力、降高血压、祛斑、祛黑眼圈：抚摸人迎穴

人迎穴在喉结旁开两横指（1.5寸）处。在喉结旁边一摸，有动脉在跳，这个地方就是人迎穴。

一般脖子上的穴位我不建议大家去按揉，因为脖子比较稚嫩，而且血管都从这里经过，按摩时压迫它，很容易引起咳嗽，反而会不舒服。那么，真需要在脖子上按摩的时候，应采用什么方法呢？我建议大家用抚摸法。脖子是人体气血流动比较旺盛的地方，它一般不会有经络不通的情况，所以没必要强刺激它，平常只要抚摸它、捋顺它，帮助它疏通就行了。

疏通人迎穴时，不要使劲去点，否则容易咳嗽。要用手轻轻地往下抚摸，抚摸的时候心情要非常放松。然后吸两口气，吐一下，吸一下，再吐一下，一定要保持很放松的状态。

人迎穴是缓解心理压力的一个最好的穴位。

人迎穴还是防治高血压的一个要穴。每天按摩它几分钟，对中老年人效果非常好。

此穴更是一个美容的要穴。如果有人脸上红润光洁，不长斑、没有黑眼圈，是什么原因呢？就是此人胃经的气血比较旺盛，能上行到脸上去，而人迎穴正好是胃经上很重要的一个通路。经常捋捋这块儿，捋的时候深吸气，非常放松地去做，捋完后眼睛就会感觉明亮。这就是气血循胃经上行补到眼睛这块来了。

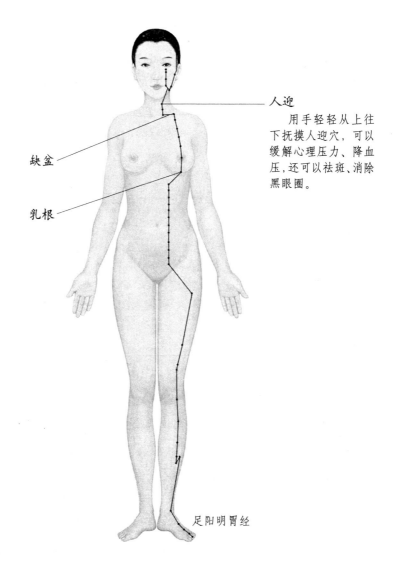

人迎

缺盆

乳根

足阳明胃经

用手轻轻从上往下抚摸人迎穴，可以缓解心理压力、降血压，还可以祛斑、消除黑眼圈。

从缺盆穴向下推揉胸部胃经，可以开胸理气，有效防治乳腺增生。

·开胸顺气，防治乳腺增生：在缺盆、气户、库房、屋翳、膺窗、乳中等穴位上一推而过

在胃经胸腹这块儿的循行路线上，穴位非常多，密密麻麻的。如果单就某个具体的穴位来按摩，根本就不好找。因为有这个麻烦，好多人就知难而退了。当然，我们确实也没有必要给自己找麻烦，最简单的方法就是一带而过。因为这几个穴位都在一条线上，而且都紧挨着。缺盆穴往下就是气户穴、库房穴、屋翳穴、膺窗穴、乳中穴，用大拇指从上往下一推就行了。这一推，不仅有开胸顺气的功效，而且还可以防治乳腺增生。

3. 甚爱必大费，多藏必厚亡——品味腹部的胃经大药

> 推腹可以把经过肚子的好几条经络都推了，而这其中最主要的一条就是胃经。胃经上的问题最多，推腹时推到的阻滞点通常都压在胃经上。

·无浊一身轻：推揉腹部胃经

从缺盆穴到乳根穴的这段胃经，距离人体正中线是4寸；而从不容穴到气冲穴这段胃经，距离中线是2寸。

为什么叫"不容"呢？就是有人吃完饭以后下不去了，所以叫"不容"。从不容穴开始，到肚脐眼下面的气冲穴，这条线上的众多穴位我们都不用去按揉，因为它们都特别的软，按摩不好使劲，不容易按摩在点上，尤其是身体比较胖的人更难。那怎么办呢？可以用另一个方法——推腹。

推腹可以把经过肚子的好几条经络都推了，而这其中最主要的一条就是胃经。胃经上的问题最多，推腹时推到的阻滞点通常都压在胃经上。肚子上的胃经怎么推呢？用两个大拇指从心窝下正中线分开2寸往下推。

有人说推不准，没关系，只要您这么一推，阻滞点都能找到。有的地方

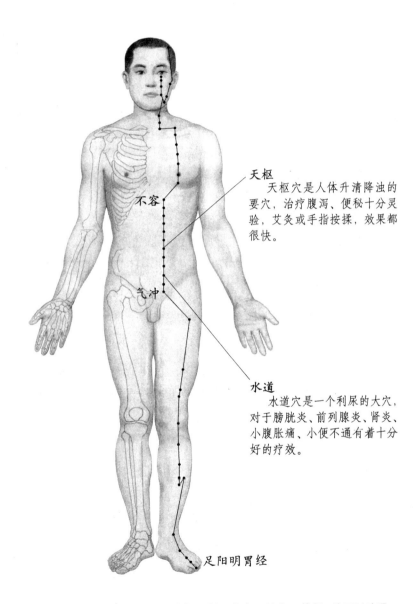

天枢

　　天枢穴是人体升清降浊的要穴，治疗腹泻、便秘十分灵验，艾灸或手指按揉，效果都很快。

不容

气冲

水道

　　水道穴是一个利尿的大穴，对于膀胱炎、前列腺炎、肾炎、小腹胀痛、小便不通有着十分好的疗效。

足阳明胃经

　　腹部胃经穴位众多，用两个大拇指从腹部两侧不容穴开始向下推揉，就可以疏通胃经，化解淤滞，防治大部分慢性疾病。

会很痛,有的地方会很胀,有的地方是一个硬结,还有的地方是一个水槽或者气团,您一推就能感觉到,不用特别用力。以上这些对人体有害的东西,一定都要推散。

推了胃经以后通常会很容易打嗝、放屁,尤其是在晚上睡觉之前。

有时候您想打嗝、放屁,但身体没有这个劲,只是觉得肚子胀,气又出不来。这时,您不妨躺下,先从心窝下开始推,因为体内的郁气一般都集结在心窝下,这里的气不出去,时间长了侵袭到胃就是胃溃疡,侵袭到肺就是咳嗽,而且平常睡觉的时候肯定不踏实,夜里还会做噩梦,所以一定要把浊气给排出去。

·治胃肠炎、腹泻、便秘:艾灸或按揉天枢穴

因为推腹法能够一次性打通胃经在腹部的所有穴位,因此,我在这里没有一个穴位一个穴位地去介绍。不过,其中还是有几个特别值得我详细说明的,比如天枢穴和水道穴。

天枢穴在肚脐眼(神阙穴)旁边2寸的地方。"枢"是枢纽的意思。《黄帝内经》中说,"天枢之上天气主之,天枢之下地气主之",它告诉您这个穴位是一个升清降浊的地方。也就是说,您吸收到肠胃里面的营养物质,就在这里开始分成清与浊,营养的精微物质在这里变成血液被吸收了,糟粕的东西则从此处向大肠排去,此穴就是一个中转站。

另外,它还可以过滤血液,让新鲜血液重新循环,把剩下的脏东西变成尿液排出去。所以说天枢穴有两个枢纽的功能:一个是排泄大便,一个是通利小便。

说具体点,首先,天枢穴是治胃肠炎的一个要穴,而通常有胃肠炎的人最容易腹泻,遇到这种情况,就去找一根艾条来熏熏天枢,如果没有艾条,拿一根香烟也行。其次,这个穴治便秘十分有效,有便秘的朋友只要每天多按揉或多推一推这个穴位,效果就出来了。

·治膀胱炎、前列腺炎、肾炎、小腹胀痛、小便不通：推揉或点揉水道穴

水道穴在天枢穴下3寸、关元穴旁开2寸的位置。顾名思义，此穴就是排泄水液的通道，也就是利尿的一个穴位。既然能利尿，这个穴位就跟膀胱炎、前列腺炎、肾炎、小腹胀痛、小便不通有很大关系。哪些朋友有这方面的问题，每天一定要多多推揉或点揉水道穴，疗效很明显。

4. 祛病只需除湿寒——品味大腿和膝盖上的胃经大药

> 我建议这些朋友回家的时候，在软床上跪着来回走一走。这样体内的气血就很容易流注到膝盖上去了，这些新鲜的气血就相当于膝盖这个轴上的润滑油。

·治心跳过快、心慌及调节心脏功能：用掌跟轻揉伏兔穴

伏兔穴是腿上的穴位，在膝盖上6寸处。在古人眼里，大腿的肌肉特别多。当人走路和跑步的时候，这里的肌肉就像一只趴着的小兔子，不过古人这么解释意义不是很大。我这儿另有一种记忆的方法，就是平时形容心跳过快、心里慌时，老爱说就像怀里揣着个兔子似的。伏兔穴就是治疗心慌、脉快、脉搏"咚咚咚"猛跳这些症状的。

有些朋友有时会莫名地心慌，甚至没碰见什么事或者是稍微遇到一点刺激，心里马上就慌了、乱了，这个时候要好好按揉伏兔穴。按揉时不要点揉和强刺激它，要用掌跟仔细按揉。可以顺时针揉，有重有轻，揉完后便会觉得心里非常踏实，而且对心脏也有一种补血的效果。实际上，正是因为心脏补足了气血，心里才会觉得踏实。

·治血糖过高：每天揉阴市穴

把腿伸直，膝盖处会出现一个窝，这就是阴市穴了，它在膝关节上面3寸的地方。阴市穴对于老年人尤为重要，它有一个大家都关心的功能——降

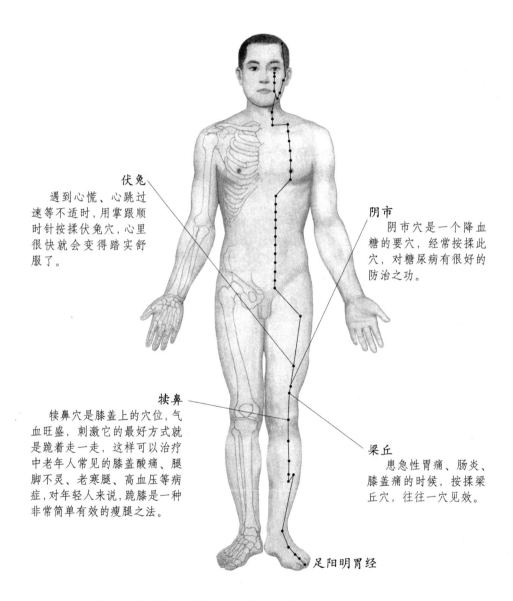

伏兔

遇到心慌、心跳过速等不适时，用掌跟顺时针按揉伏兔穴，心里很快就会变得踏实舒服了。

阴市

阴市穴是一个降血糖的要穴，经常按揉此穴，对糖尿病有很好的防治之功。

犊鼻

犊鼻穴是膝盖上的穴位，气血旺盛，刺激它的最好方式就是跪着走一走，这样可以治疗中老年人常见的膝盖酸痛、腿脚不灵、老寒腿、高血压等病症，对年轻人来说，跪膝是一种非常简单有效的瘦腿之法。

梁丘

患急性胃痛、肠炎、膝盖痛的时候，按揉梁丘穴，往往一穴见效。

足阳明胃经

胃经在大腿正面，与胆经为邻，敲胆经的同时，不妨顺便敲敲胃经。

血糖。所以，血糖高的朋友每天要多揉揉它。

·治急性病、胃酸：按揉梁丘穴

阴市穴向下 1 寸的位置，贴着骨头边缘的一个比较敏感的地方就是梁丘穴。

梁丘穴治疗急性病效果是最好的。比如急性胃炎、肠胃炎，或者突然肚子痛。再比如急性乳腺炎引发的突然乳房痛，或者突然膝盖痛（这种膝盖痛不是陈旧性的，只是偶尔扭了一下，或者是因爬山等造成劳累而膝盖痛），这时赶紧揉一下梁丘穴，马上就会缓解。

梁丘穴的功效很强，除了上面说的那些病症以外，腿痛、脚痛等，它全都管，而且它还能够止胃酸。如果突然胃犯酸了，赶紧揉梁丘穴，很快就会好转。

·治膝盖受损、疼痛、膝关节积水、走路不稳、脚冷，以及补脾胃、壮腰肾、瘦腿：每天跪膝走一走，揉犊鼻穴

很多人都知道，膝盖下面内侧和外侧各有一个窝，称作膝眼。其中外侧的窝，就是胃经上的一个穴位——犊鼻穴。"犊鼻"，是说这个穴特别像一个小牛犊的鼻子。其实，古人给穴位起名就是想把好多的含义都灌注进去，他们希望后人把隐藏在里面的深意给挖掘出来。"犊鼻"的深意就是最有力量的，也是气血最盛的，所以犊鼻穴是一个强壮身体的穴位。

对于老年人来说，我不是特别赞成做下蹲运动。为什么呢？年轻人做做倒无妨，老年人因为气血不容易下到腿和脚上去，做下蹲运动等于是在气血很少的情况下去磨膝盖这个轴。老年人的膝盖本来就容易受到损伤，再有意识地去磨磨它，那就等于是在生锈的地方进一步地磨损。所以，我建议老年朋友平时多练练跪膝法，这种方法特别能打通犊鼻穴。

有一些老年朋友喜欢爬山，虽然爬山是个很好的运动，但对于老年人的膝盖来说也是一种磨损。我建议这些朋友回家后，赶紧做做跪膝，在软床上跪着来回走一走。这样体内的气血很容易就流注到膝盖上去了，这些新鲜的

气血就相当于膝盖这个轴上的润滑油。

当新鲜气血多了以后,膝盖就不会产生积液之类的东西,因为它被带走了。但如果没有好的气血过来,膝盖就会经常受到磨损。

膝盖是筋之府,人体的筋都在这儿汇集。人常说,小孩子长个儿的时候老是膝盖先痛,那是因为有筋在抻拉它。而小孩子跪着爬,也是有利于生长的。

因为膝盖是人体的一个动力源,所以,我们一定要打通犊鼻穴,让膝盖保持强壮,这样人就不会衰老。要知道,一个没有强壮膝盖的人看起来是老态龙钟的。也就是说,如果一个人显老态了,那么他的膝盖肯定是磨损得很厉害。

有的老年朋友走路不稳,容易摔跟头,为什么呢?就是因为气血下不到脚上去。这时候我不建议您上来就练金鸡独立,而应该在床上先跪跪膝,把血液引到膝盖上,一步一步往下引。我在《求医不如求己2》中写了一篇献给老年人的"引血下行三部曲":第一步是推腹,把新鲜血液先引到腹上去;第二步是跪膝,把气血引到膝盖上去;第三步才是做金鸡独立,把气血引到脚上去。照此三部曲做下去,气血就全引下去了,而全身的血液循环就通畅了。

5. 长寿三宝,多气多血——品味小腿上的胃经大药

> 有时候您需要精神上的支持,有时候您需要物质上的帮助,足三里就是您身体的"恩人",您有什么困难他都会出手相助,有他在身边您就特别踏实。

·人体第一长寿之药:足三里穴

足三里穴的功能非常强大,既能改善体质,又能治本。可以说,凡是稍稍懂点养生知识的人都知道它是一个长寿大穴。如果说您现在想增

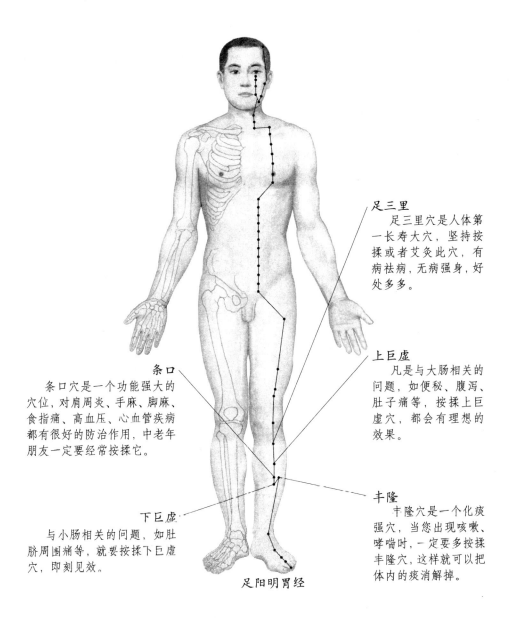

足三里

足三里穴是人体第一长寿大穴，坚持按揉或者艾灸此穴，有病祛病，无病强身，好处多多。

上巨虚

凡是与大肠相关的问题，如便秘、腹泻、肚子痛等，按揉上巨虚穴，都会有理想的效果。

条口

条口穴是一个功能强大的穴位，对肩周炎、手麻、脚麻、食指痛、高血压、心血管疾病都有很好的防治作用，中老年朋友一定要经常按揉它。

丰隆

丰隆穴是一个化痰强穴，当您出现咳嗽、哮喘时，一定要多按揉丰隆穴，这样就可以把体内的痰消解掉。

下巨虚

与小肠相关的问题，如肚脐周围痛等，就要按揉下巨虚穴，即刻见效。

足阳明胃经

小腿上的胃经穴位都是我们人体常用的大药。

强体质，或者说您的病很多，但不知道如何下手，那就按足三里穴，绝对管用。

足三里是一个让您身体强壮的穴位，而身体只要强壮一分，疾病就会减少两分。现在，很多人都习惯把目光盯在身体的具体病症上，希望今天把这个症状祛除，明天又把那个症状祛除。可是体质没改善，这些症状还会伴随着您；如果体质改善了，任何症状都会自己慢慢消失。所以说，关注疾病不如关注健康。只要把身体弄强壮了，任何疾病都会最终远离您。

我本人接触足三里穴的时间很长，在我的脑子中，足三里穴就是一个德高望重的大慈善家。有时候您需要精神上的支持，有时候您需要物质上的帮助，足三里就是您身体的"恩人"，您有什么困难他都会出手相助，有他在身边您特别踏实。

如果您的肠胃功能有了问题，肚子中有浊气，老是有腹胀、腹痛等症状，这时足三里肯定会拔刀相助。

足三里这个穴老年人不太好按，因为这里肌肉特别多。有时您按上去不是很敏感，除非正闹胃病，胃正疼着，平时这个穴很不好找。所以我建议老年人要找个适合自己的工具，比如按摩棒等，在这个穴位上敲一敲、顶一顶都可以。总之，只要刺激到足三里穴就行了。

·治肚子痛、便秘、痔疮：揉上巨虚穴

从足三里往下四横指的地方有个穴位，叫上巨虚。上巨虚穴的主要作用是治疗大肠的毛病。此处所说的大肠包括升结肠、横结肠、降结肠、乙状结肠、直肠，就连痔疮都包含在大肠范围之内。一些朋友经常便秘，这也是大肠的问题，可以揉上巨虚穴，效果很不错。

·治肚脐眼边上痛：按摩下巨虚穴

从上巨虚穴往下三横指的地方，就是下巨虚穴。此穴主要是解决小肠方面问题的。您有时候肚子痛，感觉位置在肚脐眼附近，不是胃而是小肠，这时您揉足三里穴效果就略差，而揉下巨虚穴效果会非常明显，也会非常敏

感。有时候本来是胃痛，通过按摩，胃痛的那个点会自己下移，或者是有气往下走，之后变成小肠这个位置痛了，其实就是一股浊气在运行，最后必须得通过放屁排出去才算彻底解决。您按揉的过程也就是排气的过程，这时候您揉下巨虚穴，小肠会蠕动，咕咕直叫，慢慢气就排出去了，肚子也不痛了。

·治肩膀发沉、肩周炎、肩膀痛、食指痛、高血压、心血管疾病：用指关节按揉条口穴

从下巨虚穴往膝盖方向，即向上1寸的位置有一个穴位，就是条口穴。"条"是好多条胡同的意思，"条口"就是胡同口。把脚往前伸直，迎面骨处正好有一块肌肉，其下缘的点就是条口穴。

条口穴又称肩凝穴。当肩膀凝住了，肩膀发沉，或是有肩周炎、肩膀痛，揉条口穴会非常见效。

条口穴可以防治脑中风。它通经活络的能力是非常强的，如果您有手麻、胳膊麻、胳膊肘痛等症状，那一定要多揉一揉条口穴。此穴连食指痛都能管。

揉这个穴位时，用手指或指关节点着肌肉条口那个位置，脚上下伸动就可以了。有些朋友按揉这个穴时感觉会痛、胀或者是酸、麻，这时候我们应该仔细区分。

麻表明气能过来而血过不来。麻得厉害了就是木，是气和血都过不来了。所以要赶紧把这里打通，才能让气血重新过来。

酸表明经络是通的，但是气血不足。把气血多引点儿过来，就不会酸了。比如经常不爬山的人，一爬山腿就酸，就是气血不足。相对而言，酸是一件比较不错的事情，证明经络已经通了，就是暂时缺点儿血，需要补补。而酸痛是缺血的同时还沉积了一点淤血，这时拔拔罐最好。

胀表明气很足。此类人是爱生气的那种体质，若体内的气出不去就会胀。胀的时候最好别拔罐，否则会更胀，平时应该多揉一揉才好。而产生胀痛的人一般都是火力比较壮的，爱生气、脾气大，表明体内气有余但是血不足，等于血分配得不好。过多的能量变成气出来了，身上就会出现胀痛。

如果只是单纯的痛，则是因为有血淤，这种情况也适合拔罐。

另有一种情况是痒，比如有人拔完罐以后，罐底下的皮肤发痒。这其实是一种非常好的情况，它表明气血正在过来。伤口愈合的时候都会发痒，就是气血过来了。而拔完罐的时候发痒，可以拿刮痧板轻轻一刮，马上会出好多痧，这是被体内的气血顶出来的淤血。所以，刮痧一定不要生刮，如果气血很足，不刮痧也会被顶出来，就是长疙瘩，疙瘩就是痧。

其实，我们不应该让过多的毒素通过皮肤来排，从尿液或粪便排出去才是正常的途径。但是身体对内脏有一种保护功能，它为了保护内脏，索性就从皮肤排毒，这样做的结果是内脏受益了，美容遭了殃。

条口穴的功能非常多，再细分一下就是它还可以防治高血压、心血管硬化，很多老年人怕这些病，条口穴就管这些。

·化痰强穴：丰隆穴

从条口穴往外侧旁开 1 横指，是丰隆穴，它与条口穴并排。

其实，许多穴位无所谓按对按错，您觉得哪个敏感就多按哪个。有时候，您虽然找的是条口穴，但按在这个很敏感的丰隆穴上了，那就证明您应该先按丰隆穴，因为它们都是一条经上的穴。找穴有一个原则，就是离穴不离经，只要经对了，就能起到相同的作用。

丰隆穴的主要功能是化痰。当出现哮喘、咳嗽、痰多时，一定要多揉丰隆穴，先从里面把痰化掉。

揉完丰隆穴后会有什么感觉呢？有两种情况：一种是痰散了，不知道哪儿去了；另一种是老吐痰，而且很容易把痰吐出来。揉丰隆穴出现的这两种情况，是体质不同造成的，但都对身体有好处。而且中医里的这个"痰"，包括的范围很广，不光是指从肺里出来的痰，还包括脂肪瘤、痰核、血痰（即血脂高）和扁平疣等。

一般来说，痰都跟气有关，气郁则生痰。您一生气，气就停留在某处，气滞则血淤，血就会流通缓慢，代谢出好多废料堆积，这些东西慢慢就生成了痰。

6. 知足才知福——品味脚上的胃经大药

> 有朋友说解溪穴这个窝太深,揉的时候挺费劲,不好着力。我有两个偷懒的方法,一是脚翘一下,二是转脚腕,两个方法都可以活动到解溪穴,而且转脚腕本身就会让人非常放松。

·放松身心、改善脑供血不足:按揉解溪穴或者转脚腕

解溪穴在脚腕上。"溪"是溪流之意,人体里的溪流就是血流。"解溪"就是把腿上的血解运到脚上去,打开一个通道。

解溪穴就在平时系鞋带的那个位置,也就是脚腕和脚背交接的地方。您先用大拇指按这儿,然后一抬脚尖,马上有个硬筋把您的手弹开了,硬筋旁边的窝就是解溪穴。

解溪穴是一个让人全身放松的要穴。

有人说解溪穴这个窝太深,揉的时候挺费劲,不好着力。这里,我有两个偷懒的方法,一是脚翘一下,二是转脚腕,两个方法都可以活动到解溪穴,而且转脚腕本身就会让人非常放松。

解溪穴对老年人尤为重要,它除了能让人放松之外,还是一个治疗脑供血不足的要穴。因为,凡是气血下不到脚上去,也就上不到脑上去。这是什么原理呢?因为人体所需要的大循环是气血先下到脚上然后再上到脑部,反复循环。有人说我脑子经常很胀,脚上却无力,这是不是血都奔脑上去了?不是,这是浊气上去了,真正的血并没有循环,还在里面压着呢。要想血液重新循环,就得血液先到脚,然后才到脑上,它有规定的路线,不可能没先到脚就直奔脑部去了。所以,改善脑供血不足首先要改变脚部供血,只有脚上的供血足了,脑上的供血才能足。而通过刺激解溪穴,就可以得到改善。

·治鼻炎、胃下垂、头痛、太阳穴痛:按揉陷谷穴

脚上第二趾和第三趾间有一个缝,从接缝的地方往脚背方向上走5厘米

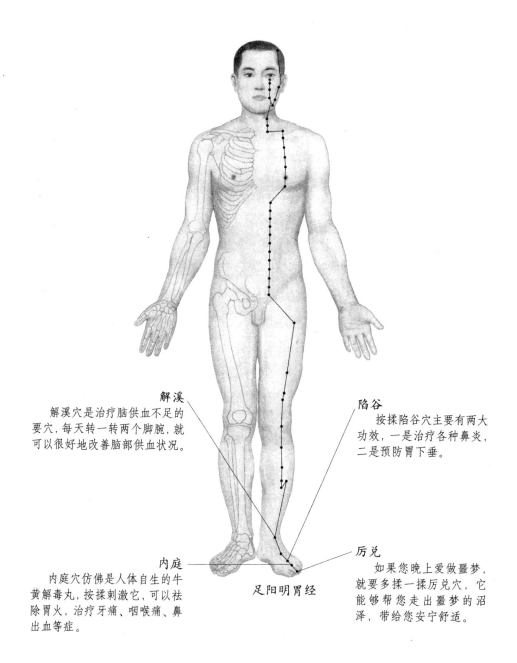

解溪

解溪穴是治疗脑供血不足的
要穴，每天转一转两个脚腕，就
可以很好地改善脑部供血状况。

陷谷

按揉陷谷穴主要有两大
功效，一是治疗各种鼻炎，
二是预防胃下垂。

内庭

内庭穴仿佛是人体自生的牛
黄解毒丸，按揉刺激它，可以祛
除胃火，治疗牙痛、咽喉痛、鼻
出血等症。

足阳明胃经

厉兑

如果您晚上爱做噩梦，
就要多揉一揉厉兑穴，它
能够帮您走出噩梦的沼
泽，带给您安宁舒适。

大体来说，沿着脚面的中线是胃经在脚上的几个穴位。

的地方，就是陷谷穴。

陷谷穴非常敏感，能够直接通到鼻窍，所以它是一个治疗鼻炎的要穴。当鼻子不通气时，揉揉陷谷穴很快就会通。

这个穴位里面有个"陷"字，就是下垂的意思。它通常治疗胃下垂很有效，能够帮助提升人体阳气。

另外，它还有一些辅助功能，比如治疗头痛，尤其是对太阳穴痛疗效非常明显。

·治牙痛、咽喉痛、鼻出血、祛胃火：按揉内庭穴

内庭穴在第二脚趾和第三脚趾之间的一条缝上。它可以祛胃火，相当于人体自生的牛黄解毒丸。另外，有一味中药叫生石膏，也是祛胃火的，内庭穴的作用与之接近。还有，凡是胃火引起的牙痛、咽喉痛、鼻出血都可以揉内庭穴，它的祛热、祛胃火作用非常好。

·如果爱做噩梦：掐厉兑穴

厉兑穴是胃经的最后一个穴位。"厉"是噩梦的意思，"兑"是八卦中的一卦，代表沼泽，"厉兑"的意思就是掉进了噩梦的沼泽中。这个穴对爱做噩梦的人来说特别有意义，另外，对于有神经错乱症状的人来说，厉兑穴能够静心安神。

怎么揉厉兑穴才有好的效果呢？有个简单的办法：每天晚上睡觉之前，攥一攥第二个脚趾，这么一攥，厉兑穴就攥住了，再扭扭这个脚趾肚，最后用指甲掐掐脚趾肚。同时，索性把10个脚趾肚都掐一掐，这对于安眠特别有好处，这样晚上就不爱做噩梦，就该做好梦了。

其实，没有人愿意做噩梦，而如果天天做美梦，我想大家都会乐意的。

7. 胃经健康大课堂

> 推腹的目的是把三浊（浊气、浊水、宿便）排出去，这样身体里就干净了，好血就过来了，脏腑也得到了营养。

问：

头部发麻、发木是怎么回事？

中里巴人：

这种情况就是脑供血不足，而很多穴都是给脑供血的，比如可以经常点按头维穴，然后经常揉一揉条口穴。还可以每天拿 10 个手指肚梳头。

问：

我没按摩以前，大便特别的急，但自从开始调理整条胃经、胆经、脾经之后，大便很好，也成形了，但是现在没有规律，这是什么原因？

中里巴人答：

大便急是滑泻，因为人的气血没有力量控制它。现在虽然慢了，但是您的气血在往下推动，这其实证明您的脾胃功能增强了，所以您还可以接着去按摩。

问：

我的老伴有中风后遗症，他总是咳嗽吐白痰，我想问问您在电视里讲的一个化痰穴叫什么？

中里巴人答：

胃经的丰隆穴是化痰穴，主要是治脾湿生痰的；气郁也能生痰，这时就要揉消气穴太冲。

第八章

脾经大药房——
化掉任何慢性病

如何健脾呢？除了采用平常喝山药薏米粥、冬天吃大枣等食疗方法，或吃些参苓白术丸、人参健脾丸、补中益气丸等常用健脾中成药，有没有一劳永逸的好方法呢？

通过饮食来健脾，的确是不错的方法，但是有好多人不适应或不吸收，怎么办呢？其实，最安全有效且持久的方法就是揉脾经。

在中医理论当中,脾的功能非常强大,被称为后天之本、气血生化之源。所以,运用经络健脾法就可以迅速增强人体的气血,为防病治病储备最大的能量。

所以,要想祛除疾病,永葆身体健康,就得随时把新鲜气血输送到身体的各个部位,让血液总是保持一种快速周流的状态。没有淤血的堆积,身体就不会生病。

其实,任何疾病,都是在人体内有淤血的情况下生成的,而脾正好具备了生成和运输新鲜气血这两大功能。只要把脾养好了,就可以百病不生,即使有病也会很快痊愈。

那么,如何健脾呢? 除了采用平常喝山药薏米粥、冬天吃大枣等食疗方法,或吃些参苓白术丸、人参健脾丸、补中益气丸等常用健脾中成药,有没有一劳永逸的好方法呢?

通过饮食来健脾,的确是不错的方法,但是好多人不适应或不吸收,怎么办呢? 其实,最安全有效且持久的方法就是揉脾经。

1. 气血充盈邪无踪——品味脚上的脾经大药

> 脾经上的穴位都是帮助血液循环的,能把新鲜血液引到病灶上去,所以,您每天一定要多揉揉商丘穴,把气血引下来。同时还可以做跪膝法、揉其他穴位,帮助把血液引过来。

·治各种出血症、慢性鼻炎:艾灸或点掐隐白穴

脾经的循行是从脚到胸,隐白穴是其第一个穴位,它在大脚趾趾甲旁约1毫米的位置。隐白穴最主要的功效是止血,对各种出血症状都能有效地缓解。

刺激隐白穴,通常是用艾灸的方法,就是拿一个艾条点燃,灸这个穴位。

商丘

商丘穴是长在人体上的神奇消炎大穴。坚持按揉，膀胱炎、尿道炎、盆腔炎等各种炎症就会落荒而逃。

公孙

公孙穴是一个输送气血的枢纽，有通气、活血、解淤之功。当出现不消化、胃反酸或妇科病症状时，及时按揉公孙穴，会收到很好的疗效。

太白

太白穴能很快改善脾虚引起的流口水、舌边有齿痕、消化不良、手脚冰凉等症状，还可以降血糖、调节胰腺分泌。

大都

大都穴是人体自生的补钙大穴，经常按揉此穴，对骨质疏松、肌肉萎缩、腰酸腿痛等效果极好。

足太阴脾经

隐白

隐白穴的功效相当于云南白药，艾灸或者用手指掐揉此穴，对各种出血之症都有很好的止血功效。

通过按揉脾经来健脾，可以增强人体气血的运行，为防病治病储备最大的能力。

如果没有艾条，也可以用一根香烟来代替，同样有止血的效果。

隐白穴还有一个功效，就是通鼻窍，治疗慢性鼻炎、鼻出血。治疗鼻炎的时候可以点按。

这个穴不太好找，因为它特别小，通常要用指甲掐一掐才能掐到这个穴。用指节尖点它，或者找个细一点的按摩棒来点按，效果都很好。

·治缺钙引起的肌肉萎缩、骨质疏松、腰腿痛以及颈椎病、糖尿病、消化能力弱：按揉大都穴

从隐白穴往上，大脚趾根的位置就是大都穴。

大都穴对于老年人来讲特别重要，因为这是一个补钙的要穴。可能有朋友会说，要补钙，吃点钙片不就完了吗？不错，吃钙片是会有些效果，但是您知道为什么会缺钙吗？不是因为补得少，而是因为体内不吸收，这才是缺

钙的真正原因。而您只要揉一揉大都穴，就能帮您吸收钙了。有些朋友喜欢做足底按摩，其实大都穴就相当于足底反射区上的甲状旁腺，而甲状旁腺正是吸收钙的。

大都穴除了可以补钙之外，还能治疗肌肉萎缩、骨质疏松、腰腿痛。当然，这些症状也都是因为缺钙引起的，所以您只要记住大都穴是一个补钙的要穴就行了。另外，有颈椎病的人也要经常揉一揉大都穴，再在这个穴的旁边找一找最痛的点去揉，这样珠连璧合地配合起来治疗，效果就会更好。

· 治睡觉流口水、舌两边有齿痕、消化不良、手脚冰凉、月经淋漓不尽、头晕、糖尿病等脾虚引发的病：用拇指内侧多硌太白穴

太白穴是脾经的原穴，健脾补脾的效果比其他穴位都强。

很多朋友都存在脾虚的症状，比如，夜里睡觉老流口水(这叫脾不摄津，就是脾不能收摄这些津液，它自己流出来了)；舌头两边有齿痕；吃完东西不一会儿就腹胀，消化不良；手脚冰凉，血液循环不到末梢；女性崩漏，月经淋漓不尽，不能收摄；因气血上不到头部而头晕，等等。这些症状都是脾的运化能力差造成的。

尽管脾虚的症状有很多，但多揉太白穴全都可以防治。因为它是原穴，是主管脾经上各个问题的。揉太白穴有个方法，就是用大拇指的内侧多硌它，这样健脾的效果才好。

另外，按揉太白穴还可以调节血糖，治糖尿病。

· 治消化不良、胃反酸、妇科病：揉公孙穴

从太白穴往上1寸就是公孙穴。公孙穴的功能非常强大，既可以调动脾脏、脾经的运血能力，把血液输送到全身去，是一个疏散点、一个枢纽；又可以帮助调节身体上由于气血淤滞造成的各种症状，综合起来，就是通气、活血、解淤。

如果您有妇科方面的问题，请每天揉揉公孙穴。另外，公孙穴可以抑制胃酸，如果您出现吐酸水的情况，赶紧揉一下公孙穴，很快就会好转。

公孙穴还可以增加小肠蠕动，增强消化能力，如果吃完东西不消化，也要赶紧揉揉它，很快就会往下运化了。

·人体自有的消炎大药：商丘穴

在内踝骨的前缘偏下一点，就是商丘穴。该穴正好对应于足底反射区中的下身淋巴反射区，因此可以治疗各种炎症。同时它又揭示了一个医理：炎症一般是由细菌感染引起的。但为什么揉这个穴还能消除炎症呢？这是因为脾是管运血的，它能把新鲜血液运到病灶上去，脏东西被清走后，炎症自然也就消除了。

脾经上的穴位都是帮助血液循环的，都能把新鲜血液引到病灶去，所以商丘穴可以消除下身的各种炎症，如膀胱炎、尿道炎、盆腔炎等。我们一定要多揉揉商丘穴，把气血引下来。同时还可以做跪膝法、揉其他穴位，效果会更好。

2. 为先天之本添砖加瓦——品味腿上的脾经大药

> 有人不爱吃饭，特瘦，还能揉小腿脾经吗？我说，怎么不能！实际上，揉脾经既管胖也管瘦。揉它可让瘦的人长胖、胖的人减肥。总之，揉完后任何人都会感到欢喜。

·治肝、肾、脾上的病症及妇科病：刺激三阴交穴

三阴交穴在脚内踝上3寸，也就是四横指的地方。"三阴交"就是肝、肾、脾3条阴经交会的点，所以这一个穴位就可以治3条经上的病症，真可谓一穴多用。

三阴交穴还是妇科病的通治要穴。无论妇科问题是发生在附件、子宫、卵巢还是乳腺，都可以用三阴交穴来治，而且有病时按揉该穴会非常痛、非常敏感。每天多揉揉三阴交穴，就可以解决这些问题。

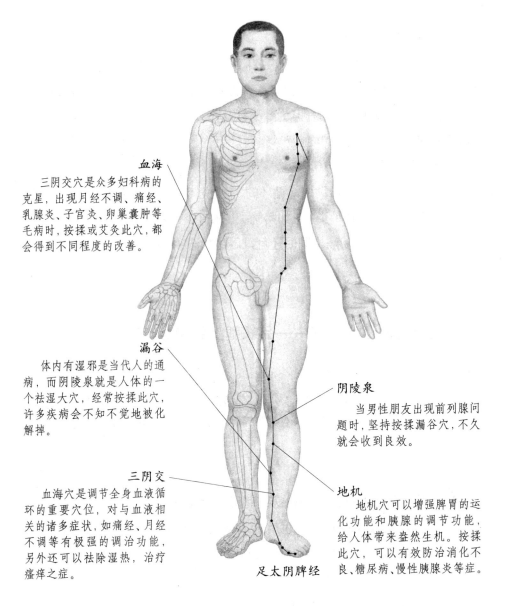

血海

三阴交穴是众多妇科病的克星，出现月经不调、痛经、乳腺炎、子宫炎、卵巢囊肿等毛病时，按揉或艾灸此穴，都会得到不同程度的改善。

漏谷

体内有湿邪是当代人的通病，而阴陵泉就是人体的一个祛湿大穴，经常按揉此穴，许多疾病会不知不觉地被化解掉。

阴陵泉

当男性朋友出现前列腺问题时，坚持按揉漏谷穴，不久就会收到良效。

三阴交

血海穴是调节全身血液循环的重要穴位，对与血液相关的诸多症状，如痛经、月经不调等有极强的调治功能，另外还可以祛除湿热，治疗瘙痒之症。

地机

地机穴可以增强脾胃的运化功能和胰腺的调节功能，给人体带来盎然生机。按揉此穴，可以有效防治消化不良、糖尿病、慢性胰腺炎等症。

足太阴脾经

推揉小腿脾经，肥胖者可以变窈窕，消瘦者可以丰满圆润。

按三阴交穴还可以缓解痛经。

·治不消化、男性前列腺问题、腿肚子酸痛：点揉漏谷穴

从三阴交穴贴着脚骨内侧下缘往上 3 寸，就是漏谷穴。"漏谷"是谷子漏出来的意思，也就是吃下肚的东西，没能得到很好地消化，营养没吸收，又排出来了，这叫做"完谷不化"。而多揉漏谷穴就可以治疗。

漏谷穴还可以治疗小便不利，对男性前列腺问题很有疗效。

很多朋友整天上完班回到家，觉得腿肚子酸麻胀痛，放到哪儿都不合适，这时您就需要多揉漏谷穴，在白天的时候就点揉，尤其是在上午 9 点到 11 点脾经气血最旺的时候揉。这样晚上回到家时，腿就不酸了。

·治慢性胰腺炎、糖尿病：揉地机穴

贴着胫骨往上走，与腿肚子上的最高点正对着的地方就是地机穴。"地机"就是大地充满生机的意思。因为脾属土，土属大地，而且人体的后天之本都靠脾胃来供应，所以揉地机穴可以增强整个肠胃的运化功能。

地机穴对胰腺很有帮助，像慢性胰腺炎、糖尿病都可以通过揉地机穴来防治。

·祛湿，治各种炎症、水肿：揉阴陵泉穴

顺着胫骨一直往上，捋到膝窝下卡住了、捋不动了，那个地方就是阴陵泉。该穴是一个祛湿的要穴，而人体湿气大就容易滋生细菌，引起水肿，以及各种炎症，包括皮炎、皮疹等。另外，脾是生痰之源，是管湿气的，如果湿气多了运化不出去，就会变成痰饮。所以，要从根本上解决生痰的问题就要健脾，而每天坚持多揉阴陵泉穴就好。

·专治瘙痒、调节血液循环：揉血海穴

血海穴又称百虫窝，意思是有一百个虫子在那儿扎窝。它是专门治瘙痒的穴。老年人身上经常瘙痒，用艾条灸一灸血海穴就能很快止住。这个方法效果最好，而且很方便。

"男子主气，女子主血。"女子以血为先，所以她们身体里的血一定要充足。血海穴可以调配人体的血液，把多余的血分配到少的地方去，把淤滞的地方给疏散开，其功效相当于足三里穴。只不过一个是补气的，一个是调血的，但都是增强人体免疫力的治本大穴。

·胖人减肥，瘦人增肥：推小腿脾经

如果在推小腿的过程中发现痛点正好压在脾经上，那一定要多揉小腿脾经才真正管用，也就是找到小腿脾经上的阴陵泉穴、地机穴、漏谷穴、三阴交穴这4个穴位去推。如果找不准，也不想记得那么详细，您就索性顺着胫骨内侧边缘上下推。哪个穴敏感，哪个穴痛，您就多揉哪个穴。

有人不爱吃饭，特瘦，还能揉小腿脾经吗？我说，怎么不能！实际上，揉脾经既管胖也管瘦。揉它可让瘦的人长胖、胖的人减肥。总之，揉完后任何人都会感到欢喜。

3. 不给疾病任何藏身之地——品味胸腹部的脾经大药

> 脾经还有好多穴位都在肚子上，一推腹就全给推了。

·推腹法：腹部的脾经穴位一把推

脾经还有好多穴位都在肚子上，一推腹就全给推了。它们通常都在人体中线旁开4寸的位置上，如果这个位置上有痛点，您就知道是脾经上的问题了。

·治急性扭伤：按揉大包穴

大包穴是脾经的最后一个穴，在肋骨这块儿腋窝直下6寸处。"大包"就是大包大揽的意思，比如急性腰扭伤、急性脖子扭伤、急性肋间神经痛，大包穴都能治。

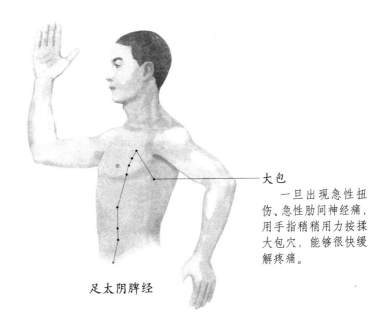

大包

一旦出现急性扭伤、急性肋间神经痛，用手指稍稍用力按揉大包穴，能够很快缓解疼痛。

足太阴脾经

腹部的脾经穴位不用逐一点按，只要推揉腹部就可以。

4. 脾经健康大课堂

长在舌头上的口疮，揉心经上的少海穴可以消除；长在嘴唇上的口疮，多揉小腿脾经上的穴位就可以解决。

问：

前两天我刚摔了跤，把膝盖摔了，练不了跪膝法了，今天发现脸也肿、腿也肿，是不是我的糖尿病又重了？

中里巴人答：

如果肿得比较厉害，您就记住膀胱经和肾经这两条经是从根本上治肿的，还有脾经是祛湿的。揉膀胱经、肾经时如果比较敏感，您就多揉；如果不敏感，就说明气血不足，那就先揉小腿脾经一段时间，其他的运动少做一点。先把气血集中起来消肿，然后饮一些薏米绿豆粥、山药薏米粥或冬瓜汤。

问：

我老伴舌头总爱长疮，而且总是长在左边，请问用什么办法治？

中里巴人答：

长在舌头上的疮，揉心经上的少海穴可以消除；长在嘴唇上的口疮，多揉小腿脾经上的穴位就可以解决。

第九章

胆经大药房——
消除疾病，立竿见影

　　胆经上的穴位不仅特别多，有44个，而且还是我们学习中医的一条重点经络，它对人的健康状态来说太重要了，使用得当就会立竿见影。而通过刺激胆经，我们就可以马上了解经络穴位的众多精妙之处，增强我们"求医不如求己"的信心。

胆经的穴位不仅特别多，有44个，而且还是我们学习中医的一条重点经络，它对人的健康状态来说太重要了，使用得当就会立竿见影。而通过刺激胆经，我们也可以马上了解经络穴位的很多神奇妙用，从而增强我们"求医不如求己"的信心。

说到胆经，先得说一下胆。如果胆有了问题，通常就是胆汁上溢，那早上起来一般会嘴苦。有的人面色看起来好像蒙有一层尘土一样，这就是胆经堵塞了；经常偏头痛、坐骨神经痛或乳腺方面有问题，都是胆经有了毛病；另外，妇科疾病都是胆经所主。有的人一会儿冷一会儿热，也是胆经不调造成的；有的人心里有愁苦的事，经常需要叹气才能缓解；还有的人经常两肋疼痛，这些都跟胆经淤堵有关。

这些症状怎么去治呢？大家要记住："经脉所过，主治所及。"看胆经的循行位置，它循行到哪里，就治哪里的病。

胆经可以治偏头痛、颈椎病、肩膀痛、乳腺系统疾病、两肋痛。

另外，股骨头有问题、坐骨神经痛、膝关节尤其是外侧老痛、腿经常抽筋、脚外踝经常扭伤，都是胆经不通造成的。还有，耳聋、耳鸣的位置也是在胆经的循行路线上，胆经也能治。

1. 向上一路，千圣不传——品味头部的胆经大药

> 学习经络穴位一定记住：化繁为简，才能拨云见日，否则越学越多就麻烦了。

·治各种眼疾、祛鱼尾纹：按揉瞳子髎穴

瞳子髎穴是胆经的起始点，在眼角旁边一点的凹陷处。"瞳子"就是瞳孔，即黑眼珠；"髎"的意思就是骨头凹陷的地方，即骨缝。

由此可见，瞳子髎穴治疗眼睛尤其是眼珠、眼底方面的疾病非常有效，

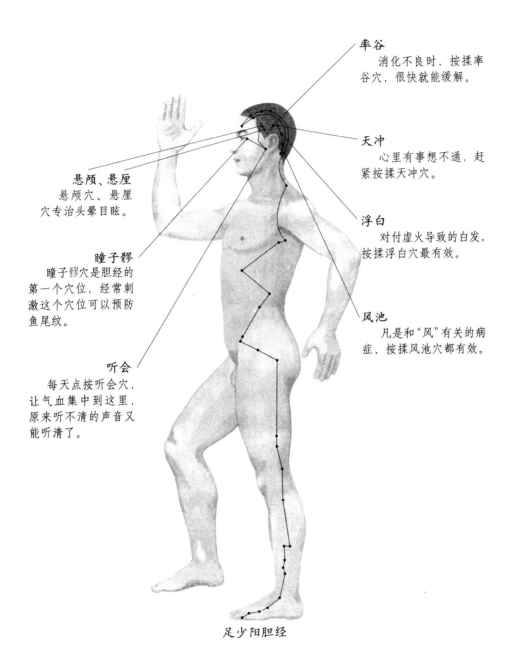

率谷
消化不良时，按揉率谷穴，很快就能缓解。

天冲
心里有事想不通，赶紧按揉天冲穴。

浮白
对付虚火导致的白发，按揉浮白穴最有效。

风池
凡是和"风"有关的病症，按揉风池穴都有效。

悬颅、悬厘
悬颅穴、悬厘穴专治头晕目眩。

瞳子髎
瞳子髎穴是胆经的第一个穴位，经常刺激这个穴位可以预防鱼尾纹。

听会
每天点按听会穴，让气血集中到这里，原来听不清的声音又能听清了。

足少阳胆经

胆经在头部的重要穴位，对头面部疾病有独到的功效。

像近视、白内障等跟眼睛有关系的问题，都可以经常刺激它来得到解决。

经常刺激瞳子髎穴还可以预防鱼尾纹。鱼尾纹增多，原因是胆经气血不足，到不了瞳子髎穴，这里就容易衰老，其表现就是长鱼尾纹。

·治耳鸣、耳聋、面瘫：点按听会穴

听会穴在耳垂边、贴着面颊的地方。用食指一点按，这里有一个窝，张嘴时这个窝是凹进去的。"会"是聚集的意思，"听会"就是把听的注意力集中。

有的人因岁数大了，耳聋、耳鸣，这是气血聚不到这里来造成的。每天点按听会穴，气血就会重新汇集到耳朵。气血一充足，原来听不清的声音又能够听清了。

还有面瘫，中医一般讲是风证，但这种说法很笼统，我们也不知道这个"风"到底是怎么来的。其实就是人体血少了，上不来了，如果气血能过来，就不会麻痹了。中医有句话叫"血行风自灭"，说的就是这个道理。听会穴既然能把听力聚集到这里，也就是能把气血调动、聚集到穴位这块儿，那么平时多揉听会穴，就是把气血引到面部来的一个非常简单有效的方法。一旦气血充足，不光耳朵能听见，面部神经麻痹的问题也能解决。

·治头晕目眩：揉悬颅穴、悬厘穴

"颅"是头颅的意思，"悬颅"就是把头悬起来。什么时候头会感觉悬起来呢？就是头晕目眩的时候。悬颅穴是专门治疗此症的。

"厘"在古代是正的意思。悬颅穴处出现头晕目眩，一揉悬厘穴就正过来了。

·治消化不良、酒后头痛、肚子不舒服：按揉率谷穴

率谷穴在耳朵尖上边1.5寸处。"率"指直率、率性，"谷"指谷物、粮食。从字面上理解，"率谷"肯定与吃喝有关，比如，吃东西多了会撑着、恶心、呕吐；喝点酒很率性，但醉酒后通常会头痛，痛点就在率谷穴这里。所以，率谷穴专门治疗消化不良、喝酒后肚子不舒服和头痛等症。

·治情绪激动导致的头痛、惊恐、癫痫：揉天冲穴

古人把头比喻成"天"，而"冲"是冲撞、矛盾之意，当人内心矛盾过度就会产生头痛、惊恐、癫痫等问题，这些症状都跟天冲穴有直接关系。所以当心里矛盾激化、有恐惧情绪，到最后出现头痛、癫痫等不适的时候，请赶紧揉天冲穴。

·治熬夜、失眠造成的白发：揉浮白穴

浮白穴是专门治疗白发的穴位。人什么时候会长出白发呢？经常熬夜不睡觉或者经常失眠，导致血不养肝、肾阴（肾血）不足的时候就会肝热，肝火就会上来，也就是虚火上来了，头发就白了，这就叫"浮白"。

·治各种风证：多揉风池穴

在摸后脑时，会摸到头发边缘有一个凹窝，挺大的，很明显，如果往里一推，就会触到脖子后面的两根硬筋，往上面就是枕骨，用大拇指往里一顶，便会摸到风池穴。

"风池"的意思是蓄风的池子。像伤风感冒、头目眩晕、身体发颤、面部抽搐、抽羊角风以及经常扭脖子、眨眼睛等，都属于风证。凡是跟风有关的病症，多揉风池穴就能缓解。

2. 想成将军，先有胆气——品味躯干上的胆经大药

> 过去有个成语叫动辄得咎，动一点儿都不行，我们现在也可以活用一句"成语"，叫"动辄得健"，即一动辄筋穴就得到健康了。

·治痛证、乳腺疾病、淋巴结核：按揉肩井穴

将大拇指放在肩上，贴住脖子，中指所点的位置就是肩井穴。"井"字

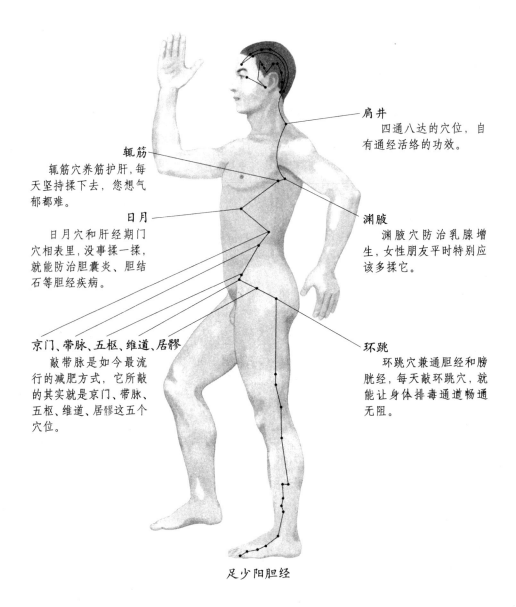

肩井
　四通八达的穴位，自有通经活络的功效。

辄筋
　辄筋穴养筋护肝，每天坚持揉下去，您想气郁都难。

日月
　日月穴和肝经期门穴相表里，没事揉一揉，就能防治胆囊炎、胆结石等胆经疾病。

渊腋
　渊腋穴防治乳腺增生，女性朋友平时特别应该多揉它。

京门、带脉、五枢、维道、居髎
　敲带脉是如今最流行的减肥方式，它所敲的其实就是京门、带脉、五枢、维道、居髎这五个穴位。

环跳
　环跳穴兼通胆经和膀胱经，每天敲环跳穴，就能让身体排毒通道畅通无阻。

足少阳胆经

胆经在躯干上的这些穴位各有所长，都是我们的护生法宝。

给人的感觉是四通八达，上下左右全出头。肩井穴也的确是一个四通八达的通经活络之要穴。

肩井穴是好几条经循行经过的点，本属于胆经，而后背的三焦经通过这里，胃经从这里穿梭，大肠经也从这里经过，好多经都在此会聚。所以其他经有了问题，揉肩井穴也管用。

肩井穴是治疗痛证的要穴，像牙疼、头痛（尤其是属于胆经的偏头痛）都能治。而它又连着胃经，所以胃经眉棱骨痛也能治。

肩井穴最能有效治疗的是乳腺炎、乳房痛等乳腺方面的疾病。胆经循行的位置，正好从乳房旁边转一圈，所以女性如果乳房胀痛、乳腺有一些增生，肩井穴应该是比较疼痛的。这时，赶紧多揉肩井穴，把它揉到不疼痛，这些让女性害怕不已的问题就没有了。

肩井穴还是防治淋巴结核的要穴。现在得淋巴结核的人非常多，这是由于肝中的郁结之气顺着胆经宣泄不出去（胆经通肝，肝胆相照）、堵塞在里面形成的。

·治乳腺增生、肋间神经痛、腋窝出汗：多揉渊腋穴

先摸到腋窝，向下4个横指也就是3寸处就是渊腋穴。可以用食指或中指来点按。如果指头没劲，不妨做个"工具"：伸出中指，将食指搁在中指的上面，然后把大拇指搁在中指的下面，这就形成了一个"按摩棒"，用此点按就会特别得劲。

渊腋穴是防治乳腺增生的一个要穴。

渊腋穴治肋间神经痛特别有效。有的人腋窝老爱出汗，而且汗特别多，那么平常多揉揉渊腋穴，就可以起到止汗的作用。

·养筋护肝、行气化淤：揉辄筋穴

在中医传统文化里面，有时候文字的含义就代表穴位的含义，它们是相通的。如"辄筋穴"，"辄"就是过去马车两边的挡板，您坐在马车上，怕摔着，就得扶着旁边的挡板。我国有一个成语叫动辄得咎，是说稍微动一动就

犯错误了，您就在那儿呆着别动，坐在马车上不能扶东西，就算车子把您晃悠出去，您也不能扶，您稍微一扶着，就叫动辄得咎。

"辄筋"就是筋的两块挡板，就是护着筋的意思。为什么要护着这条筋？中医讲肝主筋，所以辄筋穴其实就是护肝（防治肝损伤）、养肝、养筋的穴位。

有人说，不如直接起名叫"辄肝"不就完了嘛？但"辄肝"太狭隘了，听起来像只管肝的事。而在中医学里，肝的外延很大，它管筋、管风证、管胆，"辄筋"能把肝的外延全包括进去。

既然过去有个成语叫动辄得咎，动一点儿都不行，我们现在也可以活用一句"成语"，叫"动辄得健"，即一动辄筋穴就得到健康了。

为什么肝和筋会出现问题？关键是气郁不舒。所以，为了让自己的肝好筋强，您平常就应该时时把心里的郁结之气给散掉，也就是经常推推这个穴附近有硬筋的地方，把它推散了就好。推的时候要从渊腋穴往乳下辄筋穴的方向推，经常用4个手指肚捋捋。爱生气的人、心里有委屈气郁的人，这里会很痛，您就捋吧。这里是最容易堆积浊气的地方，里面有好多硬筋，好多人一揉就会打嗝，每天坚持揉下去，您想气郁都难。

·有胆囊炎、胆结石：多揉日月穴

有人说太阳和月亮是互相对照的，在中医看来，肝就是日、胆就是月。日月穴上边有个期门穴，是肝经的募穴，"募"就是募集、募捐的募，汇集的意思。肝的气血在期门穴汇集，胆的气血在日月穴汇集。

胆和肝的关系，就像日和月的关系一样，是从属的。而日月穴相对于期门穴来讲，也是一个从属关系。

找日月穴时，要先找到心窝下边，乳房旁开4寸就是，它在乳头的内侧。

有人说怎么都找不着这个穴。没关系，您用掌根揉，绝对能揉到一个特别痛的点，痛点就是日月穴。

只要是胆经淤阻的问题，像胆囊炎、胆结石等，日月穴都会有很明显的痛点。多揉揉它，就可以防治。

·胆经上的补肾大穴：京门

找京门穴的时候，最好用敲打法把它敲出来，用手指骨节硌侧面那个位置，如果很敏感就是该穴。但是要记住，此穴是在骨头的边缘，不在肉上，在对应着大腿两侧的高点处。

京门穴虽然在胆经上，但它是肾的募穴，肾气很容易在这里会聚。所以肾虚、肾气不足的人，如腰酸、腰痛的人，平时要多揉揉这个穴。揉的时候要用指节骨头来揉，揉之前如果怕找不准穴位，就先敲一下这个位置，一敲就能找到，然后使劲揉，把这个痛点给揉散。

·减肥，治前列腺疾患、便秘、偏头痛、乳腺增生、妇科病：斜推腹、敲带脉

带脉、五枢、维道、居髎这几个穴位没有一个是好找的。像带脉穴在与肚脐眼相平的腰侧位置，有的肥胖者根本找不着，而且它很不敏感，按它的时候只是按在了皮上。

至于五枢穴、维道穴、居髎穴就不用找了，因为既不好找也不好揉。但有一个方法可以把它们的作用全发挥出来，这就是推腹法。要侧着推，往中间推，往大腿根部推。有前列腺病的人，从斜的方向多推是最好的。

对京门穴、带脉穴、五枢穴、维道穴、居髎穴这一块儿，还有"敲带脉"的一招可以全部搞定。晚上睡觉前平躺着放松，想像身体如烂泥一样，您就敲肋下两边，除了京门穴边上的骨头敲一敲，肋骨以下、胯骨以上有赘肉的地方（也就是俗称"草帽圈"和"游泳圈"的地方）也要敲。每次敲二三百下，手一酸，浑身都累了，也就想睡了。

"敲带脉"一法年轻人特别感兴趣，通常敲两周以后就能看出有明显的减肥效果，原来裤子挺紧的，现在可以塞个拳头进去了。

对于老年人来说，"敲带脉"可以增强大肠蠕动，治疗便秘。因为按解剖学来讲，带脉的位置一边是升结肠、一边是降结肠，一敲就能振动大肠使蠕动加快，而且这几个穴位都在胆经上，敲打它们，胆汁分泌得就多，就能够增强代谢，使大便通畅，原来两天一次大便，现在变成一天两次大便了。

如果长期便秘，敲带脉穴还有一个即时的效果，就是当您因中气不足而

满头大汗、半天也解不出大便时，您就马上开始敲，头两天不会感觉有什么效果，等敲1周以后，敲出一种条件反射来，再敲时大便就会很通畅了。这是老年人防治大便不通的最简捷方法。

敲带脉穴还可以马上缓解偏头痛。

带脉区上边通着乳房，把此处敲通了，上边的淤阻就化解开了，所以敲带脉可以让人心情舒畅，防治乳腺增生。敲带脉治妇科病也非常见效，可以改善痛经、月经不调等很多女士的难言之隐。

·治高血脂、水肿、静脉曲张：多敲环跳穴

环跳穴在臀部上。它不光是胆经的穴位，还通着膀胱经，是膀胱经和胆经交会的穴位。膀胱经是人体最大的排毒通道，敲打时的姿势应该是趴着。您这么一敲就把身体的下水道给弄通了，那些引起高血脂、水肿、静脉曲张的脏东西就排出去了。

3. 大解身心烦忧——品味腿和脚上的胆经大药

> 人生在世，谁都难免一肚子浊气。生了半辈子的气都在肝那块儿藏着呢，藏得太多发泄不出去，到胆那块儿堵住，就成了胆囊炎、胆结石。所以我们一定要及时地把浊气排出去。而且，肝脏跟外界没有通路，它只能借助胆经这条经络，然后顺着肠胃，通过打嗝、放屁的形式出去。阳陵泉就是与胆经和肠胃相通的一个枢纽。

·治风证、失眠、腰酸、腰胀痛：风市穴

风市穴跟风池穴有异曲同工之妙：风池穴是蓄积风的池子，各种风在此汇集；风市穴是风的市场，各种风也在此汇集。而且大腿正好是气血最旺、通道最宽的地方，所以敲打风市穴对改善胆经的循环效果非常明显。

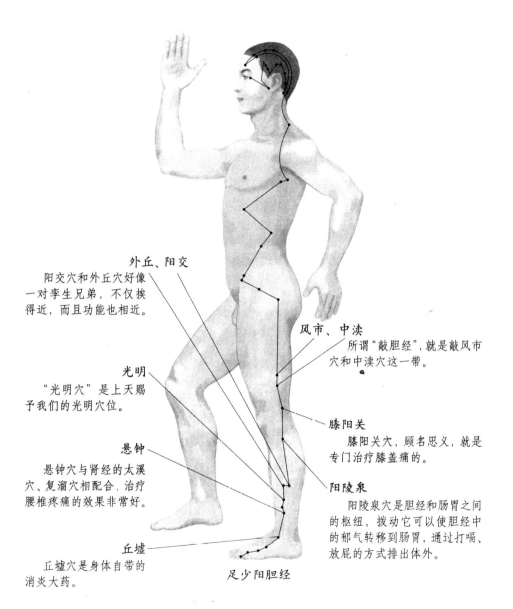

外丘、阳交

阳交穴和外丘穴好像一对孪生兄弟，不仅挨得近，而且功能也相近。

光明

"光明穴"是上天赐予我们的光明穴位。

悬钟

悬钟穴与肾经的太溪穴、复溜穴相配合，治疗腰椎疼痛的效果非常好。

丘墟

丘墟穴是身体自带的消炎大药。

风市、中渎

所谓"敲胆经"，就是敲风市穴和中渎穴这一带。

膝阳关

膝阳关穴，顾名思义，就是专门治疗膝盖痛的。

阳陵泉

阳陵泉穴是胆经和肠胃之间的枢纽，拨动它可以使胆经中的郁气转移到肠胃，通过打嗝、放屁的方式排出体外。

足少阳胆经

胆经是人体知名度最高的一条经络，它从头循行到脚，与人体全身健康密切相关。每天敲敲胆经，不仅能敲去您的身体郁毒，更能敲来一身活力。

有人说风市穴不好找。可以用一个简单的方法：取站立姿势，手自然下垂，中指尖对应的大腿外侧位置就是风市穴。

风市穴是治疗风证的大穴，诸如伤风感冒、身体抽搐、羊角风、癫痫病、帕金森这些跟震颤、摇动、抽搐有关系的都是风证，还有人老眨眼睛、肌肉老跳动、高血压、身上起疹子、皮肤瘙痒也属风证。有这种情况的人，每天坚持揉揉风市穴，效果会非常好。

老年人手没劲，那就敲打胆经，主要就是敲打风市穴和它下边的中渎穴。您可以从环跳穴以下开始敲到中渎穴，没事儿坐那儿就可以敲。

风市穴可以治疗失眠症，但不适合用敲打的方法。因为一敲，胆经的气血就开始流动起来，越敲越精神，您更睡不着了。那用什么方法合适呢？在此处拔一个罐，所有的气血就都汇集到这里了。所以，您要想把血引过来就拔罐，您要想让气血流通起来就敲，效果是不一样的。

腰酸时拔个罐效果也不错，因为腰酸的原因就是缺血，而拔罐能把别处的血聚过来，这样就能舒服。

如果是腰胀痛，就不能拔罐。因为本来气就淤在这里出不去，不是气少而是气多了，您再来一个罐，气都聚在这儿，更直不起腰来了，这个时候您应该给它揉散。

总之，如果在风市穴拔罐，过10分钟您也许就会犯困，打哈欠了；而如果敲一敲，精神头就来了。这就是方法的重要性。

·治胆经淤塞、胆结石、胆囊炎：敲打中渎穴

"中"指中焦，"渎"就是臭水沟，"中渎"是指人体中焦有一个容易形成淤阻的臭水沟，也就是胆囊的位置。如果胆汁流通不畅、堵住了，就会嘴苦、两肋胀痛、头胀、乳房胀痛，有些人甚至出现胆结石、胆囊炎这些症状。中渎穴就是能疏通淤阻的一个要穴。

平常如果多敲这个穴位，您肯定不会得胆结石、胆囊炎。而胆囊有问题的人，按这个穴肯定很疼，每天坚持敲打，就可以缓解胆绞痛、胆结石、胆囊炎的症状。

有的人胆囊切除了，再敲中渎穴是不是就没用了？正相反，这时候更有用。原因是手术只是把局部有形的病灶切掉了，但不能保证不再形成淤阻，因为淤阻是肝脏里面的毒素排不出去造成的，所以您更应该疏通胆经。还有，胆囊虽然切除了，但胆经还仍然相通，经络并未受到损伤，所以不仅可以接着敲，而且还更应该多敲。

·治膝盖痛：敲敲膝阳关

膝阳关穴，顾名思义，就是专门治疗膝盖痛的。

·治抽筋、扭筋、月经不调、岔气、肝胆有郁气：拨动阳陵泉穴

每个人身上都有宝贝，阳陵泉穴就是其中的一个。它是胆经的合穴，合治内府，专门调节胆囊的功能，而且对整个胆经都有很好的调节效果。它又是筋之汇，所有的筋都在这里汇集。抽筋、扭筋，只要跟筋有关系的毛病，都可以揉阳陵泉来解决。

阳陵泉实际上相当于一味叫"逍遥丸"的中药。有好多女士月经不调，到医院去了，来点儿逍遥丸一吃就逍遥了、高兴了，其实就是这个原因。病因就在这个名字里，因为气郁才造成月经不调，吃上几粒逍遥丸心里就愉悦，气就散了。拨动阳陵泉穴，就可以起到逍遥丸的作用。

这个穴位通常用按摩的方法效果不佳，要拨动才行。首先，在膝盖下外侧旁边有一个高出来的小骨头，往下一摸便能摸到，阳陵泉穴就在这个骨头下缘的边上。用食指按住它，像拨动琴弦一样，此处有一根筋，反复拨动几次，就开始有麻的感觉了，一旦麻感到了脚面，这条胆经就通了，效果是最好的。

举个例子，比如您的肋骨这块儿岔气了，吸一口气都不行，这时赶紧拨动阳陵泉穴，两分钟后就好了。还有抽筋，拨动阳陵泉穴马上就好。

有人早上起来老嘴苦，这是胆经淤阻、胆汁上溢了，那么您应该在睡觉之前拨动阳陵泉穴两分钟，第二天早上嘴就不苦了，这是治嘴苦最好的方法。

有的人经常肩膀发紧，觉得肌肉都绞在一块，甚至跟绑着似的，这时就

需要多拨动阳陵泉穴。有的人经常觉得心里不舒服、老想哭、老有委屈，这是有气结在心里，拨动阳陵泉穴会觉得情绪好很多。

有的人敲打胆经以后会睡不着觉，气都往上跑，不往下走，您赶紧拨动阳陵泉穴，胆经的浊气就会直接跑到肠胃上去，而不会顺着三焦经跑到脑袋上。这时您会发现一个情况：肚子突然胀起来。其实这是一个好现象，这是肝胆里面的郁结之气跑到肠胃上来了，您这时就会有一个感觉，要放个屁才痛快。这个时候赶紧推推肚子，或者熬点儿萝卜汤喝，把屁放出来，然后再接着拨动阳陵泉，里面的浊气就都排出来了。

人生在世，谁都难免一肚子浊气。生了半辈子的气都在肝那块儿藏着呢，藏得太多发泄不出去，到胆那块儿堵住，就成了胆囊炎、胆结石，所以我们一定要及时地把浊气排出去。而且，肝脏跟外界没有通路，它只能借助胆经这条经络，然后顺着肠胃，通过打嗝、放屁的形式排出去。阳陵泉就是与胆经和肠胃相通的一个枢纽。

拨动阳陵泉穴时，如果开始拨不通、腿脚不发麻也没关系，可以先多敲打小腿部分的胆经后再接着拨动。

·头疼、乳腺疼等胆经循行线上的急症：点按阳交穴、外丘穴

阳交穴、外丘穴是两个并排挨着的穴位。有时候点按往往会点错，不过没关系，这两个穴位的性质、效果都一样，您觉得哪个敏感就点哪个。

它们都是胆经的郄穴，专治急症，所以凡是胆经走向上的突发头痛、乳腺痛，坐骨神经痛都可以揉阳交穴或外丘穴。

·眼病、慢性头痛：揉光明穴

光明穴在脚外踝尖上5寸处，是治疗眼睛疾病的要穴，有关近视眼、老年白内障、青光眼、视神经的问题它都管。它还跟痛证有关系，尤其善治头痛。

光明穴是胆经的络穴。"络"就是联络，光明穴是跟肝胆经相通的穴位。络穴都治慢性病，久病入络，所以像慢性胆囊炎、慢性肝病都跟光明穴有关系。

·头痛、腰痛、颈椎病、关节炎等与骨头有关的疾病：揉悬钟穴

悬钟穴在外踝前缘上3寸处。"钟"在古代有两个含义：一个是大钟，还有一个是铃铛。"悬钟"的意思就是古时候给小孩子腿上挂了好多小铃铛，挂的位置就是悬钟穴。

悬钟穴是人体的髓之会穴。人体有好多会穴，像阳陵泉穴是筋之会，所有筋在那里汇集，而悬钟穴是髓之会，骨髓在这里汇集。人体什么地方骨髓最多？是后边的脊椎，所以脊椎痛时要揉悬钟穴。

做了腰穿检查后，要揉悬钟穴来赶紧修复一下，它可以调动、增强人体骨髓的储备。而且胆经主骨所生病，头痛或酸胀、腰椎痛、颈椎病、关节炎等跟骨头有关的病，胆经上的悬钟穴都管。其中腰痛有多种，有的是两侧痛、两边肌肉痛，有的是中间骨头痛，悬钟穴专管中间骨头痛，尤其是痛点不在表面，好像是骨头里边的骨髓痛，这个穴就更管用。而腰椎方面的疼痛除了揉悬钟穴以外，还要揉肾经的太溪穴、复溜穴，如此配合起来效果才最好。

·治嗓子红肿、咽喉肿痛、牙痛、眼睛发红等上火之症：揉丘墟穴

丘墟穴在外踝骨的前缘，它是胆经的原穴。

丘墟穴专门治疗各种上火之症，也就是西医所说的发炎症状，比如嗓子发炎、咽喉肿痛、牙痛发炎、眼睛红肿发炎等病，都是一个意思。在足底反射区，丘墟穴相当于上身淋巴反射点。如果是头痛和乳房痛的炎症，跟它就更有关系了。

以上这些穴位都掌握了，基本上胆经的功能就可以熟练运用了。

4. 胆经健康大课堂

> 荨麻疹按中医说跟风有关系，所以要多揉胆经上的风市、风池，然后再多揉揉肝经的太冲穴。

问：

我闺女有这么个皮炎病，医院诊断是淋巴组织增生。她皮肤老是特别干，痰还多，带血，颈部和腋窝都有淋巴结节，怎么办？

中里巴人答：

淋巴结节与胆经和肝经有关。平常一定要多揉消气穴——太冲穴，另外胆经上哪个穴位敏感就多揉哪个，而且胆经的原穴——丘墟穴一定要多揉。

问：

荨麻疹按摩哪个穴位比较好？

中里巴人答：

荨麻疹按中医说跟风有关系，所以要多揉胆经上的风市、风池，然后再多揉揉肝经的太冲穴。

问：

我的胳膊往后别不过去，是不是肩井这儿受风了，或者是肌肉拉伤？

中里巴人答：

有很多条经都是通到肩膀上的。肩膀上本身就有6条经，如果这块儿疼，您看到底压在哪条经上，自己去找，或者让别人帮您看着点，到底痛点是在哪条经上。找到后，反复揉捏也行、刮痧也行，把淤血散掉，这个病就好了。

第十章

肝经大药房——
保命的万灵丹

　　肝经上的穴位，有的可以一带而过，了解一下名称即可，有的则需要每天反反复复地揣摩、深思。因为，有的穴位会像您最亲的人一样，不离不弃地伴随您一生。

肝经的穴位比较少，就14个，有很多还根本不好找。其实，我们日常生活中也没必要用那么多，一般能使用其中四五个，就对身体非常有好处了。

肝经一般不太容易找准确，这里有一个很好的办法，就是做个劈叉动作，用4个手指去摸大腿根，有一根硬筋，顺着硬筋往下走就是肝经了。

肝经上的穴位，有的可以一带而过，了解一下名称即可，有的则需要每天反反复复地揣摩、深思。因为，有的穴位会像您最亲的人一样，不离不弃地伴随您一生。

1. 心火无烟日日烧，足下清静方为道——品味脚上的肝经大药

中医讲百病从气生，气从哪儿生呢？从肝那儿。气大伤肝。所以您平时一定要少生气，一气病就挡不住来了。

·治崩漏、月经过多等出血症：艾灸大敦穴

大敦穴是肝经的第一个穴位，它在大脚趾内侧的趾甲缝旁边。"敦"是厚的意思，"大敦"就是特别厚。大敦穴又是一个井穴，"井"是源头的意思。

中医讲肝藏血，所以肝经上的大敦穴能治疗出血症，且主要是下焦出血，像崩漏、月经过多等。处理大敦穴时，经常使用的方法是艾灸。

大敦穴旁边有个隐白穴，属于脾经，也是止血的要穴，它们俩通常配合使用，止血的效果最好。火气比较旺的人，可多灸灸大敦；身体比较虚寒的人，可多灸灸隐白穴。灸的时候，先拿指节或指甲掐一下，哪个穴特别敏感就先灸哪个，如果两个都比较敏感就一块灸。

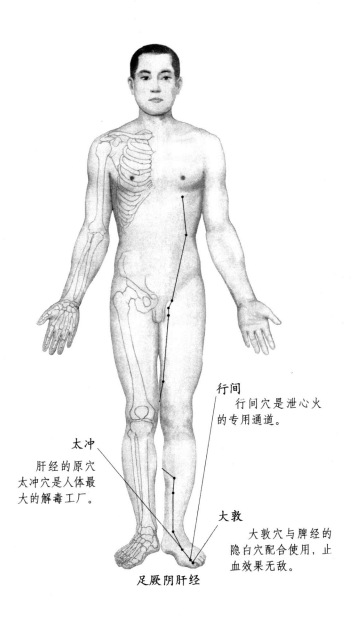

行间
行间穴是泄心火的专用通道。

太冲
肝经的原穴太冲穴是人体最大的解毒工厂。

大敦
大敦穴与脾经的隐白穴配合使用，止血效果无敌。

足厥阴肝经

肝经穴位不多，但各个都身怀绝技，能一招致疾病于不归之地。

· 出现牙痛、腮帮子肿、口腔溃疡、鼻出血、舌尖长泡等心火旺的症状：揉行间穴

行间穴在大脚趾和二脚趾缝上。它是一个火穴，肝属木，木生火，如果有人肝火太旺，就泻其心火，这叫"实则泻其子"。行间穴就是一个泻心火的穴位。如果您经常两肋胀痛、嘴苦，那是肝火旺；而像牙痛、腮帮子肿、口腔溃疡、鼻出血，尤其是舌尖长泡，就是心火盛，这时火已经不在肝上，多揉行间穴就可以消火。

憋在里面的火，由肝经管；已经发出来的火，则归心经管。大家一定要记住这个。

有的人一上火就鼻出血，等于是把火从鼻子里发出去了。但鼻出血也挺吓人的，虽然通过流鼻血保护了身体其他重要的脏器免受损害，但这不是一个正常的通口。这时候就要多揉行间穴，把心火从这里散出去。

· 排毒：揉太冲穴

太冲穴在大脚趾缝往脚背上4厘米处，堪称人体第一大要穴。很多人都认为足三里穴重要，其实它只是一个保健的大穴。您在什么情况下才能保健呢？得先把体内的浊气、脏东西排出去以后，才能把好东西补进来，如果上来就补是补不进去的。谁是排除体内浊物的最大穴？就是太冲。它为什么有此功能？因为肝是人体的解毒工厂，要把体内的毒排干净，想要血清洁，就得把这个解毒工厂建设好，而肝的原穴是太冲穴，是能从源头上解决这个问题的。

中医讲百病从气生，气从哪儿生呢？从肝那儿。气大伤肝，所以您平时一定要少生气，一气病就挡不住了。

有时候您不能光解决这个表面的生理症状，真正的病根还在心里结着呢。百病从心生，要想去掉心病，就得去掉肝火，就得增强肝的解毒功能。肝的解毒功能一旦增强了，血液就清洁了，您就不会得高血脂等病了。

好多慢性病都出在肝上，只有把肝这个解毒工厂建设好、经营好，人才不会得病。

有的人经常头晕，有气无力，心有余而力不足，到医院一查，说是心脏供血不足，但做心电图也没什么事，这其实是肝的功能弱了，肝给心脏补充的气血不足了。中医讲木生火，而肝属木、心属火，木不足火也就不足。当您要补肝，而肝又不受补，一补它就上火时，则说明肝需要调理，调理就是补。肝应该怎么调理呢？别生气就行了。但现实生活中谁能保证不生气？既然生气避免不了，就要想办法消气，气刚一生出来，赶紧找个通道消出去。

这时，就该找自身的消气大穴——太冲穴。当您晚上看电视的时候，把脚抱在怀里，就可以揉太冲穴，一揉气就化于无形之中了。本来有个烦心事，要是以前早跟家人嚷嚷起来了，可是您一揉太冲穴后，突然发现自己的脾气怎么那么好了？甚至有的时候别人存心气您，您都一笑了之。久揉太冲穴后，您会发现自己的心态变得十分平和，看问题和解决问题都跟以前大不相同了。

好多人不会揉太冲穴，有的人皮都掐破了，一掐破气更大，把气都撒自己身上了。这就是您的方法不对，您拿指甲掐、搓，肯定会弄破皮。正确的方法是首先把指甲剪平，然后掐进去，仔细找一找最痛的点，把它转移到行间上去，因为行间是散心火的，一旦火散到行间就基本上发出去了。需要注意的是，揉的时候要从太冲穴揉到行间，可千万别揉反了。

我们一定要抛开一个传统的观念，就是有人总是说："这个穴位治的什么病？是不是治头疼？是不是治高血压？如果治高血压我才揉，不治不揉，跟我没关系。"那么我要告诉您，您要是老这么学，一辈子都学不会，而且越学越多、越学越糊涂。要治病，您得知道病源是什么，既然百病从气生，也肯定从气消，您把气消了，什么头痛、胃痛、高血压也就全都消了。

2. 健康有路穴为径——品味腿上的肝经大药

> 既然能沟通肝肾,曲泉穴就能治肝肾阴虚,相当于杞菊地黄丸。曲泉穴又是祛湿热的要穴,相当于二妙丸。所以揉曲泉穴相当于吃了两味中药,既能滋阴又能祛湿。而现成的中成药里面没有一味药能同时滋阴又祛湿,曲泉穴能一穴两用,功莫大焉。

• 治慢性肝病、肝功能弱等肝病和月经不调:揉三阴交穴

三阴交穴是脾经的穴,但是肝经也从这儿通过。为什么叫"三阴交"呢?因为3条阴经都从这儿通过。所以三阴交穴虽然是脾经的穴位,它也治如慢性肝炎、肝功能弱等肝病。另外,月经不调也可以揉三阴交穴。

• 治瘙痒、痛经,调和肝胆上的病:揉蠡沟穴

蠡沟穴正好在骨头上,在骨头的正面上,揉到骨头就揉对了。"蠡"在古代是瓢虫的意思,"蠡沟"就是有个虫子老在这儿爬。

蠡沟穴是治疗瘙痒病的,凡是阴囊湿疹、阴道瘙痒等湿热病,多揉蠡沟穴特别好。月经有问题的女性,蠡沟穴肯定很痛,平常就要多揉揉,把痛点揉散,例假再来的时候就不会痛了。

络穴是专治慢性病的,蠡沟穴是肝经的络穴,跟胆经相络,所以它不但能治肝经的慢性病,还可以治胆经上的慢性疾病,专门调和肝胆。

• 治急性肋骨痛、急性肝区痛、急性眼睛胀痛:按揉中都穴

郄穴是专治急性病的,中都穴是郄穴,像急性肋骨痛、急性肝区痛、急性眼睛胀痛,一揉中都穴就好。

• 治肝肾阴虚,祛湿热:揉曲泉穴(杞菊地黄丸与二妙丸的综合体)

"曲"在这里代表肝的意思。有句话叫木曰曲直,说的就是肝。而木的本性是什么?是曲直,就是能直能弯。要是光能直不能弯,这个木头就会折;

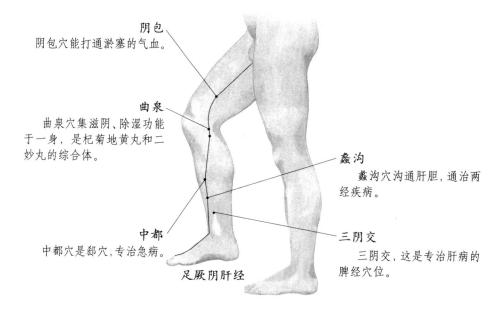

阴包

阴包穴能打通淤塞的气血。

曲泉

曲泉穴集滋阴、除湿功能于一身，是杞菊地黄丸和二妙丸的综合体。

蠡沟

蠡沟穴沟通肝胆，通治两经疾病。

中都

中都穴是郄穴，专治急病。

三阴交

三阴交，这是专治肝病的脾经穴位。

足厥阴肝经

足厥阴肝经在腿部的大药。

要是光能弯不能直，这个木头就没劲。肝的习性就像木头的习性一样，是曲直，有曲的习性也有直的习性。想想看，如果光硬不软，有的人就会肝硬化；要是光软不硬，有的人就会一点脾气没有，缺乏阳刚之气。所以，木曰曲直就直接把肝的习性说出来了。"泉"是指水，肾主水，水代表肾。因此，曲泉穴是沟通肝肾的要穴。

既然能沟通肝肾，曲泉穴就能治肝肾阴虚，相当于杞菊地黄丸。曲泉穴又是祛湿热的要穴，相当于二妙丸。所以揉曲泉穴相当于吃了两味中药，既能滋阴又能祛湿。而现成的中成药里面没有一味药能同时滋阴又祛湿，曲泉穴能一穴两用，功莫大焉。

·疏通淤塞气血：揉阴包穴

阴包穴是肝经的一个要穴。有好多人揉了很长时间太冲穴没什么感觉，是什么原因呢？是气血在阴包穴堵住了，没到下面去。所以先要把阴包穴揉开，气血才能抵达太冲穴。

3. 为有源头活水来——品味躯干上的肝经大药

> 当您不知道五脏该如何调节的时候，就先揉章门穴调节肝脏。把肝脏调节顺了，五脏的功能就都增强了。

·总调五脏六腑：**揉章门穴**

"章"是指贵重的材料，而人体的贵重材料就是五脏。"章门"是脏之会，五脏的气血在肝经章门穴会聚，所以一揉章门穴，五脏的功能都能得到调节。

当您不知道五脏该如何调节的时候，就先揉章门穴调节肝脏。把肝脏调节顺了，五脏的功能就都增强了。

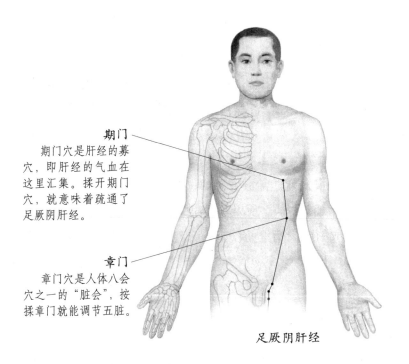

期门
期门穴是肝经的募穴，即肝经的气血在这里汇集。揉开期门穴，就意味着疏通了足厥阴肝经。

章门
章门穴是人体八会穴之一的"脏会"，按揉章门就能调节五脏。

足厥阴肝经

章门穴和期门穴都是肝经上不可多得的大药。

·心里不舒服、郁闷：揉期门穴

期门穴在乳头之下的位置。如果不好找，可以拿掌根一揉，把痛点给揉出来。如果您心里老是不舒服、郁闷，揉期门穴很快就会好。

4. 肝经健康大课堂

穴位是具有自动调节功能的，它疲劳了或者暂时功能不那么强了，就刺激它一下，一旦它的功能被调动起来，就没必要反复地刺激它。您可以休息几天，做做别的运动。

问：

我自从推腹、敲胆经、按摩脾经以后至今3个多月，收效很大。但我现在太冲穴按着一点儿也不疼，是不是还可以继续按？另外，敲了长时间的胆经，现在没有感觉，这是怎么回事？

中里巴人答：

穴位是具有自动调节功能的，它疲劳了或者暂时功能不那么强了，就刺激它一下，一旦它的功能被调动起来，就没必要反复地刺激它。您可以休息几天，做做别的运动。

问：

我去年体检，好像医生说我曾患过脑梗塞，但我本身没有感觉，他就说跟肺结核一样钙化了。我不知道从经络上怎么来保养？

中里巴人答：

第一，用手多梳头，改善脑的循环；第二，多揉心包经，它是管心血管的；第三，多揉太冲穴，从根源上不让它产生堵塞。

问：

我腹腔的左侧有个主动脉血管瘤，能不能通过经络来解决？

中里巴人答：

这个能不能真正解决，要看人的体质。但是可以找相对应的经络，看这个瘤是压在什么经络位置上。如果有痛点在脾经上，就揉脾经上的这个穴位；如果在肝经上，就揉肝经上的穴位。总之，可以先从腿上的远端调节它，对它反正是有好处的。

第十一章

心包经大药房——
救人性命，胜造七级浮屠

当人体气郁的时候，郁结的闷气、火气就会从肝、胆两经夺路而上，窜到心包经上来。因为"百病由气生"，所以，把侵入到心包经上的浊气消掉了，也就消灭了百病。

在《求医不如求己》里，我说心包经是可以用来救命的，它跟生命息息相关。为什么在这里我还要再一次强调它对人体的重要性呢？我先讲讲自己的亲身经历：

2007～2008年的一年之间，我的两个高中同学相继在夜间突发心肌梗死去世了，一个38岁，一个39岁。每次参加葬礼的时候，我除了万分悲伤，心里同时也觉得非常的不甘和遗憾。第二次葬礼后，同学让我抽时间讲讲怎么才能预防心梗，因为这个病事先可能没什么征兆，都是在夜里两三点钟突发，人一下就过去了，早上才被发现，根本来不及抢救。这个问题非常严重，都是因为心包经严重堵塞造成的，所以我觉得有必要在这里再给大家讲一讲。

其实，很多问题看似很严重，但在最早期的时候，如果及时预防是很容易解决的，并不是很难。尤其是心包经非常好找，也非常好按摩。只要您每天抽出几分钟时间揉一揉、敲一敲、按一按，心梗这种危险就可以及时避免。尤其是35岁以上的男士，工作压力很大，责任很重，一定要特别注意保护好自己的心包经。

心包经循着胳膊的中线而行，也就是中指对应的这条线，笔直的一条，是从乳房旁到中指间的一个走向。

1. 应无所住而生其心——品味小臂以上的心包经大药

> 天池穴非常重要，它跟肝经、胆经等许多经相通。当人体气郁的时候，郁结的闷气、火气就会从肝、胆两经夺路而上，窜到心包经上来。

·治乳腺增生、乳腺炎等乳腺系统疾病和淋巴结核：按揉天池穴

天池穴在乳头旁1寸处。男士一找就能找到；女士先找腋下3寸处，对着乳房旁边的位置即是。

天池穴非常重要，它跟肝经、胆经等许多经相通。当人体气郁的时候，

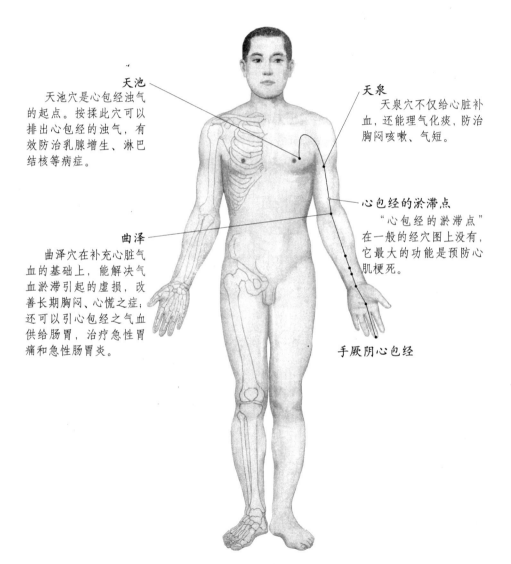

天池

天池穴是心包经浊气的起点。按揉此穴可以排出心包经的浊气，有效防治乳腺增生、淋巴结核等病症。

曲泽

曲泽穴在补充心脏气血的基础上，能解决气血淤滞引起的虚损，改善长期胸闷、心慌之症；还可以引心包经之气血供给肠胃，治疗急性胃痛和急性肠胃炎。

天泉

天泉穴不仅给心脏补血，还能理气化痰，防治胸闷咳嗽、气短。

心包经的淤滞点

"心包经的淤滞点"在一般的经穴图上没有，它最大的功能是预防心肌梗死。

手厥阴心包经

心包经可以调节心脏功能，堪称心脏的保护神。平时坚持敲打心包经，保持它的通畅，相当于为生命上了双重保险。

郁结的闷气、火气就会从肝、胆两经夺路而上，窜到心包经上来。

肝经和心包经其实是一条经，都属于厥阴经，在腿上为肝经，在胳膊上就是心包经。如果肝经有淤血，心包经就阻塞不通了。所以心包经有阻塞，都跟肝经淤阻有关。天池穴就是心包经和肝经交接的点，所以非常重要。

天池穴这个点最容易淤阻。现在好多人有乳腺增生、乳腺炎等乳腺系统疾病，都是首先在这里有淤阻。因为"百病由气生"，所以，把侵入到心包经上的浊气消掉也就消灭了百病。

我建议女士们平时一定要坚持每天用掌跟转着揉它，顺着它捋，可以很好地防治乳腺增生。

天池穴还能治一种中医叫"瘰疬"的病，因为它是心包经、肝经的连接点，肝里的浊气在这里行不通，就会形成血淤痰结。所以，打通天池穴，实为防治淋巴结核的治本之法。

·治胸闷气短、咳嗽和理气化痰：多揉天泉穴

天泉穴是心包经上的第二个穴位。胳膊上有一块肌肉叫肱二头肌，天泉穴正好在肱二头肌的正上面2寸处。

有好多人长期感到胸闷气短，到医院一查说是心脏供血不足，这时每天就要坚持揉天泉穴。

天泉穴专门治疗那种声音很重浊、觉得是从胸里面憋出来的胸闷咳嗽。

总之，天泉穴不仅有给心脏补血之效，还具备理气化痰通经络之功。

·治经常胸闷、早期心梗、心绞痛：按心包经的淤滞点

"心包经的阻滞点"是心包经上特别重要的一个穴位，但经络穴位图上面没有，这个名字是我给它起的。它在天泉穴下面靠近曲泽穴1/3的位置，如果把天泉穴和曲泽穴之间分成3份，它在下1/3处。

这个阻滞点有什么用呢？如果您经常晚上胸闷，有点儿早期的心梗或心绞痛、冠心病，按这个阻滞点就会非常痛。这时，一定要把这个阻滞点揉开揉散，要经常揉。让心包经保持通畅，您就根本不用担心得什么心梗。

选心包经时，我们通常选择左臂，因为左边离心脏近。另外，每个人的阻滞点略有差别，有人稍微往上1厘米，有人稍微往下1厘米。还有的人甚至整条经都很痛，那就要多揉，不需要特别使劲。揉两天以后，有淤阻的地方会揉出一个大青包。这是堵在里面的淤血被揉出来了。

还有一种人，医院诊断结果都确定了是心脏有问题，但是他哪儿都不疼，这说明气血堵得很严重。这时，每天一定要从天池穴赶紧推，一直推到淤阻点，每天坚持，当有反应的时候，就证明病情缓解了。怕就怕里面很堵而没有感觉，那问题就很严重了。我们平时一定要经常用手检查这块位置，及早发现问题并进行推揉。如果觉得这块轻轻一碰就非常痛，您可以用另一种方法，就是拿刮痧板轻轻刮。堵得厉害的人，不用使劲，一刮就会出痧。如果您使劲刮都不出痧，就说明不能刮痧。

·治长期堵闷、急性胃痛、急性胃肠炎：按揉曲泽穴

"泽"是灌溉的意思，也就是给心脏以补养。曲泽是心包经的合穴，合至内府，能很好地调节心包经的整个脏器，心脏有损伤，它也能帮助修复。

如果一揉曲泽穴就很痛，那就证明心包经相对来讲还比较通畅。有很多人揉到曲泽穴已经不痛了，但淤滞点还比较痛，说明都在淤滞点这块儿淤着呢。这时候一定要把淤滞点打通，打通以后曲泽穴就开始通了。

心脏供血不足，也叫心血虚，通常有两种情况，一种是肝气郁结，造成气血堵在半路上，过不来，这叫因淤而虚；还有一种就是心脏本身功能虚弱。曲泽穴对这两种情况都适用。

曲泽穴还可以治疗急性胃痛和急性肠胃炎，一揉就会见效。

2. 若要了时当下了——品味肘部以下的心包经大药

> 心脏在中医里叫作君主之官，它有好多使臣，就是包括间使穴在内的经络穴位。间使穴就是正好能通心窍的一个使臣。

·治急性乳腺炎、急性心绞痛：按揉郄门穴

郄门穴比较深，在腕横纹上 5 寸处，一般人通常揉不到这个穴。您可以在用右手拇指点揉左侧穴位的同时顺时针转左手腕，一转这个穴位就揉出来了。

郄门穴是心包经的郄穴。因为郄穴都是治急性病的，而心包经又通着乳腺、乳房旁边，所以郄门穴能治疗急性乳腺炎。

当急性心绞痛发作时，除了吃药，要赶紧去揉左手的郄门穴。如果您有冠心病，也应该坚持每天按揉。

有人问："我拿手拍打行不行？"当然，拍也是一种方法。大家都知道刮痧，其实拍打就是"拍痧"，揪打就是"揪痧"。只要出痧，哪种方法都无所谓。

我一个朋友的亲戚，有 20 年心律不齐的问题，心里经常发慌。他每天就是点揉心包经，但他说根本找不准这个穴位，就是"瞎点"。他对我说："离穴不离经嘛，只要在中间我就点，痛点还挺多的。揉着揉着，别的地方都不疼了，就小臂这块儿有一个痛点。"后来，他找了一个火罐自己拔上了，没多长时间，就出来了非常黑紫的血印，拔了一次以后，心律不齐的问题就一直没犯。我通过这个事例很受启发，事实上，很多病的病根就是因为淤血淤住了，才会造成不通，您把结点找到，把症结去掉就行了，这才是最关键的。像我这位朋友的亲戚，他就是每天很随意地敲，然后找到最痛的点一拔火罐，问题就解决了，就这么简单。

·治老年痴呆、失眠、健忘、神志不清：按揉间使穴

"使"是使臣的意思，"间使"是用一个通道传递的意思。心脏在中医里

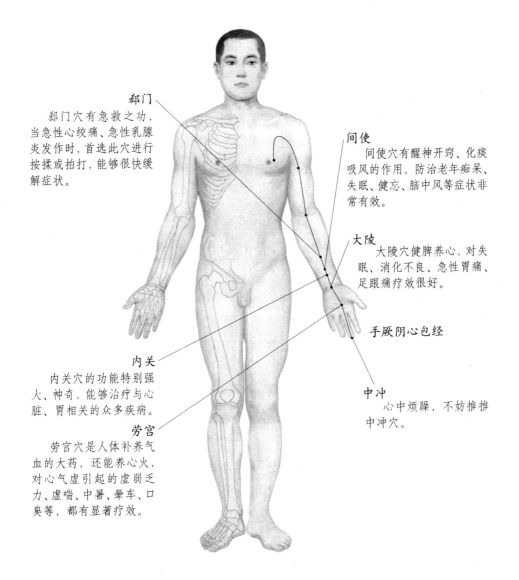

郄门

郄门穴有急救之功，当急性心绞痛、急性乳腺炎发作时，首选此穴进行按揉或拍打，能够很快缓解症状。

间使

间使穴有醒神开窍、化痰吸风的作用，防治老年痴呆、失眠、健忘、脑中风等症状非常有效。

大陵

大陵穴健脾养心，对失眠、消化不良、急性胃痛、足跟痛疗效很好。

手厥阴心包经

中冲

心中烦躁，不妨揉揉中冲穴。

内关

内关穴的功能特别强大、神奇，能够治疗与心脏、胃相关的众多疾病。

劳宫

劳宫穴是人体补养气血的大药，还能养心火，对心气虚引起的虚弱乏力、虚喘、中暑、晕车、口臭等，都有显著疗效。

手厥阴心包经主治的疾病大多与心脏、神志有关。

叫作君主之官，它有好多使臣，就是包括间使穴在内的经络穴位，间使穴就是正好能通心窍的一个使臣。如果间使穴跟心脏不相通了，就会产生老年痴呆、失眠、健忘、整天混混沌沌、糊里糊涂、脑中风、神志不清的症状。中医称此病叫痰迷心窍，就是痰把心窍堵住了。

间使穴能通心窍、化痰通淤。过去老年人预防脑梗塞、中风，有时候吃一点牛黄清心丸，间使穴就类似这种作用，可以醒神开窍、化痰吸风。

·治与脏腑相关的病：掐按内关穴

内关穴的功效非常强大，凡是跟脏腑有关的病，都可以通过内关穴来解决。它常用的功效有15个：治心源性哮喘、治打嗝、治胃痛、治呕吐、治恶心、治胁痛（肋骨痛）、双向调节血压（高血压降低，低血压升高）、治冠心病、心绞痛、心律不齐（这3种病其实是一个，只不过表现出不同的症状）、治失眠、治抑郁症、治偏头痛、治药物过敏（主要是肠胃不舒服的过敏）、治痛经、治胸口痛、治晕车。

总体来说，内关穴的功效就是心、胃、胸全管。但内关穴不是一个补穴，只是通的效果比较好，有阻滞、觉得不舒服堵了的时候，可以揉内关穴。如果您比较虚弱，没精打采，就别揉内关穴，因为它是用您的气血来通的，一通就要耗费气血。

·治失眠、消化不良、急性胃痛、足跟痛：按揉大陵穴

大陵穴治疗失眠效果最佳，还可治吃完饭不消化。因为大陵穴是心包经的原穴，穴性属土，所以有健脾功效。如果脾虚，它就可以从心包经、从心脏接点儿血过来，帮助运化，有点儿相当于胃动力药——玛丁琳。该穴还可以治疗急性胃痛以及足跟疼痛。

·治上楼气喘、中暑、晕车、口臭：按揉劳宫穴

劳宫穴在手的正中心，是人劳累以后去休息的宫殿。它是真正能养气血的大补穴，当您感到虚弱的时候，通常都想吃点儿好的或者补点儿营养品，

揉劳宫穴当时就能补上。爬楼梯、爬山时半截喘上了，这不是哮喘，一般是心脏供血不足，是虚喘，这时揉1分钟劳宫穴就能见效。

劳宫穴可以治疗口臭。实际上很多人口臭不是肠胃和牙龈的原因，而是心血管的问题，它的气味是腥味，表明里面有淤血。这种情况一定要多揉劳宫穴。

劳宫穴是心包经上的火穴，就是老给您生着火，给您补足能量。中暑、晕车时，赶紧揉劳宫穴就会有效果。

· 开窍醒神、祛热清火：推中冲穴

中冲穴在中指指尖上，是专门用来开窍醒神的。它属于井穴，通常到医院针灸科看热病的时候，医生都会在此处点刺放血，祛热清火。

当您心烦有火，或者家里小孩心里有火了，就从中指的指根往指尖上推，这是祛心火的。如果您心急火燎地坐不住时，马上推这里，一会儿就能安静下来。

3. 心包经健康大课堂

> 安上心脏起搏器的病人，在按摩心包经的时候不要重刺激，轻轻地揉，舒服就行了。

问：

我有阵发性眩晕，坐车的时候爱出虚汗、打哈欠，怎么办？

中里巴人答：

这证明您腹中有一些浊气堵塞住了。在平时一定要多做推腹，把浊气散掉。在坐车的时候要多揉劳宫穴。

问：

我丈夫心律不齐，给他安上起搏器了。像他这种情况，按摩心包经上那些穴位的时候，需要注意什么？

中里巴人答：

在按摩心包经的时候不要重刺激，轻轻地揉，舒服就行了。

问：

我每天早上起来以后心慌，同时伴有浑身的大汗淋淋，怎么办？

中里巴人答：

这跟心脏有关系。您每天睡觉前揉一揉肾经上的复溜穴，它是专门调节汗液分泌的。然后再揉一揉心包经上的劳宫穴、内关穴。还有，汗为心之液，所以还要揉心经上的少海穴，这样对您解决出汗的问题是很有帮助的。

问：

有一次我受了点儿凉，中了点儿小风，胳膊就肿痛，抬不起来。揉什么穴好呢？

中里巴人答：

心包经上的天池穴、天泉穴都是治四肢不举的。

问：

请问在心经和心包经刮痧的走向是由上往下吗？

中里巴人答：

对。甭管是心经、心包经、大肠经、小肠经，刮痧都是从上往下顺着刮。

第十二章

三焦经大药房——
让我们的内分泌永不失调

　　三焦经是人体上一个最大的腑，主一身之气，说白了就是调气的一个大通道。好好调一下三焦经，气调顺了，身体就能正常地运行了。

按照《黄帝内经》所说，三焦经是主一身之气的。百病从气生，从另一个角度来说，三焦经就是一个出气筒，当人之邪气从三焦经上泄走后，人就不会生病了，怕就怕这个出气筒堵住，问题就全来了。

这个三焦经，我要给它翻译过来，否则大家不好理解。"三焦"到底是什么东西？中医把它当做六腑之一，"腑"就是容器腔。胃是一个容器腔，肠也是一个腔，三焦就是把五脏六腑都包括在里面的大腔。

因此，三焦经是人体上一个最大的腑，主一身之气，说白了就是调气的一个大通道。

现在西医所说的内分泌系统就相当于三焦经。有人经常说自己内分泌失调，但到底哪里失调，去医院查不出来，自己更说不清楚，吃药也不管用。这个时候，如果能调节一下三焦经就会有效果。

像更年期综合征，就是由长期的气郁不疏造成的。心里有郁结之气，三焦经这个出气筒又堵住了，气发不出去，就会产生各种症状。

还有好多慢性病，也说不出到底哪里有问题。长期不愈的症状很多，这时好好调一下三焦经，气调顺了，身体就能正常地运行了。

三焦经就这么简单，但也非常重要，为什么呢？生活在这个压力颇大的社会当中，每个人每天都可能要生好多气，那就得及时消掉才行。有好多女士有痛经、月经不调、闭经的毛病，都跟气郁有关，用三焦经来调最好。

三焦经是从无名指外侧1毫米处的关冲穴开始，顺着手背、胳膊背部上到头，顺着耳朵转大半圈，到眉毛旁边的丝竹空穴。经络图左边标号为6的那个位置就是丝竹空。

1. 器量宽宏万物容——品味手上的三焦经大药

> 阳池穴是三焦经上的要穴。"阳池"就是蓄积人体阳气的池子。一揉阳池穴，身上的阳气就被激发出来，体内的阳气也会运转起来。

·治心里堵得慌、晕车、咽喉痛、急性咽喉炎：揉关冲穴

关冲穴是三焦经上的第一个穴位。这个穴特别小，要拿指甲掐或用指节硌才能有效果。它是三焦经这个出气筒放气的地方。心里堵闷，就应多揉揉关冲穴，把心中的气给放出去。尤其是心烦意乱但又说不出是哪儿难受的时候，更应该揉揉关冲穴，把里面的气散走。

其实，人体里有好多难受的地方，最主要的是常爱淤集浊气的肠胃。所以咱们一直强调要经常推腹，推完腹后打几个嗝、放几个屁，气血马上就通畅了。气血一通，病就不可能待在身体里了。

关冲穴可以治疗晕车。晕车的时候揉关冲穴，通常很管用。晕车是因为肚子里有浊气上来，但只要打几个嗝，晕车马上就好。这就是浊气堵在那儿让您恶心的原因。关冲穴是排气口，刺激它就能帮助把浊气散一散，虽然散得不是特别多，但散一点儿就会舒服一点儿。接着您再揉揉劳宫穴，晕车就差不多好了。

关冲穴还能治疗咽喉痛、急性咽喉炎。这类病跟气郁有很大关系。生了好多气，气散不出去就会发炎。关冲穴既然能排气，就能去火，因为气有余就是火，当然这个气指的是浊气。

·治眼干、嘴干、咽喉痛、嗓子干、身体发热、疲劳：揉液门穴

液门穴在无名指与小指缝间，顶着无名指的骨头，推压时比较痛。"液门"，顾名思义就是液体之门。

液门穴的功效非常多：第一，它可以治人体的干燥症，比如眼睛老干涩、嘴老干、咽唾沫都没有，这时揉液门穴就能把液体之门打开；第二，它

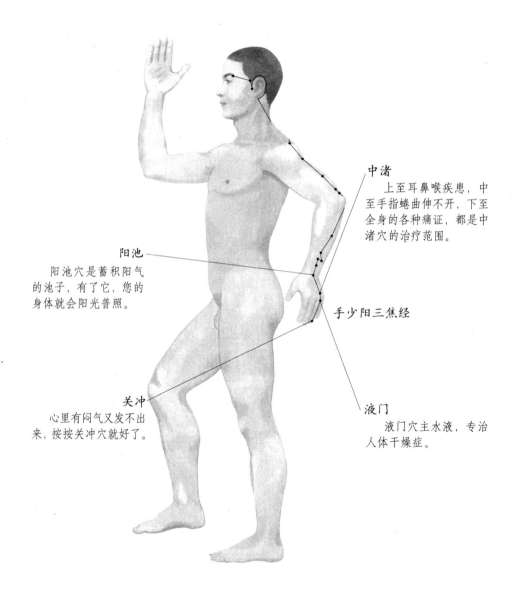

中渚
　　上至耳鼻喉疾患，中至手指蜷曲伸不开，下至全身的各种痛证，都是中渚穴的治疗范围。

阳池
　　阳池穴是蓄积阳气的池子，有了它，您的身体就会阳光普照。

手少阳三焦经

关冲
　　心里有闷气又发不出来，按按关冲穴就好了。

液门
　　液门穴主水液，专治人体干燥症。

经常按揉三焦经，把体内邪气驱赶出去，身体自然百病不生。

可以解除热性感冒的症状，像咽喉肿痛、嗓子干想喝水、身体老发热，揉液门穴都很管用。这跟它所在的这条三焦经的性质有关，三焦经是排气的，人气多了会上火，风寒再一来就压抑住，火散不出去，就会在里面产生炎症，液门穴就是散火的。第三，它是一个帮助我们恢复体力的穴位，比如您劳累了，白天眼皮老爱沉，腿也酸，浑身感到没劲，这时候您揉揉液门穴，精神马上就好了。

·治眼疾、急性扁桃体炎、咽喉痛、耳痛、中耳炎、上火引起的突发性耳聋、耳鸣等耳鼻喉症状，肩膀痛、腰后面脊椎痛、膝盖痛、肩周炎、头痛、耳痛、牙痛、胃疼等痛症，手指蜷曲不能伸开：揉中渚穴

中渚穴在液门下1寸处。按这个穴时一定要把指甲剪平。如果找不准没关系，您就把骨缝这一溜都揉了，哪个地方最痛，就把哪个地方当成中渚穴。

揉中渚穴有个技巧：先掐进去，然后挫着揉，让它发麻，一麻就通了。

此穴可以治眼疾，如眼睛痛、胀、酸涩和急性结膜炎。

急性扁桃体炎、咽喉痛、耳痛、中耳炎、着急上火引起的突发性耳聋、耳里轰轰响的耳鸣等症状，揉中渚穴也会特别管用，因为它是祛火的。

中渚穴是治疗诸多痛证的要穴。痛证的含义非常广，比如肩膀痛、腰后面脊椎痛、膝盖痛、肩周炎、头痛、耳痛、牙痛、胃痛，中渚穴统统都管。

有的人手老是攥着、不能伸开，有点儿像脑血栓的后遗症，这就要经常掐中渚穴，一掐手就张开了。除了掐这个穴位，还要掐十指指缝。这几个缝叫八邪，就是有邪气进去了，所以手才攥住张不开。另外，掐的时候不能生扳手指，否则手指马上就会产生抗力。

·激发身体阳气：揉阳池穴

阳池穴是三焦经上的要穴。"阳池"就是蓄积人体阳气的池子。一揉阳池穴，身上的阳气就被激发出来，体内的阳气也会运转起来。

有时候人体的阳气运转不起来，那是因为肚子里有浊气，浊气妨碍阳气的运转。有人说想让气血流通加快，那您得先把浊气排掉才行。"浊气不去，

新血不生"，记住这句话。排浊气就要多推腹，或者多揉中脘穴。其实推腹时就把中脘穴顺便也推了，而且还推了肚子上的其他穴位。有的人肚子那里老虚寒，您就拿艾条灸，每天灸中脘穴，同时揉阳池穴，这样身体里的浊气才能散，正气才能进去，气血才能运化起来。

另外，如果觉得还有精力，就再去灸气海穴，这样人体的上下气就全通畅了。当您吃东西不消化，那么在吃饭之前您可以先揪揪阳池穴，吃饭马上就香了。这个方法大家一定要记住，先揉阳池穴激活阳气，然后灸中脘穴、推腹，把浊气排出去。

2. 量大自然增福祉——品味手臂上的三焦经大药

> 揉穴位时一定要跟经络结合在一起，必须让经先通了，穴才能通，就像灯泡要亮，必须整个电线都有电才行，电线没电，无论如何灯泡也不会亮。

·打通胆经、缓解坐骨神经痛、腰痛、肋骨痛、肩膀痛、头痛、落枕：揉外关穴

外关穴在腕横纹上2寸处。凡是病症堵塞在经络上不通，像腿上的胆经不通、坐骨神经痛、腰痛、肋骨痛、肩膀痛等循经走的病，都可以揉外关穴，它的作用就像一个总闸一样。

外关穴是治疗偏头痛的要穴。经常有偏头痛的人，您会发觉痛点基本上都在耳朵上面一点儿，而且这块儿的筋全拧在一起了，这时，您先拿大拇指找到痛点，然后边揉边推，先把里面的筋给推开，再赶紧揉外关穴，头痛马上就能缓解。揉这个穴位时一定要跟三焦经结合在一起，必须让经先通了，穴才能通，就像灯泡要亮，必须整个电线都有电才行。电线没电，无论如何灯泡也不会亮。

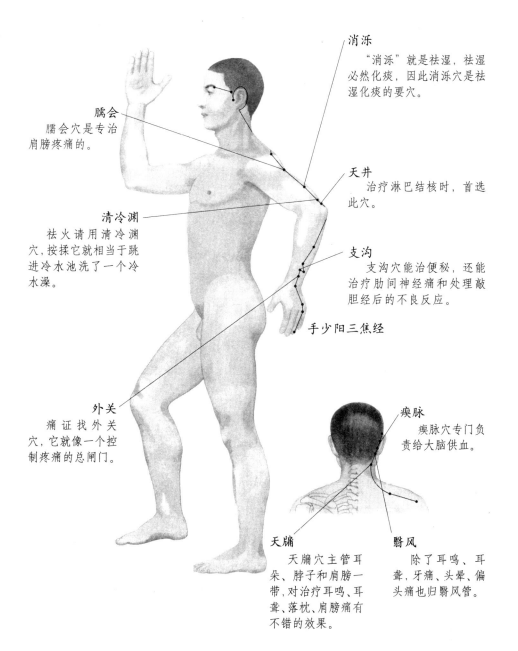

消泺

　　"消泺"就是祛湿，祛湿必然化痰，因此消泺穴是祛湿化痰的要穴。

臑会

　　臑会穴是专治肩膀疼痛的。

天井

　　治疗淋巴结核时，首选此穴。

清冷渊

　　祛火请用清冷渊穴，按揉它就相当于跳进冷水池洗了一个冷水澡。

支沟

　　支沟穴能治便秘，还能治疗肋间神经痛和处理敲胆经后的不良反应。

手少阳三焦经

外关

　　痛证找外关穴，它就像一个控制疼痛的总闸门。

瘈脉

　　瘈脉穴专门负责给大脑供血。

天牖

　　天牖穴主管耳朵、脖子和肩膀一带，对治疗耳鸣、耳聋、落枕、肩膀痛有不错的效果。

翳风

　　除了耳鸣、耳聋、牙痛、头晕、偏头痛也归翳风管。

　　三焦经上的穴位个个都有自己的拿手绝技，经常按揉它们，会让您的健康更上一层楼。

另外，外关穴还能治落枕。

·治便秘、肋间神经痛：揉支沟穴

古人认为支沟穴是治疗便秘的要穴。但现在很多人反馈，说光揉这个穴好像没有什么明显效果，这说明不先打通经络，单用一个穴位效果是不大的。

支沟穴治肋间神经痛特别有效。比如您某处岔气了，上下窜着痛，揉支沟穴的偏上部分马上就好。如果偏下部分痛，那就归胆经的阳陵泉管，而支沟穴不管。实际上，三焦经在腿上叫胆经，在胳膊上叫三焦经，它们是一条经，都管岔气，但各管一半。

有的人一敲胆经头就胀，这是胆经的浊气跑到三焦经上来了，所以还得把三焦经给揉开，才不会有不良反应。

·治淋巴结核：天井穴

在肘尖上1寸处有个窝，就是天井穴。

此穴是治疗淋巴结核的首选要穴。淋巴结核就是中医所说的瘰疬，即脖子、腋窝上长出的好多疙疙瘩瘩的东西，中医管这个叫气结血淤，就是里面有淤血、浊气，搅在一起了。此病跟爱生气有很大关系，如果您是一个爱生气的人，赶紧就找天井穴解决吧。

·治上火而头痛、头胀、发热、心里烦躁：揉清冷渊穴

清冷渊穴在肘尖上2寸处，又叫清冷泉。古人起名字绝对不会瞎起的，为什么叫这个名字呢？顾名思义，这个穴位是祛火的。当您心里着急上火，有气出不去，嗓子也痛、牙也痛、眼睛也痛，眼红目赤的时候，一揉清冷渊火气马上就会降下去，等于是让您跳到"清冷渊"（清冷泉）里面洗澡去了，肯定火就没了。

尤其是您头痛、头胀热、心里烦躁时，揉外关穴不管用，可以揉清冷渊穴和天井穴，效果立竿见影。

·祛湿化痰：揉消泺穴

消泺穴在肘窝往上5寸处。"泺"是浅水的意思，把浅水消掉，人体的湿就去掉了。气郁则生湿、生痰，消泺穴就是祛湿化痰的要穴。

当您生气时，气滞了，血不流动了，体内就会有好多湿气产生，形成水肿，所以刚有一点水时一定要赶紧把它消掉，别让它产生湿气，否则祸害无穷。

·治肩膀痛：揉臑会穴

臑会穴是专门治肩膀痛的要穴。

·治耳聋、耳鸣、肩颈痛、落枕：揉天牖穴

天牖穴在紧挨耳后斜下方1寸处。当您把头往边上一侧，脖子上就会凸起一条大筋，该穴就在大筋的边缘。天牖穴是治耳聋、耳鸣的要穴，还治肩颈痛、落枕，因为这个穴位正好管脖子和肩膀。

对于肩膀痛，如果是小肠经这块儿痛，揉三焦经肯定没用；如果是三焦经这块儿痛，在臑会穴、消泺穴、清冷渊穴、天井穴一揉一捋，痛证会马上缓解。

·治耳聋、耳鸣、牙痛、头晕、偏头痛：揉翳风穴

翳风穴在耳垂遮住的凹陷处。除了管耳聋、耳鸣（因为该穴挨着耳朵最近）以外，牙痛、头晕、偏头痛它也管。

·负责头部供血、预防脑血管疾病：揉瘈脉穴

瘈脉穴在翳风穴的上边，是专给脑袋供血的。当大脑供血充足了，人的神智就会清楚，当然就不会得脑血管病了。

3. 三焦经健康大课堂

> 耳聋、耳鸣与很多经络都有关联，很多脏腑的虚弱也会引起耳聋、耳鸣，所以根据您自身的原因不同，选择的经络也不同。通常我们选择小肠经、心经、三焦经、胆经、肝经、肾经，它们都对耳聋、耳鸣有不同的调节作用。

问：

我的大拇指跟无名指老裂，别的手指都不裂，是什么原因？

中里巴人答：

大拇指是肺经循行之处，如果干裂了，您就要多揉肺经上的穴位；无名指在三焦经上，有毛病就揉三焦经上的穴位，从支沟穴开始，多揉外关穴、中渚穴、液门穴就可以了。

问：

您讲过小肠经上的大部分穴位都治耳聋、耳鸣，我想问一下，有哪几条经络对耳鸣最有效？

中里巴人答：

耳聋、耳鸣与很多经络都有关联，很多脏腑的虚弱也会引起耳聋、耳鸣，所以，根据您自身的原因不同，选择的经络也不同。通常我们选择小肠经、心经、三焦经、胆经、肝经、肾经，它们都对耳聋、耳鸣有不同的调节作用。

第十三章

大肠经大药房——
肺和皮肤的保护神

　　肺与大肠相表里，所以肺脏上面有什么疾患，都可以通过大肠经来调理，它主治皮肤病，也管便秘、腹泻等肠道疾病。当然，它也有一些别的神奇功效。

肺与大肠相表里，所以肺脏上面有什么疾患，都可以通过大肠经来调理，它主治皮肤病，也管便秘、腹泻等肠道疾病。当然，它也有一些别的神奇功效，这些，我会在谈到某些具体症状的时候特别说明，但总体来讲，大肠经就是这些功能。大家不要把这些功能记得太复杂，只记对您有帮助的东西就行了，要记得越简单越好，剩下的全给忽略。

大肠经的走向是从手走头，起始于商阳穴，结束于迎香穴。它上边有20个穴，这里只讲其中16个，因为有几个穴的功能和其他穴位一样。

1. 按之得喜，不按不得——品味手上的大肠经大药

> 合谷穴治牙痛是最管用的，而且是交叉治。如果您右侧牙痛，就揉左边的合谷穴；左侧牙疼，就揉右边的合谷穴。揉的时候，最好再加一个压痛点，那效果就太神奇了。通常80%的牙痛，都会在一两分钟之内止住。

·人体自有开塞露：商阳穴

商阳穴需要用指甲掐才有效果。它是专门治疗便秘的一个要穴，但是它不治疗气虚这种便秘（就是觉得肚子胀却拉不出来）。那它治哪种便秘呢？就是大便已经到肛门，却拉不出来，一揉这个穴就出来了，有点儿像开塞露的感觉。

·包治百病的万能穴：合谷穴

合谷穴是被历代医家推崇的一个大穴，可以说是万能之穴，什么病都治。也正因为如此，大家一般不知道它具体能治什么病，所以基本上很少有人会使用它。

合谷穴治牙痛是最管用的，而且是交叉治。如果您右侧牙痛，就揉左边的合谷穴；左侧牙疼，就揉右边的合谷穴。揉的时候，最好再加一个压痛点，那效果就太神奇了。通常80%的牙痛，都会在一两分钟之内止住。

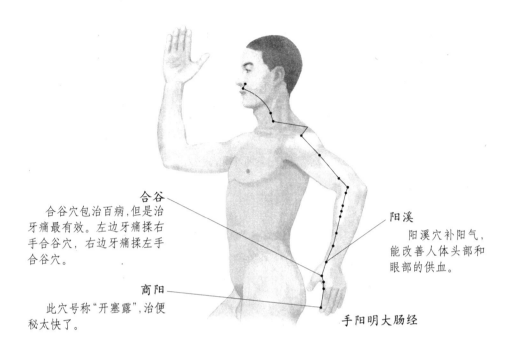

合谷

合谷穴包治百病,但是治牙痛最有效。左边牙痛揉右手合谷穴,右边牙痛揉左手合谷穴。

阳溪

阳溪穴补阳气,能改善人体头部和眼部的供血。

商阳

此穴号称"开塞露",治便秘太快了。

手阳明大肠经

大肠经的每个穴位都有自己的杀手锏,且听我慢慢道来。

怎么寻找这个压痛点呢?当您牙痛的时候,去捏耳垂贴近面颊的这个部分,绝对会有一个地方很敏感,这就是压痛点。如果把合谷穴和压痛点同时按捏,会马上止痛。当然这需要别人来帮您按合谷穴,您自己按耳垂。

·长在手臂上的本草:第二掌骨

合谷穴虽然是祛病的万能之穴,但是功效不确定,所以我们索性改揉第二掌骨全息穴得了。"第二掌骨"在哪儿呢?我们看,手背上的食指下面有一条骨头,它上边全是穴位,密密麻麻挨着,这就是第二掌骨全息穴。"全息"就是身上的信息都在第二掌骨这里汇集齐了。这跟耳朵、足底处有好多反射区是一个道理。

无论身上哪儿有病,都能在第二掌骨全息穴勘查出来。比如您肠胃不好、经常肠胃痛,可以在第二掌骨的正中间找个痛点(肠胃点),揉揉就会缓解。当然，还可以把第二掌骨分成 12 份，该揉哪儿就揉哪儿，腰痛就靠下边点揉，腿痛就靠更下边点揉，依此，头痛、脖子痛、肩膀痛以及头部和心脏的问题都可以在第二掌骨上找痛点去解决。

这是一块神奇的人体药田，身体上的很多毛病都可以在这里一并得到解决。而且，第二掌骨全息穴揉起来非常方便，坐那儿就揉了。揉的时候，最好点按它，点按最疼的点，把痛点揉到不痛，效果就出来了。

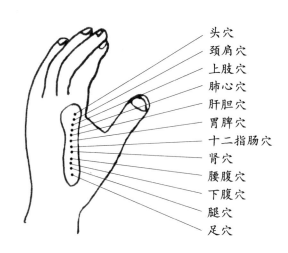

第二掌骨就是一个微缩的人体，按压第二掌骨上的对应位置，就相当于给身体的各处安上了保险。

头穴
颈肩穴
上肢穴
肺心穴
肝胆穴
胃脾穴
十二指肠穴
肾穴
腰腹穴
下腹穴
腿穴
足穴

·改善头部、眼部供血，明目，治疗眼睛酸涩、眼睛胀痛：按揉阳溪穴

"阳"是太阳，"溪"是溪水。顾名思义，阳溪穴是补阳气、提精神的。就是说要把阳气像溪水一样灌注到全身尤其是头面上去。它不仅能够改善头部供血，更能改善眼部供血。所以揉阳溪可以明目、治疗眼睛酸涩、眼睛胀痛。

2. 般若般若处处开——品味小臂上的大肠经大药

曲池穴的功效非常多。对于老年人来讲，首先要记住的是它有降血压的功劳；而对于年轻人来讲，它是祛除脸上疙瘩的好药。

·治面部神经麻痹、脑中风、前列腺和泌尿系统感染：揉偏历穴

两虎口相交，中指在手臂上所点处就是偏历穴。它有两大功能，其一是治疗和预防面部神经麻痹和预防脑中风。所以要想记住偏历穴，就要先想到人脸偏了，想到它能治疗面部神经麻痹。

第二大功能是利尿消肿。平常有前列腺炎、泌尿系统感染的朋友，一定要坚持揉这个穴，要拨动着揉，揉时会发现有好多硬的乱筋在里面，把它们揉松揉散就好了。

·祛除寒邪：在温溜穴刮痧

"温"是温暖，"溜"是水暂时停在这里了。水为什么会停在这里？是体内有风寒，寒凝血滞造成了血流缓慢。温溜穴就是驱寒的，可以把停滞的寒流驱赶出去。所以经常手凉、手心爱流冷汗的人一定要多揉温溜穴。还有一个更好的方法就是刮痧，从肘臂往下刮，一刮过温溜穴，手就热乎乎的了。

而且，通常只要多刮小臂上的大肠经，刮完以后就会觉得浑身发热，好像阳气被调动起来，有一股暖流在体内缓缓流动，特别舒服。

·清肠、治便秘：揉上廉穴、下廉穴

"廉"是廉洁，就是要让血液保持清洁。这两个穴位一个在上、一个在下，所以称为上廉穴、下廉穴。

这两个穴位是清肠毒的，所以能治便秘。如果手三里、上廉、下廉一起揉，效果最好。

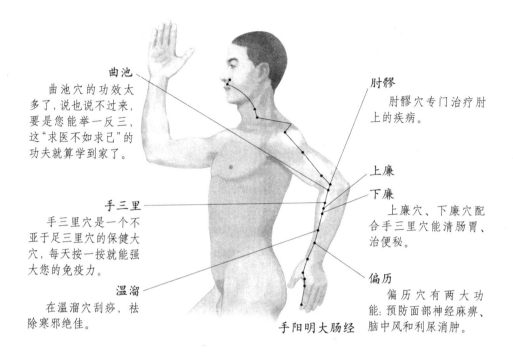

曲池

曲池穴的功效太
多了，说也说不过来，
要是您能举一反三，
这"求医不如求己"的
功夫就算学到家了。

肘髎

肘髎穴专门治疗肘
上的疾病。

上廉

下廉

上廉穴、下廉穴配
合手三里穴能清肠胃、
治便秘。

手三里

手三里穴是一个不
亚于足三里穴的保健大
穴，每天按一按就能强
大您的免疫力。

偏历

偏历穴有两大功
能：预防面部神经麻痹、
脑中风和利尿消肿。

温溜

在温溜穴刮痧，祛
除寒邪绝佳。

手阳明大肠经

大肠经是一个无名英雄，好像没有什么显著功效，但有些特殊疾病，非
得它亲自出马才行。

·治头面肿、上身肿、腰膝痛、肠胃功能不好、过敏性鼻炎、身体虚弱：常揉手三里穴

手三里穴在曲池穴下 2 寸处。

手三里主要治肿痛，对头面肿、上身肿疗效最佳。不论是眼睛、鼻子，还是嘴、口腔，只要是头面肿，都是手三里的治疗范围。

手三里可以治疗腰膝痛。尤其是慢性腰肌劳损，经常揉揉手三里就会好转。

需要注意的是，膝关节有问题，不要经常揉膝关节的痛点，而要揉胳膊肘；胳膊肘痛，要揉膝盖附近的痛点；脚踝有问题，要揉手腕子。比如风湿的人早晨起来有晨僵，手指僵硬了，您千万别揉手指头，越揉它越大、越变形，这是因为本身就缺血，您一揉它，好血没过来，里面的组织液过来了，结果就肿大增生了，这时要使劲多揉脚趾。上述疗法就叫反射疗法。

急性腰痛也一样，痛就证明这块儿有淤血，您去按揉等于是按摩伤口，虽然这个伤口是在里边，但会把旁边本来没损伤的血管给弄破，伤痛就会更厉害。虽然按摩使血液循环加快，感觉腰部热乎乎的，有点儿舒服，但随后会更严重。所以您不能这么揉，要揉与它相表里的经络。

手三里穴为什么可以治疗膝盖痛呢？原因就是反射疗法。大家都知道"肚腹三里留"这句话，这个"三里"既包括手三里穴，也包括足三里穴。

手三里穴的功效非常巨大，但却经常被大家所忽视。

肠胃功能不好，揉手三里穴同样管用。尤其是胃寒的人，揉手三里穴的效果比足三里更好。因为大肠经是多气多血之经，是可以补充气血给肠胃的，而胃寒就是胃中缺血，新鲜血液流不过去。血总是热的，如果让血很充沛地流过去，就不会胃寒了。

手三里穴还可以治疗过敏性鼻炎。

手三里穴是一个强壮穴，和足三里穴一样，平时多揉，可以增强免疫力。

·降血压、祛痘痘、治皮肤病、明目：点揉曲池穴

把胳膊弯曲，肘横纹这条细缝靠近肘尖的部位就是曲池穴。

曲池穴的功效非常多。对于老年人来讲，首先要记住的是它有降血压的功劳；而对于年轻人来讲，它是祛除脸上疙瘩的好药。

曲池穴还是治疗各种皮肤病的一个要穴。

曲池穴还有明目的功效。

其实，大肠经上的这些穴位都是相通的，比如说降完血压，眼睛自然就明亮了。它是可以推演的，有好多穴位的功能必须自己去触类旁通，要是写出来的话，能写一大堆。但如果会推演，就能发觉、改善一个穴位的功能，人体很多相应的症状都会得到改善。比如曲池穴能治疗皮肤病，它的办法就是增进血液循环，把血液毒素排出去，所以我们说曲池穴还是一个排毒穴。而减肥就需要排毒，因此同时它还有减肥的功效。

· 治肘部劳损、网球肘：揉肘髎穴

肘髎穴是治疗肘上疾病的，如肘部劳损、网球肘等。揉时要找到痛点，多揉一揉。

3. 曲径通幽，自性自度——品味肘部以上的大肠经大药

> 很多人年轻的时候，老爱光着膀子睡觉，岁数一大，就得肩周炎了，什么原因呢？就是寒气顺着肩髃穴进到肩膀里去了，在那里一点一点堆积下来。所以，平常一定要多搓搓或者点揉肩髃穴，以增强它的防风寒功能。

· 治肩膀沉重、肩周炎、颈淋巴结核：**按揉手五里穴**

手五里穴正好在骨头上，通经活络的效果非常强。它尤其能治肩膀上的毛病，比如肩膀沉重、肩周炎。有的人患颈淋巴结核，脖子上长东西、脖子粗，手五里穴全管。它是专门给肩膀、颈部和头部供血的一个很好的穴位。

· 治白内障、视神经萎缩、眼睛酸胀、痛痒、迎风流泪：**敲打臂臑穴**

臂臑穴在肩膀三角肌下缘。这个穴对眼睛特别有好处，能防治白内障。

视神经萎缩是个很严重的病，现在也没有找到好的治疗对策。然而臂臑穴有辅助疗效，能让视力不致于进一步减退。

平常多揉揉臂臑穴，对于眼睛酸胀、酸痛、痒痒、迎风流泪，都有很不错的作用。如果有时候觉得它不是特别敏感，可以敲一敲、打一打它，几下就会变得敏感了。

· 预防感冒、改善头部供血、预防脑中风：**揉肩髃穴**

肩髃穴是一个预防感冒的要穴。

　　另外，很多人年轻的时候，老爱光着膀子睡觉，岁数一大，就得肩周炎了，什么原因呢？就是寒气顺着肩髃穴进到肩膀里去了，在那里一点一点堆积下来。所以，平常一定要多搓搓或者点揉肩髃穴，以增强它的防风寒功能。

　　有的人肩膀发硬，躺下觉得枕头不合适，睡眠不好，这时也多揉揉肩髃穴，很快就能有效果。

　　肩髃穴还可以改善头部的供血，所以也是预防脑中风的一个要穴。

·根治鼻炎：揉迎香穴

　　"迎香"意为欢迎香味进来。如果鼻子堵了，闻不见香味，一揉迎香穴，香味就进来了。

　　它能治疗鼻炎，无论是慢性鼻炎还是过敏性鼻炎都有效。迎香穴在鼻子旁边，揉的时候，最好把手指搓热，然后抚摸鼻翼，之后再点迎香穴，就

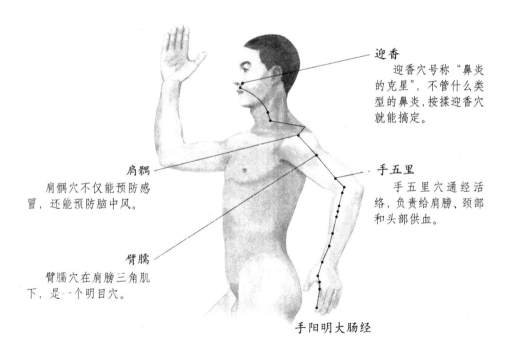

迎香

迎香穴号称"鼻炎的克星"，不管什么类型的鼻炎，按揉迎香穴就能搞定。

手五里

手五里穴通经活络，负责给肩膀、颈部和头部供血。

肩髃

肩髃穴不仅能预防感冒，还能预防脑中风。

臂臑

臂臑穴在肩膀三角肌下，是一个明目穴。

手阳明大肠经

　　大肠经里面最多的就是"隐士高人"，我只是简单地介绍了几位，具体要请哪位回家，就看您身体的选择了。

会事半功倍,这时您会感觉迎香穴太能通气了。请记住:如果不激活里边的通路,直接揉迎香穴,很可能不起效。

但有些朋友觉得这样做效果还是不太明显,那我再告诉大家一个治鼻炎效果更明显的方法——敲撞鼻翼,即用手背从印堂开始往下轻轻地颤动撞揉。撞揉就是除了撞以外,还得揉。这种方法趴着做最好。我在《求医不如求己2》中专门讲了一个地板上的锻炼四法,就是叩首法里边有一个撞揉,是专门治疗鼻炎的,效果非常显著。用这个方法撞揉完以后,再搓一下鼻翼,点揉迎香穴,您马上会觉得神清气爽、鼻窍全通了。每天只要坚持揉两三分钟即可。

4. 大肠经健康大课堂

> 大肠经的肘髎是专门治疗网球肘的,另外,手三里、手五里也都可以治疗。

问:

对于鼻息肉,迎香穴可以治吗?

中里巴人答:

也可以。但鼻息肉不光是局部的问题,而是整条经的问题,可能跟肺经、肾经、脾经都有关系,只有改善这3条经的功能,才能真正地除根。

问:

网球肘揉哪个穴位比较好?

中里巴人答:

大肠经的肘髎穴是专门治疗网球肘的,另外,手三里、手五里也都可以治疗。

第十四章

肺经大药房——
气顺病自消

　　肺经的穴位都能治疗与肺相关的疾病，肺开窍于鼻，所以鼻子的毛病与肺经有关；还有，肺经与喉咙有关，所以嗓子的问题能从肺经上得到解决；另外，肺经与感冒有关、与皮肤有关……

肺经有 11 个穴位，而且都在胳膊和手上，与下半身的脾经是一条经，非常好找。而且，它们都能治疗与肺相关的疾病，肺开窍于鼻，所以鼻子的毛病与肺经有关；还有，肺经与喉咙有关，所以嗓子的问题能从肺经上得到解决；另外，肺经与感冒有关、与皮肤有关……

下面我就为大家详细地介绍一下肺经。

1. 会当凌绝顶——品味肘部以上的肺经大药

> 其实，打通经络，其中的一个主要目的就是排除浊气。好多人一揉这个肺经就老打嗝，这是非常好的现象。

·排出体内浊气：揉云门穴

云门穴是肺经的第二个穴位。为什么先讲云门穴呢？因为它是一个很好的标志，找到这个标志，其他穴位就好找了。

找云门穴有个非常简单的方法，就是只穿背心，两手叉腰，对着镜子，就能看见肩膀的锁骨旁边有个窝，窝的中心点就是云门穴。

"云"是流动的气体，"云门"的意思就是这里是一个气体宣发的地方。很多人爱生气，气完就憋在那里了，宣发不出去，于是循着肺经走到四肢，就会造成四肢烦热、特别燥、心里堵闷、掌心热等症状。这时，使劲点揉云门穴，一般就会打嗝，气就发出去了。

其实，打通经络，其中的一个主要目的就是排除浊气。好多人一揉这个肺经就老打嗝，这是非常好的现象。

·调治中气不足、预防心绞痛、治疗咳喘：揉中府穴

中府穴在云门穴下边 1 寸处。"中"指中气，就是脾肺之气，脾和肺合起来的气叫中气。如果经常觉得气不够使，喘不上气来，或者大便的时候无

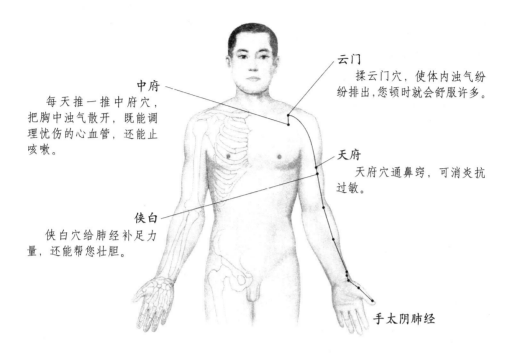

云门

揉云门穴，使体内浊气纷纷排出，您顿时就会舒服许多。

中府

每天推一推中府穴，把胸中浊气散开，既能调理忧伤的心血管，还能止咳嗽。

天府

天府穴通鼻窍，可消炎抗过敏。

侠白

侠白穴给肺经补足力量，还能帮您壮胆。

手太阴肺经

肺经是与呼吸系统关系最紧密的一条经，它不仅像一面明镜一样反映出肺系统的功能状况，还能防治与肺有关的任何病邪。

力，以及吃一点东西肚子就胀，这就是中气不足了。中府穴就是专门调治中气不足的。

中府穴是肺经的一个募穴，也是脾肺两经交会的一个穴，这个穴调气最好。如果人体的气乱了，就爱咳嗽、哮喘、堵闷，会经常觉得上气不接下气，这时一定要多揉中府穴。

中府穴可以防治心绞痛。有心绞痛的人按中府穴肯定很敏感，因为这里有淤阻，所以要经常通通中府穴。

中府穴还是治疗咳喘的要穴。

另外，有心血管方面疾病的人，有个非常简单有效的方法可以调理，就是同时推云门穴和中府穴。那些长期爱咳嗽（很有力量的那种咳嗽）的人，觉得堵闷后马上要咳出来的这种实咳实喘，平常更要多推中府穴和云门穴。

推的时候，大拇指按着中府穴，然后向上推云门穴，一般这里会很痛。把痛的地方给推开，浊气就会散掉，您就会觉得胸里面非常舒服。

·治过敏性鼻炎、慢性鼻炎、经常流鼻血等鼻部炎症和皮肤过敏：揉天府穴

中医讲鼻窍通于天，天府穴暗含着这个意思，就是能治鼻子的各种疾患。像过敏性鼻炎、慢性鼻炎、经常流鼻血等鼻子的疾病，揉天府穴效果非常好。

天府穴还有消炎抗过敏的功能，比如皮肤经常容易过敏，也可以揉天府穴。

·治肺气不足造成的经常恐惧、心跳过速、肋间神经痛：揉侠白穴

天府穴往下一大拇指宽度的地方就是侠白穴。"侠"是侠客，"白"是白色。肺属金，金在五行的颜色为白，因此，这里"白"代表肺的意思。而"侠白"就是有个侠客在保护肺，给我们补足肺气，让我们无所畏惧。所以它可以治疗肺气不足造成的经常恐惧、心跳过速。

为什么人会恐惧呢？就是先有忧虑，忧虑解不开了就会恐惧。而且一忧虑就会气郁，常常气串两肋，所以按揉侠白穴还可以治疗肋间神经痛，即两肋痛。

2. 造化钟神秀——品味小臂上的肺经大药

> 大家只要记住经渠穴是一个调气的要穴就够了。平常可以经常揉一揉它，觉得气有点儿不太顺或者气接不上来都可以揉，而且无论是热性、寒性咳嗽都可以揉，它是一剂保人生平安的药。

·交通肺和肾，调节身体虚实，补肾：揉尺泽穴

胳膊肘处有个窝，就是尺泽穴。

中医号脉时，三个手指分别摸在腕关节寸、关、尺的位置。尺的位置是在号什么呢？是在号肾功能。所以，"尺"代表肾。"尺泽"是给肾以恩泽，给肾以浇灌，尺泽穴就是补肾的要穴。

尺泽穴能补肾，这跟五行有很大关系。在中医里，肺属金，肾属水，而金能生水，就是肺气足了就可以补肾。所以，揉尺泽穴就能把肺经多余的能量补到肾经上去。尺泽穴又是合穴，属水，所以这种补肾方法叫做泻肺补肾法。其实，泻只是能量的一种转化，是把肺经多余的能量转换到肾经上去了，因为上焦的能量过多、淤积住了，反而让人觉得不舒服，老有火气，老想吃点儿凉的或者祛火的东西，而同时却两脚冰凉。这是火气都用到上边去了，没有留些到下面来，形成了上实下虚之证。

此时，不能盲目地泻火。而去医院，一般会让您吃点儿苦寒的药祛火，

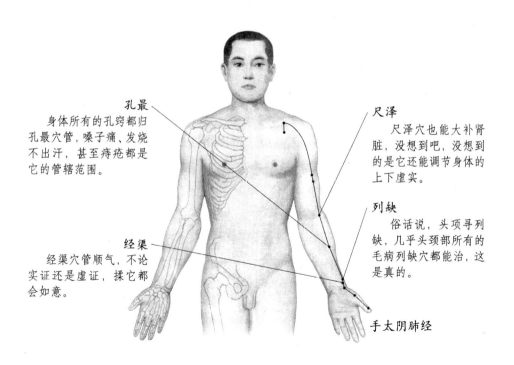

孔最
身体所有的孔窍都归孔最穴管，嗓子痛、发烧不出汗，甚至痔疮都是它的管辖范围。

尺泽
尺泽穴也能大补肾脏，没想到吧，没想到的是它还能调节身体的上下虚实。

列缺
俗话说，头项寻列缺，几乎头颈部所有的毛病列缺穴都能治，这是真的。

经渠
经渠穴管顺气，不论实证还是虚证，揉它都会如意。

手太阴肺经

这几个身体大总管各有各的负责范围，您哪里有不适，直接找负责人就好了。

往往用通便的方法。可一吃祛火的药，一通便，上边的火没祛，下边却更虚了。所以我们需要的是把这种能量转化，不要白白地浪费掉。要知道，即使是"火"，也是人体里的一种能量，也是靠气血制造出来的，所以不要把它泻掉，泻掉就等于是把刚生出来的气血又给浪费了。我们要把它转化，而揉尺泽穴就是很好的方法。

有的人头重脚轻，有高血压，还有哮喘，也是上实下虚之证，这也需要揉尺泽穴来转化。

·治感冒引起的嗓子痛、发烧不出汗、痔疮：**揉孔最穴**

孔最穴在肘横纹的尺泽穴下5寸处。"孔"是毛孔，"最"是最大。孔最穴的意思就是身体里所有跟孔有关的问题都归它来管理。上至鼻窍，下至肛门，都跟孔有关，所以孔最穴管的地方特别多，因而不好把握。什么都管好像什么都不管？所以，我们需要具体落实它到底管什么。

我有个同事小杨，她过去感冒的时候老有一个症状——嗓子痛，必须得吃几天消炎药才会好，但自从她知道孔最穴是管嗓子痛以后，每次犯病她就揉孔最穴，只需要两三分钟，嗓子就不痛了。

孔最穴治疗感冒引起的嗓子痛最有效，但话说多后引起的嗓子痛它不管。有的人发烧不出汗，赶紧揉孔最穴可以帮助发汗。

孔最穴还是历代医家治疗痔疮的要穴，有痔疮的人此处痛感明显。平常可以多揉揉孔最穴。另外，每次大便后用温水洗一洗，也是预防痔疮的好方法。

·治偏头痛、落枕、小儿尿床、成人前列腺疾病：**按揉列缺穴**

在我们手腕上拇指这侧的掌跟下有个高的骨头叫桡骨，用大拇指一按有个凹陷（或者将两手虎口交叉，食指所点的窝），这就是列缺。

列缺穴可以治疗偏头痛。"头项寻列缺"，脖子落枕、感冒引起的头痛，都跟风寒有关，平时您可要多揉列缺穴。

列缺还是一个交会穴，它跟肾经交会，所以还有补肾的作用。还可以治疗遗尿，每天坚持揉就会改善。

揉列缺穴还可以通利小便，治疗成人前列腺疾病。

·每天都能补充一点精力：按揉经渠穴

"经"是经络，"渠"是水渠。"经渠"的意思是经络到此就水到渠成了。

按这个穴位的时候不要按到骨头上，而要按到骨头内侧缘。不要往下按，要往外按，搓着按就能找到这个穴了。

经渠穴是治疗气不顺的。好多虚弱体质的人就是因为气乱了，而这个穴是一个慢慢调养的穴，它可以使肺气逐渐增强，最后达到一个水到渠成的目的。也就是说，每天都能给您补充一点点精力，而且对实证、虚证都管用。

实证就是呛咳，有肺热的那种咳嗽；而遇点儿风寒、喉咙一痒就咳嗽的属于虚证。经渠穴对这两种症状都管。

大家只要记住经渠穴是一个调气的要穴就够了。平常可以经常揉一揉它，觉得气有点儿不太顺或者气接不上来都可以揉，而且无论是热性、寒性咳嗽都可以揉，它是一剂保人生平安的药。

3. 荡胸生层云——品味手掌上的肺经大药

> 有的人按摩某个穴位不敏感。那么，就不要去按摩。您就找这条经上最敏感的那个穴，把它由疼痛按摩到不痛，症状就减轻了，就这么简单。

·心脏跳动异常、早搏、房颤、静脉曲张、脉管炎等血管疾病：按揉太渊穴

太渊穴正好在腕横纹上，很深。在揉它的时候，一定要把指甲剪平，也可以用大拇指内侧硌它。

太渊穴补气效果极佳，如果您总是觉得气不足、气虚，揉太渊穴就能给您补气。

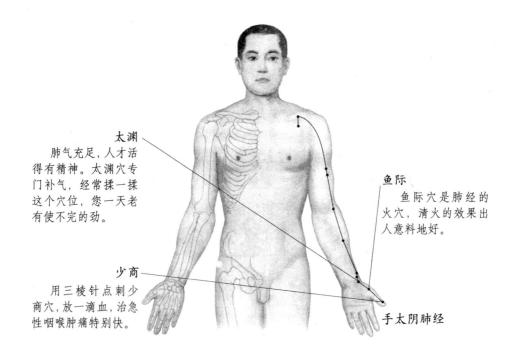

太渊

肺气充足，人才活
得有精神。太渊穴专
门补气，经常揉一揉
这个穴位，您一天老
有使不完的劲。

鱼际

鱼际穴是肺经的
火穴，清火的效果出
人意料地好。

少商

用三棱针点刺少
商穴，放一滴血，治急
性咽喉肿痛特别快。

手太阴肺经

肺经与肺系统关系最密切，这一点在手上的几个穴位中表现得尤为明显。

什么人需要补气呢？喘气费劲（吸入氧气不够）、爬一会儿山甚至动
一动就一头汗或者气不足、大便时老觉得没劲或使不上劲，这样的人就要
补气。

太渊穴是脉之会，就是体内所有脉都归它控制。心脏跳动异常、早搏、
房颤，只要跟心血管有关系的，都是太渊穴的适应范围。静脉曲张、脉管炎
这些跟血管、脉络有关系的病症，按揉太渊穴都有效果。

对于太渊穴只要记住两点就行：第一它总管人体各种血管脉络，第二它
是一个补气的要穴。

**·治心里有火、夜间爱咳嗽、比较烦热、睡不着觉、小儿肠胃不好：揉鱼
际穴**

大拇指下有一块像鱼肚的地方，鱼际穴就在这里最敏感的那一点。

鱼际穴是一个善于退热的要穴。当您心里有火、夜间爱咳嗽、比较烦热、睡不着觉时，按揉鱼际穴特别管用。

说到此，好多朋友可能会担心：夜里咳嗽会不会有什么大病？是不是肺有什么问题？其实您不用担心。夜里咳嗽，尤其是两三点钟咳嗽、睡不着觉，这种现象非常普遍，通常就是肝火引起的。这时候按摩鱼际穴就会缓解。

按摩鱼际穴还可以调节小孩的肠胃功能。在中医院小儿科，鱼际穴又叫板门穴。"板门"就是木板的房门，此穴是专门调理小孩不爱吃东西、肠胃功能不好的，一揉"板门"，胃口的门就打开了。

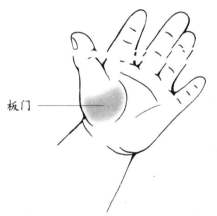

板门

孩子的板门穴就是成人的鱼际穴。父母经常给孩子揉一揉板门，孩子就会吃得香，睡得好，长得壮。

很多人有一个误区，包括一些专业人士，他们认为经络、穴位必须得强刺激才会有效。实际上不是这样。因为，即使不刺激经络、穴位，但如果气血很充足，经络、穴位都会处于一种活跃的状态。不是刺激完以后它们才起效，而是它们随时随刻都在起效。如果要刺激它才起效，那就完了，那我们天天都得扎针灸去，要不然就百病丛生了。

有的人按摩某个穴位不敏感。那么，就不要去按摩，您就找这条经上最敏感的那个穴，把它由疼痛按摩到不痛，症状就减轻了，就这么简单。

·治急性咽喉肿痛：用三棱针点刺少商穴

少商穴在指甲旁边。"商"是五音之一，属金，这里指肺。

少商穴治嗓子痛效果最佳，尤其是对急性咽喉肿痛有特效。但是这个穴必须得强刺激才行，过去这些井穴（末梢的穴都叫井穴）通常都需要用三棱针来点刺，放一滴血，当时就会见效，但好多人就怕放血，这时不妨用指甲使劲掐一掐。

4. 肺经健康大课堂

> 因为人体的一个脏腑有问题，其他脏腑都会受到牵连。所以，把各个脏腑之间的关系给调和谐了，让脏腑的功能都恢复正常，才能彻底治疗单独的一个局部症状。

问：

气血是同源的，既然太渊穴补气的效果特别好，那它与补血有什么关系？

中里巴人答：

要根据您身体的体质来看，有的人是偏血虚，有的人是偏气虚。偏气虚的人要想直接补血是补不上的，一定要先补气，气足了血才能生。如果火气很旺，那就是气实，不需要直接补气。而气虚的人都是虚寒体质，都需要补气。

问：

我揉尺泽穴很痛怎么办？

中里巴人答：

如果痛点比较多，而且老揉老痛，可以采用刮痧的方法。因为一些淤血长期淤在这里，不把淤血放出去、好血引过来，就会老痛。建议您顺着肺经刮一刮痧，出痧后，再按这个地方立刻就不痛了。如果没有刮出来，那可能是您气血不足，需要补一补气血然后再刮。补气血可以吃一些补血的食物，比如山药薏米粥、大红枣等。但是也要根据体质来补，热性体质就不要吃偏热的，要比较平和。

问：

左臂上有肺经，那么右臂对称也有吗？

中里巴人答：

所有的12条经脉，左右都有而且是对称的，都是两条。

问：

肺主皮毛，那么年轻人有脂溢性皮炎，按摩肺经管用吗？

中里巴人答：

按摩肺经是管用的，但是光按摩肺经不行。因为人体的一个脏腑有问题，其他脏腑都会受到牵连。所以，把各个脏腑之间的关系给调和谐了，让脏腑的功能都恢复正常，才能彻底治疗单独的一个局部的症状。也就是说，要调理整体，不能光靠调理一个肺经。其实，最好的方法就是从调理肝经入手，因为肺功能不好就是肝里的浊气熏蒸肺造成的，主要的源头在肝，所以从肝上来调节才是治本的方法。

问：

拔火罐代替按揉能行吗？

中里巴人答：

这个要看具体情况。拔火罐适应证是什么？当穴位比较深，揉不到或者不好揉的时候，可以拔火罐。但是，胀痛的时候不要拔火罐。因为胀痛是浊气堵在那里出不去，拔火罐之后并不能给它打开个口出气，反而把堵的东西都聚在拔罐的部位了，会让您更难受。那么，什么情况下拔火罐感觉舒服呢？应该是酸痛的时候。酸就是气血不足、这里虚了，所以需要拔火罐把其他地方的气血引过来，才会觉得很舒服。比如您爬山回来腿酸了，这就表明腿部这个时候需要血了，而在缺血的情况下拔火罐效果是最好的。

第十五章

小肠经大药房——
主治液病，手到病除

　　小肠经上的这些穴位，咱们一定要活学活用，而且一定要记住：哪个穴揉的时候不敏感，这个穴您就不用揉了，您得揉敏感的那个穴。哪种方法对您有用，用起舒服，就用哪种。比如说刮痧，轻轻一刮很舒服。您就用刮痧法。刮不出痧来就别强刮，那样心脏受不了，人就会恶心、先晕了。

在中医里面，小肠有一个主要的功能叫分清泌浊，就是把从胃消化来的食物中的营养东西吸收了，把糟粕的东西排出去。《灵枢经·经脉篇》中说："小肠经主液所生病。"这个液包括月经、乳汁、白带、精液以及现在医学所说的腺液，如胃液、胰腺、前列腺和滑膜分泌的滑液等，所以，但凡与液有关的疾病，都可以先从小肠经来寻找解决办法。

我的同事小李20多岁，前不久，她对我说："郑老师，我最近两天左胳膊特别酸，不知道是什么原因。"小李平常身体是很不错的，应该是没有什么病。我给她摸了一下胳膊上的小肠经，上面很多地方非常酸痛。我问她这两天是不是来例假了，她说："对！今天正好是第3天。"小李左胳膊老酸的原因就是小肠所主的液出了毛病，因为来例假的时候，气血供应给月经用了，心脏给小肠供血的能力相对减弱，造成小肠经部位的肌肉供血不足。有的女性这个时候会肩膀酸痛，也有的人会觉得头晕、无力。

我告诉小李，多吃一点小枣，小枣是补血的，吃了后自然也就没事了。

另外，如果产后乳汁不下，或者量少清稀，我们通常会吃一些猪蹄汤、鲫鱼汤以培补气血，如果吃完以后不吸收，不能化为乳汁，那是因为小肠经没有打通。

小肠经上左右各有19个穴位，其中有7个穴位在肩膀上。有人说，这么多穴位找不准怎么办？我说，只要顺着这条经，哪个穴位我不管，哪块痛点比较明显，您就多揉，这样效果最明显。而且像后背这块地方，拿个刮痧板顺着小肠经的走向一刮，痧就出来了，经络就通了，而刮不出痧的地方，拔拔罐，也一样能通。

所以不好找的经络穴位，咱们要用一种一劳永逸的方法来对待，不要不好找却非得去找它，结果弄得最后什么效果都没有，等到再用的时候，还是不知道在哪儿，这时间、精力就白白浪费了。

1. 如无闲事挂心头，便是人间好时节——品味手掌上的小肠经大药

> 小肠经上的好多穴位都很管用，但用时也要根据每个人身体的不同症状。有的人用这个穴位特别管用，有的人使那个穴位很灵。所以我们要找到适合自己的穴，要在平常的时候多找一找，只要某个穴揉完，身体感觉很舒服，那就把这个穴位当作宝贝，留着，经常用一用。

·治乳汁不足、小儿打嗝儿、溢奶：捏捋少泽穴

小肠经的第一个穴位是少泽，在小指指甲外侧旁边一点，这个穴位不好揉，只能拿指甲才能掐到。我提供给大家一个方法：拿指尖捏住它，一捋就行了。

当产后乳汁分泌不足的时候，捏少泽穴可以增加乳汁的分泌。

如果孩子老是打嗝儿漾奶，您给他捏捏这个少泽穴，别太使劲，一点点地给他捋捋，孩子就不会发生这种情况了。

·治头后部痛、眼睛胀痛、耳鸣、手心发热、手心出汗、腮腺炎等热证以及流黄涕的那种慢性鼻炎、鼻窦炎：揉前谷穴

从少泽穴沿着小肠经往小指根上推，推到有一块骨头处推不动了，卡住的这个点就是前谷穴。

前谷穴可以治疗头痛，尤其对后边头痛的效果很好。比如说您受风了头痛，赶紧去揉揉前谷穴。

前谷穴还能治疗眼睛胀痛、耳鸣、手心发热、手心出汗、腮腺炎等热证以及流黄涕的那种慢性鼻炎、鼻窦炎。

·治耳疾、各种汗证、咽痛、腰痛、脊椎痛，腰扭伤、坐骨神经痛、爱落枕、癫痫引起的抽搐：多揉后溪穴

从掌根向小指根方向推，卡住的地方就是后溪穴。或者您一攥拳，感情线的小指一侧就有一个纹，纹头的点即是后溪。揉此穴时，一定要把指甲剪

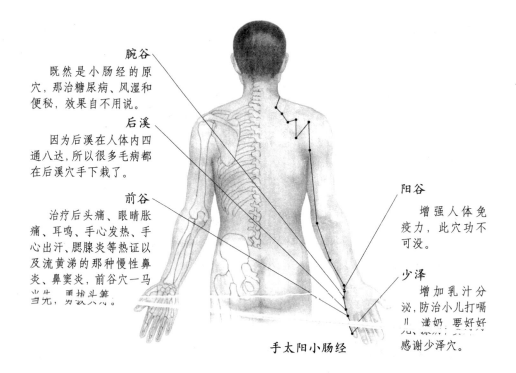

腕谷

既然是小肠经的原穴，那治糖尿病、风湿和便秘，效果自不用说。

后溪

因为后溪在人体内四通八达，所以很多毛病都在后溪穴手下栽了。

前谷

治疗后头痛、眼睛胀痛、耳鸣、手心发热、手心出汗、腮腺炎等热证以及流黄涕的那种慢性鼻炎、鼻窦炎，前谷穴一马当先，勇挑重担。

阳谷

增强人体免疫力，此穴功不可没。

少泽

增加乳汁分泌，防治小儿打嗝儿，涨奶，要好好感谢少泽穴。

手太阳小肠经

"小肠经主液"，所有与液有关的疾病，如月经、乳汁、白带、精液以及现代医学所说的胃液、胰腺、前列腺和滑膜分泌的滑液等问题，都可以到小肠经这里来寻找解决办法。

平了，使劲掐到这个缝里。

后溪穴是一个八脉交会穴，是四通八达的一个穴位，哪的病它都能治。而小肠经是通着耳朵的，所以后溪穴能治耳朵上的病，比如耳鸣、耳聋。

后溪还是调理汗液的大穴，它可以治疗各种汗证，比如盗汗，如果能配上另一个心经的穴位阴郄，那甭管是自汗、盗汗，全治了。

后溪还可以治疗咽痛，就是有火的那种嗓子痛。

因为后溪是八脉交会穴，与督脉（脊椎）相通，所以脊椎上的病它都管。像腰痛、脊椎痛、腰扭伤，都可以揉后溪。

后溪还能治疗坐骨神经痛。

后溪通的地方挺远的，有的人腿窝儿老发紧、睡觉时经常抽筋，睡前一定要多揉揉后溪。

爱落枕的人，平日要常揉后溪。因为小肠经正好顺着后肩膀上行到脖子，所以脖子、肩膀有问题都可以通过揉小肠经来缓解，而后溪就是其中一个很重要的大穴。

这个穴位也可以治癫痫引起的抽搐。

小肠经上的好多穴位都很管用，但用时也要根据每个人身体的不同症状。有的人用这个穴位特别管用，有的人使那个穴位很灵，所以我们要找到适合自己的穴，要在平常的时候多找一找。只要某穴揉完后，身体感觉很舒服，那就把这个穴位当作宝贝，留着，经常用一用。

· 祛身体湿热、治疗糖尿病、便秘：揉腕谷穴

在我们的掌根下有一条掌横纹，侧面有一根骨头，这根骨头前边的凹陷就是腕谷穴。揉的时候，要贴着骨头揉才有感觉，功效才能出来。

腕谷穴是治疗糖尿病的要穴。因为糖尿病人的小肠功能是紊乱的，而腕谷穴又是小肠经的一个原穴，所以它可以调整小肠功能，对糖尿病有很好的效果。

腕谷穴又是祛湿的要穴，如果您觉得身体有湿热，有风湿症，揉腕谷穴效果会很好。实际上，腕谷穴是靠通利二便来祛湿的。

腕谷穴还可以治疗便秘。

· 降血压，治头晕、牙痛、口腔溃疡以及头肿、头胀、三叉神经痛：揉阳谷

阳谷穴在腕骨穴后面一横指的尺骨茎突前面的凹陷处，即腕横纹的小指侧。

阳谷首先是一个降血压的穴位，血压高的朋友每天要多揉一揉。

阳谷还能治头晕、牙痛、口腔溃疡以及头面部的问题，比如头肿、头胀、三叉神经痛。按现在的理论来讲，阳谷是一个增强人体免疫功能的穴位。所以我们平常用手攥着腕子，把腕子一拍，再扭扭，阳谷就通了，很简单。

2. 心是一片田，不长庄稼就长草——品味手臂和肩上的小肠经大药

揉这条经的时候，血液循环会很快加速，因为心与小肠相表里，刺激小肠经上的这几个穴位就等于让心脏给它及时地供血，所以有时候在这块儿揉得过多，有的人会觉得心慌。心慌没关系，咱就多揉揉手心的劳宫穴，赶紧把血给它补进去，还可以试一下人参生脉饮，也是补心血的。

· 防治所有的老年病：揉养老穴

养老穴是一个对老人特别有好处的穴位。我们把左手手心朝下，平放在胸前，右手食指点在左手腕关节高出的那块骨头上，然后左手往里一翻，右手食指就跑到一条缝里面去了，这个缝就是养老穴。

养老穴对所有的老年病都有作用，像血压高、老年痴呆、头昏眼花、耳聋、腰酸腿痛。用现代医学的话来说，就是能够很好地改善身体的微循环。

还有，有病的老年人翻身起坐一般比较费力，这养老穴也管。有人说我现在眼睛越来越花了，别的穴也找不着。您就天天揉养老穴吧，又方便又有效。

说到底，养老穴就是一个预防衰老的穴位。

· 治头痛、目眩、癫狂、惊恐、手麻、颈椎压迫症、手不能握物、攥东西没劲儿、记性不好、扁平疣、脂肪瘤：按揉支正穴

"支"是支持的支，"正"是正气的正，"支正"就是支持正气。它在腕背横纹上5寸（四横指加两个大拇指的宽度），不在骨头上，在骨头下边往内侧一点的骨缝当中。

支正穴可以治疗头痛、目眩、癫狂、惊恐。因为，心经与小肠经相表里，所以小肠经上的好多症状跟心经上的症状类似。

支正穴擅治手麻、颈椎压迫症，还有手不能握物、攥东西没劲儿、记性不好、老爱忘事儿，这些病都是正气不足造成的。

小肠经的穴位通常都治热证，就是热而心烦之症。

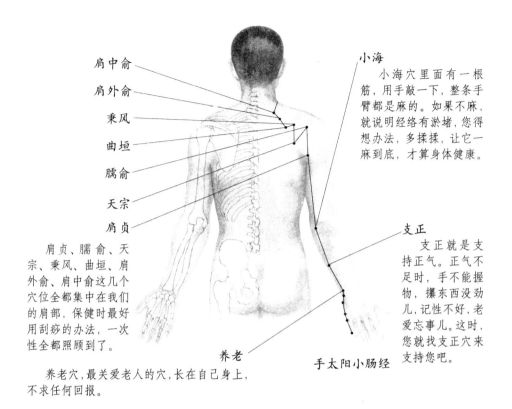

小海

肩中俞
肩外俞
秉风
曲垣
臑俞
天宗
肩贞

小海穴里面有一根筋，用手敲一下，整条手臂都是麻的。如果不麻，就说明经络有淤堵，您得想办法，多揉揉，让它一麻到底，才算身体健康。

肩贞、臑俞、天宗、秉风、曲垣、肩外俞、肩中俞这几个穴位全都集中在我们的肩部，保健时最好用刮痧的办法，一次性全都照顾到了。

支正

支正就是支持正气。正气不足时，手不能握物，攥东西没劲儿，记性不好，老爱忘事儿。这时，您就找支正穴来支持您吧。

养老

手太阳小肠经

养老穴，最关爱老人的穴，长在自己身上，不求任何回报。

小肠经和心经相表里，心经把血液源源不断地供给小肠经，小肠经气血一充足，我们身体的任何地方就不会感觉到疲劳和酸痛。

小肠经能治疗扁平疣，因为赘疣跟小肠的吸收功能有关系。而赘疣在中医里叫痰核，就是脾胃运化湿气的功能差，积湿成痰，有火了。所以调节小肠经有消痰祛火的功效。有人说我长了一个脂肪瘤，小肠经管用不管用？同样也管用。但我们一定要记住，按揉穴位治病，一定不要有急功近利的思想。比如说您长了个东西，是5年长出来的，但您揉一天就想让它下去，这不太容易。但只要每天坚持揉一揉，慢慢就会有效果了，您一定要持之以恒。

·治耳聋、耳鸣、牙龈肿痛、牙龈总流血：多揉小海穴

小海穴在小指侧面这条线上的肘尖儿和少海穴中间。一揉里边有一根

筋，还发麻，如果不发麻，拿指节敲一下，整个手就都麻了。这根麻筋是很重要的，一麻到底就证明这条经是通畅的。要是不麻这块经络就堵了。一定要多揉揉，让它麻了才行。

小海是治疗耳聋、耳鸣的要穴，它还可以治疗牙龈肿痛，有时候牙龈总流血，老肿着，就多揉揉小海。

·治咳嗽、哮喘、支气管炎、肩周炎：揉肩贞，然后是臑俞、天宗、秉风、曲垣、肩外俞和肩中俞

小海穴以后，胳膊这块就没穴位了，全都跑肩膀后边去了。后边第一个穴是肩贞，然后是臑俞、天宗、秉风、曲垣、肩外俞和肩中俞，对这几个穴位，咱们一般采取一捋而过的方法，这样，所有的穴位都照顾到了。

但有一个叫天宗的穴位我们一定要记住，这个穴是治疗颈椎病的要穴。当我们有颈椎病时，天宗穴上会很痛。

另外，经常咳嗽、有哮喘、支气管炎的人，在这几个穴位集中的地方会很痛，肌肉会很紧张，我们得经常把它揉一揉，揉松了。因为我们咳嗽、哮喘的时候这块老用力，长期用力这块就非常紧张，形成淤血，我们必须把它揉散。还有，我们后背的小肠经也经常容易堆积很多的淤血，因为这块儿容易受寒、受伤、多用力和经常保持一个姿势。这时，我们可以找人多按摩这块儿，每天顺着小肠经松一松肩膀。如果能刮一刮痧，把这里边的淤血刮出去更好。

而刮不出痧还挺痛的地方怎么办？那证明这个淤血点藏得比较深，我们可以在这条经的穴位上拔罐。把刮痧和拔罐结合起来，再加上揉捏，您边拔边刮再边揉着，这条经络很快就通了。

揉这条经的时候，血液循环会加速，因为心与小肠相表里，刺激小肠经上的这几个穴位就等于让心脏给它及时地供血，所以有时候在这块儿揉得过多，有的人会觉得心慌。不过心慌没关系，就多揉揉手心的劳宫穴，赶紧把血给它补进去。还可以试一下人参生脉饮，也是补心血的。

小肠经中间有一个断点在大臂这块儿，因为大臂到肩膀这块儿没有穴

位，直接从小海就到肩贞了，中间这一段都没有穴位，咱们怎么来把它接通呢？攥揉这块儿。

有时候我们肩膀疼，但我们够不到肩膀，没法揉，您就揉这块儿，同样能把肩膀痛的问题解决了。最好同时把心经、小肠经都揉了。因为心经、小肠经是相表里的，心经把血液源源不断地供给小肠经。小肠经气血一充足，肩膀的气血也供应充足了，我们的肩膀就不会感觉到疲劳和酸痛。

3. 防病惟求心淡然，神清可让体自安——品味头颈部的小肠经大药

> 您揉完天窗以后，得有药引子引过去，这天窗才能打亮。因为这块儿早堵上了，天窗开不了，窗户都生锈了。所以您得把这窗户先给摇摇，摇开了，然后再揉天窗，这两边就通上了。

·双向调节血压、明目聪耳：揉天窗穴

俗话说，打开天窗说亮话，天窗穴其实就有这个含义在里面，也就是说它有明目通耳的功效。

天窗在脖子这块儿，有人怕摸，一摸就容易咳嗽，这样的人就别揉这个穴了，捋捋这块儿就行了。其实平常多搓搓脖子，就有降血压的功效，每天捋它20下，就可以调血压了，低血压的人可以升高，高血压的人可以降低。

怎么找天窗呢？当我们把头歪向一侧的时候，有根叫胸锁乳突肌的大筋就会出现，天窗穴就在与喉结平行的这条肌肉的后边一点儿。

天窗穴首先是明目的，然后是聪耳的，所以揉这个穴的时候，我们最好把眼睛闭上，揉20下左右，然后再揉另外一边脖子上的天窗穴，最后缓缓地把眼睛睁开，就会觉得眼睛很亮。为什么要闭眼呢？就跟吃药得有药引子一样，明目也得有药引子。比如在明目的时候，一定要闭上眼睛；在聪耳的

时候，一定要把耳朵闭上。耳朵怎么闭上？用手掌把耳朵给压起来，然后把眼睛也闭上，这时候拿手掌心对着里边耳朵眼儿那个位置揉。虽然我们不能直接揉到耳朵眼儿，但是我们要揉到外边对着耳朵眼儿的这个位置，感觉好像揉到耳朵眼儿里边了。这是聪耳的最好方法。

您揉完天窗以后，得有药引子引过去，这天窗才能打亮。因为这块儿早堵上了，天窗开不了，窗户都生锈了。所以您得把这窗户先摇摇，摇开了，然后再揉天窗，这两边就通上了。

· 治耳聋、耳鸣、消梅核气、美容：揉天容穴

天容是一个美容大穴。天指大脑，容是美容的意思，揉此穴可以给头部供血。它正好就在女士的耳坠耷拉下来的位置，离耳朵很近。这块儿一般很酸痛，酸的感觉跟其他地方不一样。

天容穴是治耳聋、耳鸣的要穴。

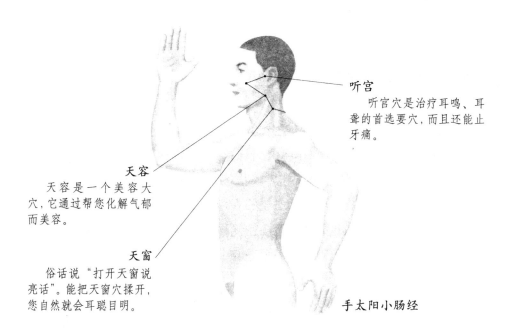

听宫

听宫穴是治疗耳鸣、耳聋的首选要穴，而且还能止牙痛。

天容

天容是一个美容大穴，它通过帮您化解气郁而美容。

天窗

俗话说"打开天窗说亮话"。能把天窗穴揉开，您自然就会耳聪目明。

手太阳小肠经

小肠经在头颈部的几个穴位或多或少地都有明目通耳的功效。

另外，爱生气之人的容貌是最容易受到损害的。这样的人通常会觉得嗓子这儿老有一个痰似的，像一个梅核那么大，咽也咽不下去，吐也吐不出来，这是生气后气郁造成的。天容穴正好给您把气消了。当您心情愉快，自然就美容了。

·治耳鸣、耳聋、止牙疼：按揉听宫穴

找听宫这个穴位的时候，我们要先找着耳屏，听宫就在耳屏前边一点儿。最好的方法是一张嘴，找耳屏前凹进去的地方就是了。

听宫这个穴对耳朵特别有好处，它是治疗耳鸣、耳聋的首选要穴，而且还能止牙痛。

请记住：揉小肠经上的穴位时不敏感，就不用揉了，只揉敏感的那个穴。哪种方法对您有用，用起舒服，就用哪种。比如说刮痧，轻轻一刮很舒服，您就用刮痧法。刮不出痧来就别强刮，那样心脏受不了，人就会恶心、先晕了。

4. 小肠经健康大课堂

我们做一个敬礼的动作，然后，用5个手指头捏揉手臂后小肠经的地方。小肠经正好通着后背，如果后背有淤血，光揉后背没用，淤血散不开，淤血得顺着通道出去。一揉小肠经的穴位，这块通道先给打通了，上面的淤血就顺着通道出去了。所以揉这里，可以很好地缓解肩膀痛、项椎病。

问：

我有点小肠萎缩，用哪个穴位能够改善？

中里巴人答：

小肠经上的原穴腕谷、阳谷对小肠萎缩会有一些帮助，但后背膀胱经的

小肠俞效果更好，还有胃经的下巨虚穴对小肠萎缩应该也有调节作用。

问：

我左肩和后脖子老疼，用哪个穴位来调理才好？

中里巴人答：

有个简单的方法可以把这个问题和颈椎病一起解决，比如我们做一个敬礼的动作，然后，用5个手指头捏揉手臂后小肠经的地方。小肠经正好通着后背，如果后背有淤血，光揉后背没用，淤血散不开，淤血得顺着通道出去。一揉小肠经的穴位，这块通道先给打通了，上面的淤血就顺着通道出去了。所以揉这里，可以很好地缓解肩膀痛、颈椎病。另外，捏揉的时候不要太绷着劲，太硬了不好捏，要松一点。

第十六章

心经大药房——
护命摄神，百病祛根

　　心经的穴位只需记住一点，它们都是调节情志的。而且心经上的穴位，每天捏的时间不用长，每次3分钟，一天捏它2～3次，心里边便会觉得很轻松、很清爽。对于长期在电脑前工作的人，尤其是女士来说，可以最有效地防治电脑综合征和减少手臂内侧的赘肉（蝴蝶袖）。

在中医里面，心是君主之官，是人体最重要的一个器官，而且百病都是从心生起的。现在，大家通常认为疾病分外因和内因，中医也是这么认为的。而且通过疾病两个字，就给大家解释清楚了。比如疾病的"疾"是病字旁里边有一个矢，矢的意思就是射的箭，箭是从外面来侵害您的东西，是外来之病邪。病呢？里面是一个丙字，中医讲，丙丁火，而心属火，病是从心生的。所以疾病有两个原因，一是从外来的，一个是从心生的。手少阴心经专门主管从心生的病。

中医讲，"心主神明"，像魂魄、意志、喜怒忧思悲恐惊等各种情绪，都是由心所主的。历代的众多医著，对心脏的功用有着不同的阐释。《黄帝内经》上说："心者，五脏六腑之大主也，悲哀忧愁则心动，心动则五脏六腑皆摇。"摇就是跟着受到波及，受到影响。《黄帝内经》还说："主明则下安，以此养生则寿；主不明则十二官危，使道闭塞而不通，形乃大伤。"就是说心情平和，一切才能安定下来，才能长寿；如果心思混乱，其他的五脏及身体外形都要跟着受损伤，比如某人精神上受到了打击，伤了心，他整个人的神态都会和以前大不一样。

如果心神混乱，还要想身体健康，那根本是不可能的。也许您会问了，养心又谈何容易？《黄帝内经》上说了一句话："恬淡虚无，真气从之，精神内守，病安从来？"恬淡虚无就是静下来，很淡然，对一些事情没有那么高的奢求，只有这样，您的真气、正气才能跟随着您，如此，病哪里能产生呢？

现在这个社会，每个人各方面的压力都很大，要想达到恬淡虚无这个程度，基本上不太可能。对于常人来讲，这个要求太高了，所以，《黄帝内经》上又进一步地告诉我们如何去养心。它说了三句话，"美其食，任其服，乐其俗"，这就是养心的办法。什么叫美其食？就是我今天不管吃的是山珍海味还是粗茶淡饭，都津津有味。这就叫美其食，不因为食物的好坏而产生心理上的变化。

第二句叫任其服。比如我今天穿了一件名牌西服，站在那里感觉气宇轩昂，明天我从早市上买了一件粗布衣服，干净利落，穿在身上仍然不觉得自惭形秽，这就是任其服。穿什么样的衣服都感觉到有自信。

第三句叫乐其俗，这个是最难做到的。比如，我上午跟说话很文雅的人在一起很投脾气，很高兴。可是下午碰见某些人很粗俗，说话也没什么礼貌，我打心眼里不想跟他们交流。但我的工作任务和生活环境让我必须跟他们天天去交流，这怎么办？我也能跟他们和于光而同于尘，在一起也能成为朋友，这就叫乐其俗。

美其食好做到，吃的东西不同也不会产生多大的情绪干扰；任其服也可以，好一点、次一点都没有关系；但乐其俗最难做到，因为人总是按照自己的生活阅历和标准去要求别人，这就会产生冲突，如果这种冲突经常发生，就会出现心理上的疾病。所以我们一定要把心情调顺，乐其俗才行。

如果用精神调节的方法行不通，那我们就退而求其次，用按摩的方法来把心经打通。

心经的起点在腋窝下的极泉穴，终点在小指的少冲穴。穴位都是两边对称的，左右两边各有9个。但对于手少阴心经来说，按揉左边的效果比右边好。

心经的功能简单地说，第一可以治疗心脏原发的疾病；第二可以治疗情志方面的疾病，比如精神错乱、癫痫病、抑郁症等；还有人手掌心老是发热，手掌出汗，心经也可以调治。

1. 心无挂碍，无有恐怖——品味小臂以上的心经大药

> 青是痛证，因为人一疼痛脸色会发青，而去医院，中医大夫会让您吐舌头看看，一看，舌头发青，有淤血，就有痛证，而身体有疼痛的地方也会发青；灵的意思是很有效果。所以青灵穴治疗痛证非常有效果。

·治抑郁、心里紧张、经常咽干，烦渴，心火比较旺、淋巴结核、上肢不遂、心律不齐、给心脏供血：弹拨极泉穴

极是高处的意思，泉是泉水，这是说心脏往全身源源不断地供血是以这

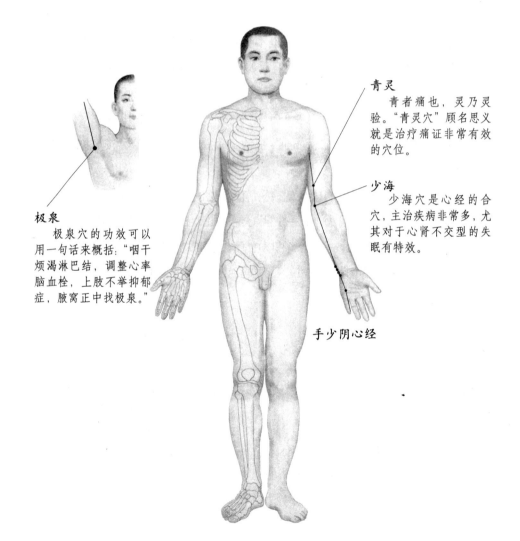

青灵

　　青者痛也，灵乃灵验。"青灵穴"顾名思义就是治疗痛证非常有效的穴位。

少海

　　少海穴是心经的合穴，主治疾病非常多，尤其对于心肾不交型的失眠有特效。

极泉

　　极泉穴的功效可以用一句话来概括："咽干烦渴淋巴结，调整心率脑血栓，上肢不举抑郁症，腋窝正中找极泉。"

手少阴心经

　　心经有两方面功效，一是治疗心脏的原发疾病，二是治疗情志方面的疾病。

个穴位为起点的，它就像人体的一个泉眼一样。

此穴在胳肢窝中间，就是小时候让您痒痒、逗您笑的那个穴。而人到了中老年，再挠这个胳肢窝就不容易痒痒了。因为心血不足，这块已经不传导了，神经也就慢慢地萎缩了。

当我们用大拇指拨动极泉的时候，能感觉到里边有好几根筋。一拨，有时候手指头就麻了，麻感往上蹿。让它经常保持麻，这条经络就通了。所以没事儿我们要经常拨动它，拨到手发麻、胳膊发麻。

我们平常心里紧张、嘴发干、烦渴、老想喝水、心火比较旺时，或者身上长了淋巴结核、上肢不遂，尤其是得了脑血栓后遗症、胳膊抬不起来的时候，这个极泉穴就能发挥作用了。也就是说，极泉可以调整心血管的功能。如果您心率过快，它能帮您缓和下来；心率过慢，它能让它快一点。另外，它还可以防治抑郁症。

简单归纳一下，极泉穴的功能就是"咽干烦渴淋巴结，调整心率脑血栓，上肢不举抑郁症，腋窝正中找极泉"。

·肩臂不举衣难穿，头痛胁痛点即安，青为疼痛灵为验，就在肘上三寸边

顺着心经往下走，在肘和腋下之间，咱们把它分成三份，青灵穴靠近肘这边的1/3，也就是肘上3寸的这个点。

青是痛证，因为人一疼痛脸色会发青，而去医院，中医大夫会让您吐舌头， 看，舌头发青，有淤血，这是痛证，而且身体有疼痛的地方还会发青；灵的意思是很有效果。所以青灵穴治痛证非常好。

中医说，"诸般痛痒皆属于心"，如果您说痒得、痛得忍受不了，其实不是那个点忍受不了，是您的心脏受不了。

青灵穴能治疗头痛、胁痛等痛证，而这些痛证通常都是着急、上火、气郁引起的，青灵穴治这种类型的痛证效果最好。

用四句话来总结，就是"肩臂不举衣难穿，头痛胁痛点即安，青为疼痛灵为验，就在肘上三寸边"。

·降火补肾、夜里比较热燥、出汗、心痛、心脏疼痛、手臂麻、手颤、心脏
疼痛、手臂麻、手颤、手痉挛、失眠、两肋痛、牙龈老肿痛、心烦上火、
耳朵老响、起急：按揉少海穴

少海穴在肘横纹边儿上这个点上，它的主要功能是滋阴降火。

因为心经属火，而这个穴是合穴，属水，肾也属水，所以少海穴起一个
水火相济的作用。就是说火太旺的人，揉这个穴可以降火，同时又滋阴补肾。
有一种病叫心肾不交，就是夜里比较燥热、烦躁、爱出汗、睡不着觉，这时
一定要多揉这个少海。

少海主治的病非常多，有心脏疼痛、手臂麻、手颤（包括帕金森病的那
种手颤）、还有手痉挛，平常都要多揉少海；另外像失眠、两肋痛、牙龈肿
痛，也是心火过旺造成的，如果再配合着合谷穴一块儿揉，效果更好。

少海穴更是一个治疗耳鸣的要穴，就是老爱心烦上火、耳朵响、起急的
那种耳鸣，少海治疗效果最好。

2. 只要转境界，是人同如来——品味小臂和手掌上的心经大药

> 这几个穴位就像兄弟姐妹一样，虽然各自有侧重，但总的功用都是调节人的
> 情志和心脏本源疾病的。

·治心里老恐惧、爱悲伤、忧虑、癫痫、癔病，还有精神分裂、抑郁症或者
房颤、早搏、心动过速、心脏瓣膜疾病：多揉左边的灵道穴

道指道路，灵是神灵，灵道就是通向神灵的道路。古人认为，心是主神
灵和情志的，这个道能够通到心里面去，所以叫灵道。顾名思义，灵道穴主
治神志方面的疾患。

每个人的手掌下面都有一条纹，灵道穴就在这个纹下面1.5寸的位置。

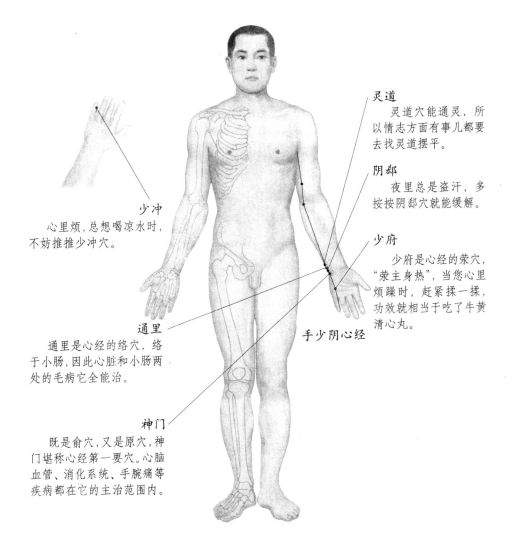

灵道

灵道穴能通灵，所以情志方面有事儿都要去找灵道摆平。

阴郄

夜里总是盗汗，多按按阴郄穴就能缓解。

少府

少府是心经的荥穴，"荥主身热"，当您心里烦躁时，赶紧揉一揉，功效就相当于吃了牛黄清心丸。

少冲

心里烦，总想喝凉水时，不妨推推少冲穴。

手少阴心经

通里

通里是心经的络穴，络于小肠，因此心脏和小肠两处的毛病它全能治。

神门

既是俞穴，又是原穴，神门堪称心经第一要穴。心脑血管、消化系统、手腕痛等疾病都在它的主治范围内。

心经上的穴位每天捏的时间不用太长，3分钟就够了，可以最有效地防治电脑综合征和减少手臂内侧的赘肉（蝴蝶袖）。

摸这块儿有一根筋，它就在筋外侧一点儿，揉的时候要贴着这根筋往里掐着揉。

灵道穴除了有宁心安神的作用以外，还有一个重要的功效就是止抽。比如癫痫发作时抽搐的人，平常多揉揉它，就可以防治。

还有心里老是恐惧，七上八下的，或者老爱悲伤、忧虑，又或者有心因性、心源性的咳喘，这时一定要多揉这个灵道穴。

灵道穴还有化痰开窍的功效。有人患心脏病了，尤其是瓣膜方面的心脏疾病，比如早搏、心动过速、房颤，都会经常有痰和喘的感觉，多揉灵道穴，就有化痰涎、舒心气、定咳喘的功效。

灵道这个穴位还有即时缓解心脏病的效果，前不久有一位70多岁的大妈说，她上次房颤后去医院，因为诊室有人要排队，她就在外边等。突然想起这个灵道穴了，赶紧揉，揉了一会儿，心里便特别平和。她说咱也甭看医生了，我没什么事儿了。

对于心脏疾患，咱们最好还是防患于未然。像有房颤、早搏、心动过速、心脏瓣膜疾病问题的朋友，这个穴非常痛，要多揉。

还有就是有心绞痛的人，灵道是一个非常好的防治穴位。别等心绞痛犯了再揉，那阵子就没劲了。另外，左边的灵道穴比右边敏感得多，平常我们要多揉左边。

凡是跟情志有关的病，比如癫痫、癔病，还有精神分裂、抑郁症等，都要多揉这个灵道穴。

·治受惊造成的突然失音、神经性腹泻、坐骨神经痛、倦言嗜卧、老爱后悔、四肢沉重、热证脸肿：揉通里穴

通里穴在腕横纹上一寸处，紧挨着灵道，下面还有阴郄穴和神门穴。因为它们挨得近，所以咱们揉的时候，没必要非得找这个通里。有时候您揉旁边的灵道更敏感，那您就多揉灵道，而揉阴郄时特别敏感，就多揉阴郄。这几个穴位就像兄弟姐妹一样，虽然各自有侧重，但总的功用都是调节人的情志和心脏本源疾病的。

通里穴有一个最大的功效：比如人受到惊吓了，或者是突然生气了，造成失音，这时赶紧掐这个通里，就能安心和舒解。

通里穴又是心经的络穴，和小肠相络，所以它也能够调节小肠方面的疾患，像神经性腹泻，多揉揉通里就能管用。

通里穴还可以治坐骨神经痛，不过揉时要找对侧穴位来揉，比如右侧坐骨神经痛，就揉左侧的通里穴，左侧痛就揉右侧的通里穴。

通里穴还能治疗倦言嗜卧（就是懒得说话，整天想睡觉，整天都睡不醒，没精打采）。《伤寒论》上说："少阴病，但欲寐也。"少阴病就是指心经和肾经这两条经上的病，它们通常表现为心气不足，倦言嗜卧。

如果您老爱后悔，古人叫后悔为懊恼，索性每天多揉揉通里。它专治这个老爱后悔的病。

通里穴还治怔忡，就是心里老不安稳，好像干了什么亏心事儿，觉得老有人要抓自己似的。这也是心气不足、心血不足造成的，这时，您赶紧揉通里。

另外，如果整天老觉得四肢跟灌了铅似的，也可能是心脏的气血不足，不能供应到四肢，所以四肢感觉沉重。还有就是热证，像脸肿、腮腺炎，揉这个通里也特别管用。

·治急性病发作、盗汗、恐惧、忧虑、悲伤，受惊：揉阴郄穴

郄有孔隙的意思，和所有的郄穴一样，治急性病发作效果最好。

阴郄主要治疗盗汗，就是夜里睡着的时候不知不觉出了好多汗，醒了就不出汗了。中医管这种情况叫骨蒸，骨头就跟用锅蒸了似的，里面老特别的热。阴郄穴专门治这种骨蒸盗汗。

阴郄穴也是治疗惊恐的。心里有恐惧，有忧虑，有悲伤，受惊了，多揉揉这穴就会好。

- 治疗冠心病、心绞痛、高血压、心源性的哮喘、失眠、受惊后失眠（就是受到惊吓以后，老想睡觉，恐惧了）、癫痫、腕关节炎、饥不欲食、头痛眩晕、血压高：掐按神门

神门穴也是安神定志的。它就在腕横纹线上的骨头下边，通常咱们要把指甲剪平了，使劲掐才能找到这个穴位。

中医有一个说法，叫"治脏者治其俞"。神门穴就是一个俞穴，它可以治疗心脏本身的疾病。中医还说"五脏有疾当取十二原"，就是五脏有病要取十二正经的原穴来治。神门穴就是一个原穴，所以这个穴位的功用很强。

神门穴多用于治疗心神失养或者心火亢胜、痰蒙心窍所引起的恐惧、失眠、健忘，即主治心脏、脑神经方面的疾患和消化系统方面的疾患。消化系统方面的疾患，就是心里想吃东西，可是一吃就堵在这儿，这叫"饥不欲食"。因为胃里边的血气少，没有动力。而神门穴是一个原穴，它属土，土又是属于脾的；心经属火，火生土。所以多按神门穴，让心脏给脾脏多供应一些血液，就能帮助消化了。

神门穴治疗关节炎尤其是腕关节炎效果非常明显。而手腕老疼的人，通常痛点是在小肠经的养老穴与神门穴邻近的位置。心与小肠相表里，通过按摩神门穴，就给小肠经补血了。

神门穴也是止抽搐的一个要穴，家里有癫痫病人，平常要多揉揉这个穴位，再加上前面说的灵道、通里、阴郄3个要穴，没事儿就多揉揉这块，可以调节咱们的情志。

- 治疗先天心脏不好、头颈痛，还有脑部充血所引起的眼睛红赤、眼睛痛、鼻黏膜充血，以及手脚老爱热，睡觉的时候总蹬被子，心痛、心悸、惊恐，小便不利，尿失禁，梅核气（像老有痰似的堵在嗓子这块）：揉少府穴

在我们的掌心上有一横纹，通常，我们把这条横纹叫作感情线。少府正好在感情线上。找的时候，咱们握拳，小指所点处就是少府穴。心脏有问题的话，这块会很敏感。

少府，少是指手少阴心经，府是心脏。有原发性心脏病，就是先天心脏

不好的人，平常一定要多揉少府。

如果您心里特别烦躁，到晚上不想睡觉，就赶紧掐掐少府，清心除烦，相当于吃了牛黄清心丸。

头颈痛，还有脑部充血所引起眼睛红赤、眼睛痛、鼻黏膜充血，都可以用少府来调治。

有的人手脚老爱热、睡觉的时候蹬被子、心痛、心悸、惊恐、小便不利、尿失禁，这样的人也一定要多揉揉少府。

少府穴还能治梅核气。

·治心火大、特别爱烦躁、老想喝点儿凉的东西：用大拇指往下捋少冲穴

少冲是心经上的最后一个穴位。在小指指甲内侧旁1毫米的地方，主要是祛心火的。当您特别爱心烦、急躁、老想喝点儿凉水的时候，只要用大拇指从这块往下推推捋捋，就能把心火祛除。

另外，有一种心气虚寒的人，本身没那么大火气，经常胃寒怕冷，就别推这个穴了，本来您体内火就不足，您再给推光了，那怎么行呢。

心经上的穴位，每天捏的时间不用长，每次3分钟，一天捏它2~3次，心里边便会觉得很轻松、很清爽。对于长期在电脑前工作的人，尤其是女上来说，可以最有效地防治电脑综合征和减少手臂内侧的赘肉（蝴蝶袖）。

3. 心经健康大课堂

> 心慌气短食不下，可服柏子养心丸。口燥盗汗大便干，快用天王补心丹。夜晚难眠心烦热，牛黄清心神自安。常服人参生脉饮，气阴同补功效全。

问：

心包经和心经是不是一回事？

中里巴人答：

心包经和心经不是一回事，它们可以协同而作。比如您有过多情志方面的问题，要多揉心经；如果是心血管、冠心病方面的问题，就多揉心包经。

问：

中里老师，您能不能给我们讲几种调治心神的中成药？

中里巴人答：

我给大家提供几种调治心神的常用中成药，配合按摩心经，效果更好。为了方便大家记忆，我编了一个顺口溜，您看看有没有适合您的：

心慌气短食不下，可服柏子养心丸。

口燥盗汗大便干，快用天王补心丹。

夜晚难眠心烦热，牛黄清心神自安。

常服人参生脉饮，气阴同补功效全。

第十七章

督脉大药房——
人体太阳生起的地方

　　督脉的穴位虽然多，但如果我们掌握了主要的一些穴位使用法后，就能从根本上保护好我们的身体了。

　　督脉强壮，我们才可以顶天立地。

1. 紫气东来，万象更新——品味背部的督脉大药

> 咱们通过陶道穴，要想到人生的很多追求，而通过按揉一个穴位，就可以达到精神的愉悦，这难道不是一种最好的追求吗？

·防治脱肛、痔疮，大补腰肾：搓长强穴

长强是督脉的第一个穴位，它在臀部的尾骨尖上。这个穴是治疗脱肛、痔疮的要穴。古人通常用一种方法，不仅能防治脱肛、痔疮，还能大补腰肾。这方法就是把手搓热了，然后用热手再搓这个长强，顺着腰椎尾骨这块往下搓，每天搓100回。

·治腰痛：在腰俞穴拔罐

俞是通道、通路的意思，而腰俞就跟腰通着。如果您时不时腰痛，尤其是腰椎这块有问题，那您就要经常多搓搓腰俞，也可以在这拔罐；有人腰痛时有要折了似的感觉，那最好在腰俞到腰阳关这段拔罐，拔10分钟后再活动活动，做做下蹲，觉得腰部发热，腰有劲了，说明气血已到腰这来了。您只要记住：凡是酸，就是气血没过来，缺血了，您赶紧拔罐把气血聚在这里来，血一来就不酸了。

·补肾强腰、治腰痛和男性前列腺方面疾患及妇科病：在腰阳关拔罐

腰阳关也是一个专门治疗腰痛的要穴。因为督脉是人体诸阳经之总脉，如果人阳气不足就会表现出整天没精打采、容易困倦、虚寒怕冷等症状。所以要振奋督脉，使用腰阳关的效果是非常不错的。

作为强壮体质，我们平常要在腰俞到腰阳关这一块拔罐，拔完罐以后，经常走动走动，或者练跪膝功的时候，也拔上罐走动走动，之后您会就觉得腰这块非常有劲。另外这个方法还对男性前列腺方面的疾患及妇科病有很大帮助。

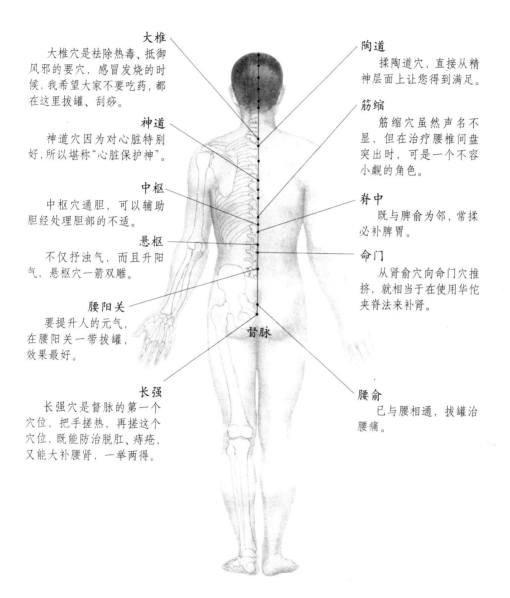

大椎

大椎穴是祛除热毒、抵御风邪的要穴，感冒发烧的时候，我希望大家不要吃药，都在这里拔罐、刮痧。

神道

神道穴因为对心脏特别好，所以堪称"心脏保护神"。

中枢

中枢穴通胆，可以辅助胆经处理胆部的不适。

悬枢

不仅抒浊气，而且升阳气，悬枢穴一箭双雕。

腰阳关

要提升人的元气，在腰阳关一带拔罐，效果最好。

长强

长强穴是督脉的第一个穴位，把手搓热，再搓这个穴位，既能防治脱肛、痔疮，又能大补腰肾，一举两得。

陶道

揉陶道穴，直接从精神层面上让您得到满足。

筋缩

筋缩穴虽然声名不显，但在治疗腰椎间盘突出时，可是一个不容小觑的角色。

脊中

既与脾俞为邻，常揉必补脾胃。

命门

从肾俞穴向命门穴推挤，就相当于在使用华佗夹脊法来补肾。

督脉

腰俞

已与腰相通，拔罐治腰痛。

督脉是人体奇经八脉之一，总督一身阳经，号称"阳脉之海"。只有打通督脉，我们才能顶天立地。

·改变"先天之本"的第一步：在命门穴上艾灸或拔罐

命门，一听这个词就很关键。咱们说肾是先天之本，而命门就是通往先天之本——肾的门户，是人体补肾的大穴。我自己就经常在这里艾灸或者拔罐。

我曾经去过少林寺，它的门口立着一个小铜人，是祛病的。通常，大家都爱用手掌去摸摸它的肚脐眼，结果肚脐眼那块都被人摸白了，但后边的命门很多人却没有注意。小铜人命门的旁边有好多三角状的东西，好多人不知道那是什么，我告诉您吧，那画的是华佗夹脊。什么叫华佗夹脊呢？就是人体中间这根脊柱旁边1厘米处与脊柱平行的两条线，夹住中间的脊椎骨了。但这个夹脊本身只有1厘米宽，可是在少林寺给画成半尺宽了，什么意思呢？这可不是随便画的，它是告诉您这块地方对于人来讲是太重要了。

怎样使用华佗夹脊法来补肾？有一个很简单的方法，就是挤压命门，怎么挤压命门呢？从哪里开始？咱们看看命门旁边是什么吧，是肾俞，我们从肾俞这块往命门挤压就可以达到补肾的功效。有人说我找不准命门，没关系，命门上下都归命门所主。其实您拔罐也拔不准那个穴位，但这一罐下去两个穴位都进去了，所以找命门时没必要那么准，只要在这个大概位置往中间推就可达到补肾的效果。当您每天用手在命门穴搓两三分钟后，您会觉得腰越来越有劲，而腰一旦有劲儿，人的整个精神状态都不一样了。

·调节三焦：按揉悬枢穴；补益脾胃：揉脊中穴

从命门往上的穴位叫悬枢、脊中。

有人说，你怎么不讲了，只念一下名字就过去了，其实这些穴位咱们不用管那么多，因为古代医家写的也都是他自己的经验，他能写出一百种效用来，但对于咱们来讲，说得越多越迷糊。所以您只要知道督脉能够振发阳气、通到肾，而肾有什么功效这些穴位就有什么功效这个原则就够了。

再给大家介绍一个快速激发穴位功能的方法。您看命门旁边就是跟肾有关系的？肾俞，所以命门跟肾有关系；而悬枢旁边是什么？三焦俞，所以悬枢跟三焦有关系；依此类推，再往上有一个脊中，旁边是脾俞，所以您脾胃不好，点脊中会比较痛。当您把脊中这块痛点给揉散了，脾胃的功能就能大大增强。它们是相对应的，是一条线上同气相求的兄弟。

·治胆系统毛病：务必多揉中枢穴

中枢穴旁边通着胆，跟胆关系紧密。而胆经为半表半里之经，连通着内外，像一个枢纽一样，所以中枢穴就起着枢纽和连接内外的功效。当您有胆方面的问题时，请一定要多点揉中枢穴。

·治疗腰椎间盘突出、小儿抽动症、癫痫：点揉筋缩穴

凡是腰椎间盘突出的人，筋缩这个点都非常痛。而腰椎间盘突出跟肝肾有很大关系。肾主人体中间这根脊骨，筋主两边的筋，两边筋有一根筋长，有一根筋短，椎间盘就突出来了。通常咱们治疗腰椎间盘突出时，用手法给它按进去，但过两天又突出来了，总是治不好，这就是两边筋不一样长了，是短的这根筋把椎间盘拽出来了。

为什么这根筋会短？因为里面有淤血，淤血会造成肌肉僵硬收缩。其实，用刮痧的方法把淤血散掉，这根筋就能恢复弹性，跟对侧筋一样长了，椎间盘自己就会自动归位，就像一个弹簧拉伸后，不用给它推进去，也能归位。您要强给它推进去，这条筋还短着，很快又会被拉出来。另外，跪膝法是调节肝肾的，对腰椎间盘突出也有很大帮助。

筋缩的旁边是肝俞，也跟肝有关系，而肝主筋，这个穴叫筋缩，是说筋缩在一起了，证明肝出现了问题。还有什么病跟筋缩有关系呢？抽动症。有的孩子老动脖子，挤眉毛；还有人癫痫病一犯就抽，这时都要好好点揉筋缩穴。

·缓解心脏供血不足、心绞痛等心脏不适：多揉神道穴

神道穴旁边是心俞穴，所以神道是通往心脏的，而心脏有问题的人平时一定要多点揉心俞。当心脏供血不足时，容易发生心绞痛，这时点揉心俞肯定非常痛。所以我们平常就要多揉，把痛点揉散了就好了。

·让人快乐高兴：按揉陶道穴

陶是高兴的意思，乐陶陶嘛！陶道穴是一个能让人快乐、高兴的穴位。

过去古人讲："能者劳，智者忧，无能者无所求，乐陶陶。"能力出众的人操劳一生，智慧超群的人整天忧心忡忡，只有能力、智力都平平的人才是真正高明的人，什么事儿不干，还能丰衣足食，能不高明吗？《黄帝内经》也说过类似这样的话，我觉得这不失为我们日常生活的一种指导。您看，《黄帝内经》说人生是"以恬愉为务，以自得为功"。我们每天的生活其实就是在追求两个字：一个是恬，恬就是心里安静，踏实；一个是愉，愉快。恬愉是我每天要完成的任务。凡是跟恬愉有关的事情，我就做；跟恬愉无关的，我就尽量不做。以自得为功，什么是成功的标志？我自己满意自己，我做完这事，心里很高兴，觉得自己成功了，而不是别人说我真成功。别人说您成功，您真棒，但您自己不高兴，没用。只有自己感觉心满意足，才是真正的成功。

所以，咱们通过陶道穴，要想到人生的很多追求，而通过按揉一个穴位，就可以达到精神的愉悦，这难道不是一种最好的追求吗？

· 祛除热毒、抵御风邪：在大椎穴刮痧或拔罐

大椎穴是针灸的要穴，但凡人发热、发烧了，针针大椎，或者在大椎放点儿血，拿刮痧板刮大椎，出点儿痧，烧就退了，所以大椎有泄热的功效。还有，风寒很容易从大椎这块进去，我们平常要多用手搓搓大椎，可以免受风邪之害。

2. 勿以善小而不为——品味头部和面部的督脉大药

> 素是开始的意思，古人认为胎儿在母亲肚子里是先长鼻子，鼻子先成形；而髎是骨头、骨节间缝隙的意思，所以先成形的鼻头骨就叫素髎，这个穴位主要功效是治疗鼻炎。

· 治疗聋哑：刺激哑门穴

古人为什么给它起名叫哑门？就是告诉您在这块扎针的时候得小心点

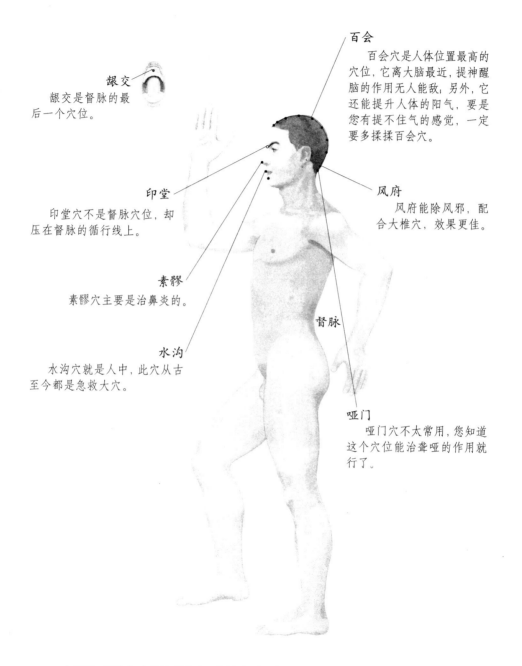

龈交

龈交是督脉的最后一个穴位。

百会

百会穴是人体位置最高的穴位，它离大脑最近，提神醒脑的作用无人能敌，另外，它还能提升人体的阳气，要是您有提不住气的感觉，一定要多揉揉百会穴。

印堂

印堂穴不是督脉穴位，却压在督脉的循行线上。

风府

风府能除风邪，配合大椎穴，效果更佳。

素髎

素髎穴主要是治鼻炎的。

督脉

水沟

水沟穴就是人中，此穴从古至今都是急救大穴。

哑门

哑门穴不太常用，您知道这个穴位能治聋哑的作用就行了。

中医说，督脉为人休诸阳之会。它从头后循行到面部，等于是在头上转了大半圈。

儿，揉没事儿，手揉不到这么深，但扎针的时候得小心，弄不好就变成哑巴了。但同时，此穴又能治疗聋哑。

哑门穴的作用是双向的，是一把双刃剑。扎针咱们不便操作，也不会拿它去治疗哑巴，我们只要知道这个穴位的意思就行了。

·抵御风邪：擦揉风府

风府就是风的一个房子，风爱在其中堆积下来。我们感冒、头痛、头晕，都是因为风邪从风府这块进来了。所以平常要多擦揉风府，把这块擦热了，就可以很好地抵御风邪之害。

·治头胀痛、胃下垂、脱肛：针刺或按揉百会穴

百会就是脑袋正中间这块。有的人经常头胀痛，通常到针灸科，拿梅花针敲两下，出点儿血，当时头目就清爽了，感觉很舒服。

百会穴有开窍醒神的功效，而且还可以提升人体的阳气，如果有人胃下垂、脱肛，那平常一定要多揉揉百会穴。

·治晕车、胃痛、恶心、过敏性鼻炎：多揉印堂穴

印堂是经外奇穴，它不属于督脉，但是它压在督脉上。并且，印堂治过敏性鼻炎效果很好，当您爱晕车、经常胃痛、恶心时，多揉揉印堂会马上改善。

·主治鼻炎：揉素髎穴

素是开始的意思，古人认为胎儿在母亲肚子里是先长鼻子，鼻子先成形；而髎是骨头、骨节间缝隙的意思，所以先成形的鼻头骨就叫素髎，这个穴位主治鼻炎。

·治中暑：掐水沟穴

水沟就是人中。当人中暑、突然昏迷了就赶紧点人中，使劲掐。因为这个穴位是从古至今的有名急救大穴。

·藏在嘴里的穴位：龈交穴

龈交是督脉上的最后一个穴位。把嘴唇翻起来，它就在牙龈上。这个穴位不好按摩，咱们了解一下就行了。

·打通督脉的绝活：在床上踏步摇头

有人说，这个督脉好像在后背，我没法弄，我还得求人，别人都不管，我自己怎么办？没辙了。我告诉您，求人不如求己，咱们要自己想办法。有人说了，找个东西敲一敲，可以，拿痒耙挠都行，但是还可以用一个更好的方法——踏步摇头法（此法参照《求医不如求己》一书第100～101页），这样每天在床上就可以把脊椎调节了。但这个方法对于有脊椎病的人得慢点儿来，要循序渐进、量力而行。踏步的时候，头只需要微微抬起来就行，不用抬得太高，年轻人可以抬得高点儿，千万别使劲，脚后跟要贴着床走，不要把脚翘起来。如果翘起来，劲就费大了，变成练肌肉，就练不到腰椎了，所以一定要放松。

揉督脉时，要用掌根从风府穴开始往下揉，动作要柔缓，别上来就使劲。有骨结核、骨质疏松的朋友先别揉，要顺时针划着圈揉，一直揉到长强穴。揉的过程中，您会发现好多地方有痛点，把这个痛点反复揉一揉。这些痛点都连着脏腑，您可以看看到底连着哪条？是在肝俞旁边，还是在胆俞、胃俞旁边，您就知道到底有什么问题了。揉到一定程度，您哪都不疼了，防病治病的目的就达到了。

揉的时候，还可以把两个手掌搁在脊椎上，像擀面条一样从上到下擀一擀，给岁数大的老人做时，动作一定要轻揉。另外，这么擀的时候，被擀的人不要在那较劲绷着。这个方法对整个督脉的调节都非常有好处。

如果觉得背上痛点很多，还可以用刮痧板沿着督脉从头往下这么轻轻一刮。出痧就出痧，不出痧也别强刮，因为这个痧不是您刮出来的，而是您身体里面的气血推出来的，它想出来就让它出来，不想出来千万别硬刮，硬刮就会有问题。所以刮痧的时候要记住两句话，"抒其所欲发，勿强开其所弊"。痧想从这出来，我就帮助它，就跟挠痒痒一样。挠痒痒的时候，心里很想让挠，刮痧也是。所以后背痒的时候，刮痧效果最好，一痒您轻轻一刮就出痧了。

督脉的穴位虽然多，但如果我们掌握了一些穴位使用方法后，就能从根本上保护好我们的身体了。

督脉强壮，我们才可以顶天立地。

3. 督脉健康大课堂

> 如果觉得身体哪块有损伤，首先要少活动，先按摩再活动。按摩也不要按摩痛点，比如说我这个关节有问题了，不要直接按摩关节上的痛点，转动一下，看您出问题的地方到底是在哪条经上，然后按摩这条经络上痛感明显的穴位。

问：

我的脚脖子和踝骨特别疼，而且肿胀好长时间了，我不知道活动多了好还是不活动好？

中里巴人答：

如果觉得身体哪块有损伤，首先要少活动，先按摩后再活动。按摩也不要按摩痛点，比如说我这个关节有问题了，不要直接按摩关节上的痛点，先转动一下，看您出问题的地方到底是在哪条经上，然后按摩这条经络上痛感明显的穴位。有时候手腕痛了，千万不要按摩手腕的关节；手指头痛了，不要直接按摩手指头，可以按摩它相对应的位置。比如说我左脚脖子有问题，可以按摩左手腕子；我脚指头有问题，就按摩手指头；手指头有晨僵，早上起来僵硬，您就按摩脚指头，临睡觉的时候先按摩，第二天晨僵问题就解决了。

第十八章

任脉大药房——
打通任脉，万毒不侵

调理任脉时，只要记住三大要点就够了：第一，拿艾灸灸肚脐眼（神阙），这个有大补的作用；第二，在中脘和下面气海附近拔罐，可以起到调理五脏六腑，调神安心的功效；第三，经常推腹、揉膻中穴就可以打通任脉，可以让我们精神和身体一天比一天好。

有好多朋友都看过武侠小说，里面总是说，如果把小周天打通了，身体就百毒不侵了。其实在中医看来，打通小周天不过就是让任脉和督脉畅通而已。

任脉在我们身体正面的一条中线上。

1. 海纳百川，有容乃大——品味胸部以下的任脉大药

大家说我讲这些穴位时都是一带而过，没有仔细讲解，为什么？因为我即使给您说出来二三十个功能，您不过就是用手点按。有的朋友肚子特别大还点按不了，没感觉，只在皮上点按，点着点着您就没信心了，我说得再好您也觉得没用。所以您也甭管它治什么，咱们就用推腹这一招，就能把经络全给推了。

·治男性前列腺毛病、生殖系统、泌尿系统疾患以及脱肛、痔疮、妇科疾患，防肠胃疾病：揉会阴穴

会阴穴是任脉的起点，它在前后阴之间。

此穴主管男女生殖系统方面的疾患。像男性前列腺方面的问题、生殖系统、泌尿系统疾患以及脱肛、痔疮，还有女性的月经不调、炎症等妇科疾患都可以刺激会阴穴得以改善。另外，会阴穴对防治肠胃疾病效果也非常显著。

任脉上还有一个穴位叫阴交，和会阴穴的功效差不多。

·专治男性前列腺方面的疾患：揉曲骨穴

我们看耻骨的形状，它是两个圆合在一起的弯曲骨头，所以叫曲骨。曲骨对男性前列腺方面的毛病效果特别显著。有前列腺问题的朋友，在整个曲骨附近也就是耻骨的位置上一定有很多的痛点、结节，只要把这些结节给揉散了，把痛点揉没了，前列腺的问题就解决了。

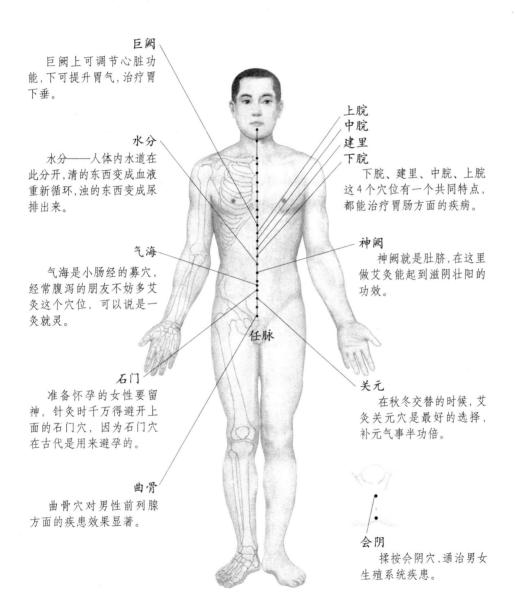

巨阙

巨阙上可调节心脏功能，下可提升胃气，治疗胃下垂。

水分

水分——人体内水道在此分开，清的东西变成血液重新循环，浊的东西变成尿排出来。

气海

气海是小肠经的募穴，经常腹泻的朋友不妨多艾灸这个穴位，可以说是一灸就灵。

石门

准备怀孕的女性要留神，针灸时千万得避开上面的石门穴，因为石门穴在古代是用来避孕的。

曲骨

曲骨穴对男性前列腺方面的疾患效果显著。

任脉

上脘
中脘
建里
下脘

下脘、建里、中脘、上脘这4个穴位有一个共同特点，都能治疗胃肠方面的疾病。

神阙

神阙就是肚脐，在这里做艾灸能起到滋阴壮阳的功效。

关元

在秋冬交替的时候，艾灸关元穴是最好的选择，补元气事半功倍。

会阴

揉按会阴穴，通治男女生殖系统疾患。

任脉与督脉相同，也是身体奇经八脉之一。任有"妊养"的意思，它总管一身阴经，与女子经、带、胎、产的关系万分密切。

中极穴的功效和会阴、曲骨差不多。

·强健身体：艾灸关元穴

元是元气，关元就是把元气关在里面了。古人一直认为关元穴是强身壮体的第一大穴，一般采用艾灸的方法。所以我们在秋冬交替的时候，就要把艾条准备好。古人为了长寿通常要灸3个月，每天灸，或者隔一天灸一次，能大补元气。

有人问我，夏天的时候艾灸关元穴好不好？夏天整个气候是比较炎热的，人体毛孔都张开了，气是往外发散的，因为这个时候需要往外发散。如果此时艾灸，就等于和体内的能量相对立，不会有什么好的效果。当然，体质特别虚寒、经常胃寒或者是来例假的时候经常腹痛的人，在夏天可以艾灸，但对于保健强身来讲，最好在冬天到来之际开始灸，能够很好地增强体质。

·避孕、消腹胀、调理月经：按石门穴

石门指的是搬一块石头把子宫口堵住。古人认为，如果经常在这里针灸，就可以避孕。所以，对于正想要孩子的女性朋友来说，这块您就先别针灸了，当然按摩是没问题的。

石门也是三焦经的募穴，它主一身之气。如果您气不顺，尤其觉得小腹老胀，可以经常点按石门消消胀。它也能很好地调理月经。

·治腹泻、体质虚寒：点按或艾灸气海穴

气海穴是调理一身之气的，它是小肠经的募穴。如果您小肠功能不好，老是腹泻，可以经常点按或者艾灸气海穴，对于体质虚寒的朋友来说，效果很不错。

·强壮脾胃和体质：艾灸神阙穴

神阙穴也就是肚脐眼。古代历来禁止在此处扎针。有的小孩子爱抠肚脐眼，一定不要让他们抠，这块特别容易感染。

我们可以经常艾灸神阙，对于身体虚寒，肠胃功能弱的人来说，效果非常好，还有，神阙穴离石门比较远，如果想要孩子的话，别在关元附近艾灸，索性艾灸神阙就行了。

艾灸神阙穴有几种方法。您可以平躺着，用艾条直接灸肚脐眼，以增强人的先天之力，也就是免疫力。有过敏性鼻炎的，艾灸神阙有很好的防治效果。

还可以隔姜灸。就是削一块姜，扎几个窟窿眼，上面用艾条的细末捻成黄豆大的一团，点着就行。隔姜灸是温里通气的，有人肚子里特别胀，大便老下不来，这样的人只要不是热性体质，属于虚寒无力的，都可以用此法。

也可以把葱、盐炒热了，分别包在两个布袋里，交替温热神阙。盐有温里的作用，葱能通窍，这两个交替一弄，肚子就舒服了，一会儿就会放屁，便意也来了。

古人经常说要强壮我们的丹田，丹田就是肚脐眼附近，有人说丹田是肚脐眼下三寸，有人说肚脐眼下三寸指的是肚脐眼里边，丹田在深层。咱们也别管丹田在哪儿，反正您灸肚脐眼附近就能强壮先天之本。

您平时还可以拿肚子撞撞墙、撞撞树或家里比较平一点的门垛子，或者经常用手拍打拍打它。撞的时候要放松，由轻到重，慢慢地撞，可以振动里面的脏腑，增强脏腑的功能。不要绷着劲，一绷劲就产生紧张感了，那样撞的就是外面的皮，不会有效果。

·分清泌浊、利尿消肿、消除慢性炎症：揉水分穴

水分在肚脐眼上一寸，也就是一大拇指的宽度。

古人说水分穴就是水道在这里分开了，清的东西变成血液重新循环，浊的东西变成尿排出来，这块是一个分界点。

腿上经常有水肿的朋友，或者是有糖尿病的人，就是水分这块不利了，好坏东西一块都排出去了。

我们的身体里常会有一些炎症，就是因为体内湿气比较重，里面滋生细菌了。水分就是祛湿的，而且，如果您点按水分时非常痛，那肯定就是体内

有慢性炎症。这时,您可以顺着经络来找痛点,看到底是哪块炎症没有解决。当然,揉水分本身也可以消除慢性炎症,还有利尿消肿的功效。

·处理肠胃疾病:找下脘、建里、中脘和上脘

下脘穴主管小肠方面的问题,比如说肠痉挛、小肠神经功能紊乱、腹泻、便秘的问题。

建里穴是强壮十二指肠的穴位。

中脘在肚脐上四寸(四横指是三寸,再加上一个大拇指的宽度,就是四寸)。它还是胃的募穴,特别善于调理胃。像经常胃痛、胃酸、胃涨的人,在中脘这块肯定有阻塞,用手一点会很痛,或者有胀的感觉。这时,用艾灸的方法效果比较好。

有的人肚子里老不舒服,不管是吃完饭以后还是没吃饭,整天肚胀,就是有气,打嗝儿也出不来,放屁也没有,心里很烦躁;还有人晚上睡不着觉,总做噩梦。这个时候,要在中脘和肚脐眼下边一寸半的气海穴上分别拔一个罐,上下这么一拔,气就理顺了。胃里面一舒服,晚上睡觉就安稳了。

有人说:"这种方法比较麻烦,我晚上就喝点儿牛奶帮助睡眠吧"。我说:"牛奶这个东西有人喝完后很舒服,容易安眠;但有人喝完了反而胃部胀气,老想打嗝儿,安不了眠,这样的人就别拿牛奶来安眠了。"

中脘不仅能调解肠胃功能,还有安神镇静的功效,您看小孩一害怕了,咱们就给他揉揉肚子,摸摸脑袋,说别害怕,肚子揉的这块就是中脘。

上脘也治胃方面的疾病。

·调节心脏,治疗胃下垂:按揉或艾灸巨阙穴

巨是大的意思,又是重要的意思;阙就是门户,要道关口,很重要的地方,"一夫当关,万夫莫开"中的"关"也是阙。而什么是人体最重要的地方呢?是心脏。巨阙是心脏的募穴,对于心脏功能的调节非常有好处。

巨阙可以治疗胃下垂,经常按揉或者用灸法效果都很好。

胃下垂的原因就是心脏供血不足了,根源在于心脏虚弱,给胃的供血少

了，当胃缺少血液支持后，就会下垂。所以，要想根治胃下垂，就得增强心脏的功能，光增强胃功能没用。只有心脏的气血足了，胃自然就会提上来。胃下垂才能真正得到根治。

·排浊清身的养生保健大法：推腹法

大家说我讲这些穴位时都是一带而过，没有仔细讲解，为什么？因为我即使给您说出来二三十个功能，您不过就是用手点按，有的朋友肚子特别大还点按不了，没感觉，只在皮上点按，点着点着您就没信心了，我说得再好您也觉得没用，所以您也甭管它治什么，咱们就用推腹这一招，就能把经络全给推了。

怎么推呢？用10个手指肚，从心窝下（巨阙穴）开始往下推腹，有胃下垂的人在开始推的时候要轻一点，不要上来就特别使劲，每天坚持推，就能帮助您把下垂的胃提升上来。有一个患有胃下垂的70多岁老人，他说开始没敢这么推，只用手掌的大鱼际(拇指下肉厚的部分)顺时针慢慢往下揉，感觉很舒服，不久就发现胃下垂慢慢好转了。

从巨阙穴往下推的时候，您自己会发现许多问题，有人会觉得有气团在运动，浊气慢慢推出去了；还有人一推，咕咕直响，有水声，那是有浊水在里面，一定要把浊水给推下去，因为不推下去，浊水顺着经络一上来，上到头就是眩晕症，中医管这叫水气凌心，所以您就眩晕、恶心、呕吐了，都是这浊水惹的祸。

任脉是非常重要的，但您如果不知道怎么使用，那它就一点不重要了。而您打通任脉的最好方法之一就是推腹，非常简单。您甭管是推上脘、中脘还是气海，都没关系，您就这么往下推，任脉就全通了。

推腹不是白推的，目的非常明确，就是排除浊气、浊水、宿便。

有人大便不好，您就天天推腹，原来两天一次，现在要一天两次，大便通畅了；有人肚子里老胀，就是浊气，您一推腹就爱打嗝儿，打嗝儿放屁就把浊气散了；有人不爱喝水，有湿气，一推腹把湿浊散出去了。这个湿浊，很多人不是特别的注意，有人说我推肚子还能推出水槽来？您回家躺在床上，临睡觉之前您推推试试，尤其在心窝这块仔细推一推，有很多人都能推出水槽来，一推咕咕直响，跟青蛙叫似的。推一个礼拜，当您老打嗝儿以后，把浊气散开以后，这个水就真正地出来了。原来是气裹水，裹在里面。这个时候您再推，就发现肚子变成水囊了，一推哗哗的，那是长期积存在肠胃之间的浊水被您给推出来了。

有前列腺炎等男科疾病和妇科疾病的人，推腹要推到肚脐眼以下，一直推到耻骨；只是普通肠胃方面有问题的，或者只是想养生保健，您就推到肚脐眼那就行了。每天晚上临睡觉之前，推5分钟再睡觉，把一天存的这些浊气、浊水、宿便赶紧通一通，早晨醒来别马上起床，先推推腹，这样，您吃早点就香了。很多人早上起来根本不想吃东西，其根本原因就是肚子里有浊气。所以晚上推一次，早上起来之前再推一次，对身体非常有好处。

2. 壁立千仞，无欲则刚——品味胸部和头部的任脉大药

> 盖就是伞的意思，华丽的伞指的就是咱们的肺，两块肺在那，像一把华丽的伞一样。所以这个穴是调节肺的，凡是咳嗽、气喘等跟肺有关的毛病，您就多揉揉华盖。

·驱散心中闷气：揉鸠尾穴

鸠一看就是小鸟，什么鸟？布谷鸟，鸠尾就是布谷鸟的尾巴，它挺大的。胸部这块正好有一个骨头叫剑突，就跟布谷鸟的尾巴似的，而旁边的两肋，就像张开的布谷鸟翅膀，所以这个穴位是一个形似布谷鸟尾巴的地方。

古人起这个名字就是为了让您记住，而咱们在看穴位的时候，不但要想到穴性，还要知道穴的含义是什么，这样才能让它更好地服务于我们。

鸠尾穴，是专门驱散我们心中闷气的。

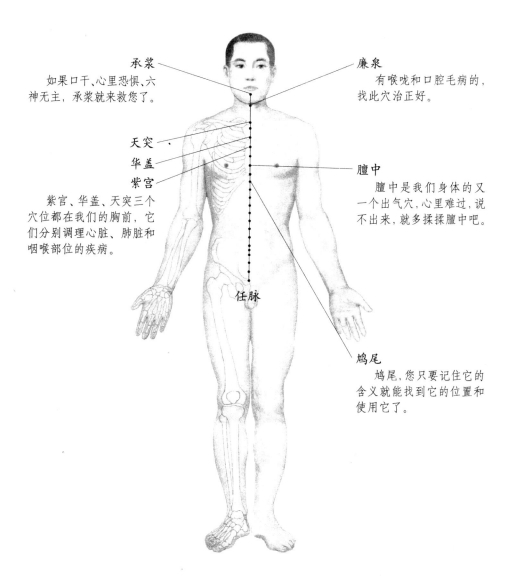

承浆

如果口干、心里恐惧、六神无主，承浆就来救您了。

天突

华盖

紫宫

紫宫、华盖、天突三个穴位都在我们的胸前，它们分别调理心脏、肺脏和咽喉部位的疾病。

廉泉

有喉咙和口腔毛病的，找此穴治正好。

膻中

膻中是我们身体的又一个出气穴，心里难过，说不出来，就多揉揉膻中吧。

任脉

鸠尾

鸠尾，您只要记住它的含义就能找到它的位置和使用它了。

一招揉胸推腹法，便可打通上下任脉，让我们精神和身体一天比一天好。

·调节心血管功能、抒发胸中抑郁和不顺之气：揉膻中穴

《黄帝内经》上说，膻中，喜乐出焉，就是喜悦的心情是从膻中这块迸发出来的。膻中穴是心包经的募穴，所以它对人体的心血管有很好的调节作用，有心血管疾患的人每天都要多揉膻中穴。

膻中在两乳头正中间。男士比较好找，女士因为不好确定，所以要找两乳之间有痛点的地方。此穴是人体的大穴，过去的说法叫中丹田，气都在这汇集，是气之会穴。

好多人曾经都有过这么一个感觉，就是心里不舒服时就爱捂着胸口这块，比如说您一想愁事了，这个时候用中指点按一下膻中穴，心里就会舒服很多。没事的时候就揉它，慢慢人就会变得坚强起来。所以膻中是一个调节情志的要穴。

有人说我想哭，但又哭不出来，心里挺难受的，那您就揉这，一想愁苦的事儿就哭了。哭了后对于身体来讲非常有好处，叫一哭解千愁。因为毒素顺着眼泪排出去了，心中的郁结之气也散了很多。

还有，如果您生气了，气不顺了，时不时有喘不上气来的情况，还有咳嗽、哮喘、打嗝儿打不出来，赶紧多揉膻中。

·紫宫养护心脏，华盖调节肺脏，天突主管咽喉

紫宫跟心脏更有关系，心的颜色为赤红，所以这块是心脏的一个宫殿，它对调治、养护心脏非常好。

盖是伞的意思，华丽的伞指的就是咱们的肺，两块肺在那，像一把华丽的伞一样。这个穴是调节肺的，凡是咳嗽、气喘等跟肺有关的毛病，您就每天多揉揉华盖。

天突主治气阻，就是觉得喉咙这块老有一个东西咽不下去，吐也吐不出来，中医称为梅核气，就是生气造成的。一照片子，什么东西都没有，但就觉得这块老有痰似的。这时，揉天突能很好地缓解。

另外，天突对于慢性咽炎、咳嗽、气喘都有帮助。

以上这些穴位，咱们平常的时候可以拿掌根多揉揉，掌根比较有力量。

另外，揉这几个穴的时候，会很容易打嗝儿，这就证明咱们的气经常堵在这儿没出去。从天突开始揉，揉到鸠尾，就能起到一个开胸顺气的作用。能够开胸顺气了，心脏血液就能够供应上来了。如果气堵着，心脏的血液老上不来，就会引起头晕、脑部缺血。另外，颈椎的问题也跟心脏供血不足有关，血上不到颈椎这块，颈椎就容易老化，就容易形成淤血，所以咱们经常揉这块胸骨部分就可以缓解、治疗颈椎病。大家记住，不论是第几节颈椎有问题，您都可以在胸骨这块找到相应的痛点，您把前面的痛点揉散了，后边颈椎痛就缓解了，它俩是相通的。

·治喉咙、口腔的毛病：揉廉泉穴

再往上走就是廉泉，此穴主治喉咙和口腔的毛病。

·治流口水或口干、六神无主：揉承浆穴

很多人，特别是老年人有一个问题，就是嘴特别干，整天嘴老干，没唾液，可是睡觉的时候又流口水。流口水是什么原因呢？就是脾虚了；没唾液是什么原因呢？阴血不足了，而一个承浆就能把这两个问题都给解决掉。当您一揉承浆，唾液自然就分泌出来了，就好像琼浆玉液出来一样。

而且，揉承浆还能镇静，本来心里有点儿恐惧、焦虑、六神无主、没着没落的感觉，而一揉承浆，唾液一分泌出来，好像就给您补充上能量了，这个时候您咽咽唾沫，马上会安静下来。所以我们恐惧的时候，都愿意咽唾沫。但您没唾沫可咽的时候，就赶紧揉揉承浆，一揉承浆唾液就分泌出来了，这个时候您再咽唾沫，心神就安定了。

调理任脉时，只要记住三大要点就够了：第一，拿艾灸灸肚脐眼（神阙），这个有大补的作用；第二，在中脘和下面气海附近拔罐，可以起到调理五脏六腑，调神安心的功效；第三，经常推腹、揉膻中穴就可以打通任脉，可以让我们精神和身体一天比一天好。

调理任脉用推腹法时还有三个原则大家也要记住：第一，量力而行。这块您一推揉特别疼，您就慢点儿揉，不要一上来就很生硬地做，不要抱着一

下就要推开的思想。第二，循序渐进。今天用点儿劲，明天再加一点劲就行了，逐渐地加大力度。第三个更重要，持之以恒。您别弄两天就停了，那什么作用都没有。持之以恒，每天做一点，也就是每天咱们要健康一点点，比昨天好一点就行，您别每天差一点，那就麻烦了。

3. 向壁虎学爬行

> 如果我们嫌打通任脉比较麻烦，那就把它简化成推腹法和壁虎爬行法就行了，又省事，还一劳永逸。

这里再告诉大家一个绝招，也是调节任脉的。有人不愿意做推的动作，说这个没什么意思，太单调，枯燥。那咱们来点儿有意思的动作，这个动作叫壁虎爬行。

虽然叫壁虎爬行，可是不能照猫画虎。如果您爬的时候肌肉胳膊使劲，腿也使劲，那就爬错了。那应该怎么做呢？咱们可以爬在床上，也可以在地板上铺一个垫子，爬在地板上，这个时候我们不用想别的事儿，就把眼睛一闭，把脸贴在床上，非常放松，胳膊一直都不动，是腰在动，是用腰来带动胳膊；千万别爬，一爬就用肌肉的力量了，而且，肌肉自始至终要完全放松，完全靠身体来回自己扭动，想像自己就是一只壁虎，就像壁虎一样扭动身体。记住一定不要用胳膊，不用腿，肌肉也不用使劲。

有人觉得站着做也管用，也锻炼身体，但跟趴着做是两码事。趴着练是为了锻炼脏腑，因为一趴着，您一扭动，肚子自己就按摩上了，都不用您亲自去按摩。您这么一扭动，腰椎也在扭动，腰椎就调节了；肩膀也放松了；而且膝盖往起一抬，连膝盖也活动了，整个全身上下都是和谐共振的感觉。

练壁虎爬行有什么好处呢？咱们先举一个例子，有一个西安的朋友告诉我说，听完您讲座以后，我回家后就在床上做这个动作，一个礼拜后我发现我20年的慢性胃炎好了，到现在也没再犯过。他说现在我每天都做60个壁虎爬行。他是一个厂长，所以他号召厂里的所有员工都练这个，认为对身体特别有好处。

以上只是一个例子，其实我的初衷是说壁虎爬行是调节任脉的，改善更年期综合征是最好的。任脉为阴脉之海，主管人体的阴液不足，而人到了更年期，阴液不足了，有时候忽热忽冷，心里比较烦躁，尤其是晚上心里烦躁睡不着觉，老有火似的，这个时候赶紧趴在床上做做壁虎爬行，做完了心里就清凉了，就好像吃了一个牛黄清心丸似的。而且这么一扭动，腰椎、肠胃、胸这块都按摩了，肩膀也自然地扭动，颈椎也锻炼了。

壁虎爬行法对于小孩尤其好。当孩子脾胃不好、老吃不下东西、面黄肌瘦时，您给他按摩，他可能嫌疼不让您做，而当您说咱俩一块做壁虎爬行的游戏吧，这他就愿意，他觉得有意思，而且您再夸他两句，"唉呦！做得真好，比我好多了"，这孩子就可能天天自己要求做了。这么做一些日子后，孩子的脾胃功能就好了。而且小孩正处在生长状态，练壁虎爬行法还可以增加他的协调能力，帮他长个儿。

如果我们嫌打通任脉比较麻烦，那就把它简化成推腹法和壁虎爬行法就行了，又省事，还一劳永逸。

4. 任脉健康大课堂

> 跪膝法睡前可以做一做，但是刚吃完饭不适合做，因为它引气血的速度非常快，直接就把气血引到膝盖上去了，而刚吃完饭以后，需要气血充盈在肠胃上，如果引到膝盖上则不利于消化。

问：

我姐姐最近刚得了糖尿病，餐前是12，餐后是17，请问在经络方面怎么治疗？

中里巴人答：

任脉上有一个胃的募穴叫中脘，是调节血糖的要穴。在中脘那块可以艾灸，也可以拔罐，也可以推腹，都有降血糖的效果。

问：

跪膝法可以代替饭后百步走吗？

中里巴人答：

不能代替饭后百步走。睡前可以做一做，但是刚吃完饭不适合，因为跪膝法它的引气血速度非常快，直接就把气血引到膝盖上去了，而刚吃完饭以后，需要气血在肠胃上，如果引到膝盖上则不利于消化。

问：

壁虎爬行法在哪个时间做效果最佳？小孩做这个是不是也能减肥？

中里巴人答：

您有空的时候做最佳。为什么？因为您强迫自己在某一个时间做，凡是产生强迫情绪的都坚持不了多长时间，今天能强迫自己，到明天就不想强迫了。所以，您只要抽出空来，您愿意做就做一做，而且一定要有兴趣，非常高兴地去做。

如果小孩肥胖，您就天天给他揉肚子，对肥胖肯定是有帮助的，而且一旦改善了脾胃功能，本身就可以把体内的赘肉排出去。跪膝当然也是很好的方法。

无以为报

昨天走在天津的街道上，突然被一个七八十岁的大妈拉住衣袖，说在电视上老看我的节目，可喜欢我了，"你和我的儿子差不多大，我请你到家吃饭，给你包饺子吃"。老太太那真诚而疼爱的目光，让我心里热乎乎的，要不是急着赶火车，我真想去她家坐坐，吃她亲手包的饺子。

因为一本随意写的书，让我在全国各地结识了很多朋友。大家对我的信任，对我的偏爱，让我时时感动着。我真不知如何去回报这种浓情厚意。

我一直喜欢独来独往、闲散无拘的生活，从来没有什么远大的抱负和使命感。也不想去教导别人如何生活，因为我自己也有许多烦恼，许多无奈，各自的人生，谁又能替代得了呢？可无意中却发现命运早把我推上了舞台，而且台下已经坐满了翘首以待的观众，正在为我鼓掌加油呢！

上天给了我一个机会，让我尽情地说出自己想说的话，让我去感受那无数关爱与期待的目光，让我知道灵感并非来自那万能的知识。这种恩泽，让我无以回报。

说出真心的话，说出您也想说、大家都想说的话。其实，只要我们有一颗真心，知道感恩，生活当中，还有什么道理值得细说呢？

中里巴人

2008 年 10 月于北京

鸣 谢

《国医健康绝学》系列丛书自出版面世以来，受到了广大读者的热烈欢迎，很多朋友说，用过书中的一些保健方法后，身体出现了许多惊喜的变化，对于健康，有了更大的自信，而且，还有更多的朋友把这套丛书作为一份健康的真情礼物送给了自己的亲人和好友，受益者越来越多……其实，让大家更多地关注健康，而非关注疾病，这正是我们期待已久的。

在《健康时报》与新浪读书频道共同主办，中国健康教育学会协办的"2007中国十大健康好书评选活动"中，《国医健康绝学》系列丛书中的《求医不如求己》和《人体经络使用手册》荣获"2007年度中国十大健康好书"荣誉称号，《不生病的智慧》一书荣获"2007年度中国优秀健康图书"荣誉称号。

《国医健康绝学》系列丛书陆续推出以来，我们接收到了大量的信件和电话，一些读者对丛书的编辑提出了富有创造性的建议，一些读者对书中的一些问题提出了商榷，还有一些读者指出了书中存在的一些不足之处，对此，我们都一并真诚接受，并在查证、比较和权衡之后进行了合理采纳和吸收，对书中存在的不足之处及时做出了修订和改进，以期更接近读者心中的目标。但在丛书的编辑过程中，由于时间仓促、编者能力所限，书中还可能存在一些问题和不足，欢迎读者朋友继续提出宝贵意见和建议。

真心感谢广大读者长期以来的支持和厚爱，您的需求和期待是我们倾心为之奋斗的目标，您的监督和鞭策是我们成长提高的阶梯，您的支持和关注是支撑我们走下去的不竭动力。在您的注视之下，我们会走得更加稳健，我们将继续努力，争取为您奉献更多的精品健康图书。

《国医健康绝学》系列丛书编辑部

菩萨合掌求菩萨，求医不如求自己

改变中国人健康生态之第一方案

《求医不如求己》

这是一本当代中医养生专家中里巴人所写的养生秘笈，这是一本给我们生活带来了福气的书。

在书中，医德双馨的中里巴人告诉大家：一、"养生胜于治病"，不要等到失去健康的时候才去珍惜健康；不要借口忙，就无暇顾及身体，那样你永远不会有空闲。记住：马上行动！二、"疾病不是我们的敌人"，你若想生活幸福，就要学会从容面对疾病，学会与疾病结伴而行。疾病是人生的一道必选题，同时又是最好的答案和注释，因为疾病就是命运。

特别赠送全彩国家
标准经穴部位挂图

命要活得长，全靠经络养

从黄帝开始，中国人代代相传的养生手法

《人体经络使用手册》

这是一本介绍通过敲打经络就能预防百病的书，荟萃了从黄帝开始中国人代代相传的绝妙养生手法。它要为您送上：一、58种常见病和不明慢性病的经络穴位自疗方法；二、一学就会、一用就灵的14条经络养生方法；三、3种最有效的小儿健康推拿指南；四、使用人体经络的8种最简单技巧。

经络的神秘，随着本书一页页翻开的沙沙之声浮现在我们眼前，原来，经络是上天赐予我们人体的大药，原来，人的所有病都是"经络病"，而通过疏通经络就能使病消失无踪。

特别赠送全彩国家
标准经穴部位挂图

把健康亲手送给孩子是父母的最大福气

增强中国孩子体质和智力的最佳方法

《儿童经络使用手册》

本书是萧言生继《人体经络使用手册》后为中国的父母和他们的孩子写下的又一部健康宝典。

作者认为，发育迟缓、肥胖、性早熟、弱视、遗尿、习惯性感冒、肺炎等好多让父母心急如焚的疾病都可以用经络治好。本书为您奉上如下"宝贝"：一、小儿身上的27个关键穴位，这是保证孩子健康平安的枢纽；二、8套儿童经络保健方案，让你在家中就可轻松为孩子防病；三、45种儿童常见疾病的经络推拿治疗手法，无任何副作用，最科学，最人道。

特别赠送全彩儿童
经络穴位挂图

国医健康绝学系列七

当孩子的儿科医生、营养大师和早教专家
彻底改善和修补中国孩子的先天之本

《父母是孩子最好的医生》

　　本书是马悦凌老师结合自己的亲身育儿经历为天下父母奉上的一部健康育儿福经。书中为您献上：一、7种为怀孕前女性量身定做的补气血家传食疗方，为孩子创造最优质的先天孕育环境；二、9种最简单、最直观的方法，可帮助父母马上判断孩子是否健康和气血充足；三、25套小儿常见病的食疗加经络按摩的特效防治方案；四、9种让孩子身心无忧的胎教、成长秘方；五、一目了然，分类科学、齐全、简单、有效的《食物属性一览表》，让孩子和您天天吃得安心，身体越来越好。

特别赠送全彩儿童经络穴位挂图、全彩食物属性一览表

国医健康绝学系列八

每个人都有不生病的权力
从根子上修复中国人的后天之本

《不生病的智慧2》

　　只有从源头上化解了病因，我们才可以安颐舒适，健康长驻。本书为您献上：一、13个健康新观念，告诉您如何正确对待自己的身体；二、13个健康细节，帮您找到致病根源；三、22套特效祛病健身调补方案，让您在多种疾病面前应对有方，从容不惧；四、22种小儿补养和祛病良方，护佑宝宝健康快乐成长；五、23个经络、食疗和方剂精华养生大法，给天下姐妹最贴心的呵护；六、5个简单易学的煎药、经络按摩治疗法。

特别赠送全彩国家标准经穴部位挂图

国医健康绝学系列九

用同气相求的原理来养生
为每一个中国人度身定做的长命真经

《不生病的智慧3——易经养生说明书》

　　本书是一部利用食物和经络原穴来对人体进行全方位特效保养的健康绝学之书。本书要为您献上：一、人体8个最重要部位的全面高效养护方案；二、8类不同体质之人的特效养生祛真法；三、23个健康新观念，告诉您——养生无定法，长寿需"变卦"，尊重身体的本能选择，每个人都可以无病一生；四、一份简洁、明晰的《卦象查询表》，让您很快查知自己和亲人、朋友的身体状况，迅速掌握身体的健康密码。

特别赠送全彩食物卦象一览表

愿健康活力绵绵如来　祝全家安康世世观音

奠定健康基石的长城　创造人体社会的和谐

这是一份给我们的亲人和朋友们带来福气和好运的真情礼物，把健康送给他们，把一学就会、一用就灵的养生祛病真法教给他们，把不生病的智慧献给他们，这是我们每个人一生中应该全心全意去做的事情。

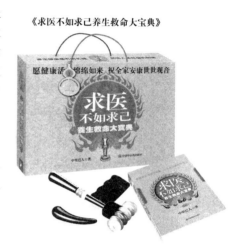

《求医不如求己养生救命大宝典》

大宝典中包括：一、12条经络养生调治真法，让您尽享颐养天年的莫大福气；二、87个人体特效穴位激发术，通过穴位的神奇枢纽，激发潜藏在您身上的无穷真气。正气足，疾病自然就远遁了；三、20套道家不外传的长生仙功，采撷天地日月之灵光，给您和家人送来永久的平安吉祥；四、32味常见中成药服用方，春风化雨，润物无声，及时化解病痛，补养气血，还您健康自在好心情；五、5种战无不胜的中医刮痧法、拔罐法、足底反射疗法、导引法，好学好用，神奇灵验，让您生命的每一天都有神医护佑；六、1道善补气血的山药薏米芡实粥，滋养身心，调养脾胃，与您终生相依；　七、1部四季无忧的"生长收藏"养生真经，让您春天保肝，夏天养心，秋天护肺，冬天补肾，平安度过年年岁岁。

随书赠送总价值达 *224* 元的健康大礼包，如此，这本书就算白送给您了！

一、3张国家标准全彩大对开人体经络穴位挂图〔价值人民币60元〕，清晰详明，准确严谨，助您快速掌握经络按摩治病养生大法。

二、1张国家标准全彩对开人体足部全息反射区挂图〔价值人民币20元〕，收全身里外万象，获健康至尊之宝。

三、1支"路路通"牦牛角点穴按摩棒〔价值人民币38元〕，让它激活您生命中与天地相应的奇经妙络，健康的佛音将从此萦绕在您身心。

四、1款"路路通"水牛角多功能刮痧按摩板〔价值人民币28元〕，威力无边，于手之所动、板之所触的刹那之间，疾病便已化解于无形了。

五、1架"路路通"通灵按摩车〔价值人民币78元〕，温润灵秀，随着它舒缓柔和的滚动，身体的无尽活力绵绵"如来"，世世"观音"。

●中里巴人 / 著 ● **198.00** 元

最体贴中国女性肌肤的内外保养秘法
有别于所有明星美容书的女性必备养颜真经

《31 岁小美女的养颜经》

这是一本有别于所有明星美容书的女性必备养颜真经，作者一猫一菩提总结了来自历代中医的养生精髓和个人10年的亲身体会，主张美容固然重要，但更重要的是养生，真正的美丽是由内及外、内外双修的，并首次提出"保暖美容"与"经络养颜、呼吸养颜、心情养颜"一招三式新概念，在书中，作者告诉了姐妹们以下切实并有效的方法：一、每天一次腹式呼吸，再按摩脸上的四白、颈部的淋巴区、腰部的肾腧以及肾经、膀胱经，每天3分钟，试试看，你会让明星也羡慕你的脸。二、养颜的根本就是滋阴。所谓养颜，就是从皮肤到内脏都要保养。所谓滋阴就是滋养身体内外的水分。三、对女人来说，没有比化妆品和面子更重要的东西了，只有找到最适合你的养颜真经，你才能拥有迷人的皮肤和流畅无比的身材，从而获得一生健康、幸福的通行证。

还每一个女性的天生容颜
保养中国女性容颜及身心的美丽生活实用之书

《内因决定外貌——从丑小鸭到白天鹅的美容秘方》

本书是继《31岁小美女的养颜经》之后又一本以中医方法保养中国女性容颜及身心的美丽生活实用之书，书中荟萃了多种天然美容养颜秘方，让您用最简单、最安全的方法最快达到隆鼻、丰胸、瘦身的效果，另外，书中提出的"观念养颜、素质养颜、气血养颜、细节养颜"的全新4大美容观念，全方位地诠释了女性养颜、养生、养心之大道。

本书将为你献上：4种肌肤天然滋养护理法，11套随心自助养颜法，35种美容的家常食物，21套中医的贴身排毒养颜方案，6套乳腺和卵巢系统自我保养方法，15个穿衣打扮小诀窍，让你在任何场合都能彰显独特气质，容貌与品质共长。

特别赠送全彩国家标准女性正面经穴部位挂图